성녀님의
폭군 교화법

성녀님의 폭군 교화법 1

펴낸날 2020년 1월 15일 초판 1쇄
지은이 해연

펴낸이 차보현
펴낸곳 (주)연필
출판등록 제2017-000009호
전화 070-7566-7406
팩스 0303-3444-7406
이메일 editor@bookhb.com(편집부)
        bookhb@bookhb.com(영업부)

성녀님의
폭군 교화법

해연 장편소설

차례

1부. 열 살의 성녀님 적국에서 온 소년

소녀, 소년을 만나다   9

야밤의 위기, 나의 기사님?   27

특명, 까칠한 고양이 길들이기!   112

이별, 그리고 약속   174

외전. 소유욕   203

2부. 열세 살의 성녀님 세상 밖으로의 여행

다시다난, 야파 왕국으로!   215

음모의 소용돌이   309

1부

열 살의 성녀님

적국에서 온 소년

소녀, 소년을 만나다

'내 것이 되든가, 전쟁을 하든가.'

비딱한 목소리가 환청처럼 귓가에 울렸다. 나는 사실상 최후 통첩을 마주하고 있었다. 밀려오는 적국의 군대로부터. 이것은 내가 성녀로 태어난 이래, 가장 큰 위기였다. 문제는 내가 상대해야 할 그가 제정신이 아니란 거다.

적국 칼리스의 아름답고 잔혹한 젊은 군주. 저주를 받아 미쳐가는 데다가 나를 미워하면서도, 지독하게 집착하고 있지.

"아델."

나는 나만이 부를 수 있는 그의 이름을 읊조렸다. 어디서부터 잘못되었던 걸까. 따스한 기억은 퇴색되고, 과거도 빛바랜 지금 코앞에 들이닥친 것은 차가운 현실이었다.

사실, 그와 내 사이는 나쁘지 않았다. 아니 꽤 좋았다. 그가 칼리스의 왕이 되기 전, 그리고 내가 여전히 성녀였던 그 어린 시절에는 말이야.

*

우리의 인연은 꽤 오랜 세월을 거슬러 올라간다. 열아홉 살의 내가 열 살이었던 9년 전, 세상은 마냥 아름답게만 보였다. 그를 만나기 전까지는!

나는 이곳, 월신月神이 다스리는 성국에서 축복받은 성녀로 태어났다. 세상에서 유일한 금빛 눈동자를 가진 검은 머리카락의 아름답고 성스러운 소녀로.

전생에서의 나는 한국에서 태어난 불우한 소녀였다. 이혼 가정, 부모가 외면한 아이. 그래도 친할머니 품에서 그럭저럭 잘 자라나던 나는, 중학생이 될 무렵 그 할머니마저도 잃었다.

고아원에 갈 뻔한 그때, 엄마가 날 찾아왔다. 일하던 곳에서 우연히 모 사장님을 만나 재혼했다고 말하는 엄마의 얼굴은 놀라울 만큼 젊고 화사했다.

'내 아가, 불쌍한 것! 내가 얼마나 널 그리워했는지!'

울음을 터뜨리며 엄마는 날 끌어안았다. 곧 나는 그녀의 손을 잡고 새로운 집으로 향했다. 그 집에서 만난 건 새아버지와 오빠, 그리고 나와 동갑인 여자아이.

통속적이지만 그 둘은 집 안에 굴러 들어온 거지새끼를 보는 것처럼 날 무척 싫어했다. 사소한 괴롭힘에서부터 모함, 보이지 않는 곳에서의 폭력, 따돌림. 집안의 평화를 위하여 엄마는 날 모른 척했고, 내겐 힘겹고 고단한 삶이 이어졌다. 나는 고등학교만 졸업하면 이 집을 나가겠단 일념으로 이불을 뒤집어쓰고 울면서 버텼다.

내가 살해당한 건 몹시 추운 어느 겨울날이었다. 새아빠와 엄마가 부부동반 여행을 떠난 밤, 난 술에 취한 남매에 의해 찬물을 뒤집어쓴 채 마당의 창고에 갇혔다. 얇은 잠옷 하나만 입은 맨몸으로. 그들은 아마 날 까맣게 잊고 술기운에 곯아떨어졌던 것 같다.

"제발, 제발! 이 문 좀……. 너무 추워!"

영하 20도까지 떨어지는 강추위에서 난 손이 부서져라 문을 두드렸다. 비참하고 끔찍하지만 세상 어디선가 일어났을 법한 사연. 그 사연의 주인공이 된 나는 까무룩 의식을 잃기 전, 빌었다.

"다음 생에서는 꼭 행복하게 살게 해 주세요."

아, 그리고 날 죽게 한 연놈이 꼭 벌 받기를! 그리고 놀랍게도 신께서는 내 소원을 들어주셨다. 그 신이 이쪽 세계의 신이 아니라는 건 사소한 문제다.

느닷없이 아기로 태어나 혼란에 빠졌던 난, 태어난 지 일 년이 지났을 때 드디어 신을 영접했다.

그때야 나는 어째서 내가 아기로 태어났는지 알 수 있었다. 그리고 내가 어떤 존재인지도. 나를 이리로 이끈 것은 전생의 내 할머니였다. 할머니는 젊어서 뺑소니를 당하신 적이 있었다. 그때 세계의 균열을 넘어온 월신의 파편이 죽어 가는 그녀를 우연히 발견했다. 월신의 파편은 보기 드문 선한 영혼에 감명을 받아 할머니를 살렸고, 그녀 안에서 죽음까지 함께했다.

하지만 월신의 파편도 다해 가는 할머니의 수명은 어쩔 수 없었다. 돌아가신 뒤에도 홀로 남게 될 손주를 걱정한 할머니는, 오랫동안 나를 지켜보셨다.

나의 삶뿐만 아니라 죽음까지도. 월신의 파편은 할머니의 슬픔에 동화되어 내 영혼과 함께 세계를 넘었고……. 할머니는 월신과 하나로 녹아들어 나의 신이자 부모로 거듭나셨다.

그리고 나는 신탁과 함께 환한 빛 속에서 태어났다. 신전 깊은 곳에 있는 연못의 하얀 꽃봉오리 안에서 말이지, 세상에! 장차 성국을 다스릴 월신의 하나뿐인 성녀, 에스델 세라피아. 그것이 내 이름이다.

하얀 성벽에 둘러싸인 작지만 부강한 나라, 월신의 성역인 이곳 성국은 내 고향이다. 성국과 성국 중심에 위치한 신전의 사람들은 모두 나를 진심으로 아끼고 섬겼다.

성녀님의 삶은 평화롭고 행복했다. 나는 전생과는 정반대로 모두에게 사랑받으며 밝은 아이로 무럭무럭 자라났다.

하지만 그러던 내게 운명의 그날이 들이닥쳤다. 그 녀석을 처음으로 만난, 바로 그날! 그날 사제들은 무척 분주했다.

몰래 신전 밖으로 빠져나온 나는 상념에 잠겨 걷고 있었다. 그날따라 난 감성적이었다. 성녀이기에 동등하게 말을 나눌 사람이 없는 난 가끔 외로워졌다.

그럴 때면 전생의 기억이 슬금슬금 밀려 올라온다. 새아빠 자식들의 주도로 학교에서 따돌림당하고, 집안에서 구박받던 그 힘겨운 시절. 편견 없이 친해진 친구들이 갑자기 기억났다.

혜경이 유정이……. 내가 죽었을 때 슬퍼했을까? 그랬겠지. 그러면 말이야. 날 외면했던, 그래도 할머니가 돌아가셨을 때 날 데리러 왔던 엄마는…… 슬퍼했을까? 내 죽은 모습을 보고 무슨 생각을 했을까? 아예 데려오지 말았어야 했다고? 아니면 날 데려왔기 때문에 이 사달이 났다고, 그 애들을 감쌀까.

오랜만에 다시 직면한 의문에 기분이 우울해졌다. 이제는 확인할 수 없는 일이다.

멍하니 걸음을 옮기던 난 모퉁이를 돌다가 누군가하고 딱 부딪혔다……라기보단 그쪽에서 날 밀쳐 냈다. 확 떠미는 강한 손길에 난 쿵, 하고 엉덩방아를 찧었다.

아이고 아파! 내 엉덩이!

잠시 엉덩이를 문지르던 난 표표히 걸어가는 아이의 뒷모습을 보았다.

"너, 뭐니?"

돌아보긴커녕 아무 일도 없었다는 듯이 걷는다. 열이 확 치민 난 소리를 높였다.

"야!"

이 자식 좀 보게? 난 입을 삐죽거렸다. 내 소중한 엉덩이에 상해를 입혀 놓고 아무 말 없이 도주하려 하다니! 난 발치의 작은 돌멩이를 집어 들어 던졌다.

"야, 너 거기 안 서!"

퍽! 나이스 명중! 좀 아팠을 거다. 무릎 뒤쪽에 돌을 맞은 그 애는 걸음을 멈추었다. 드디어 뒤를 돌아본다.

어? 예쁘게 생겼잖아. 그것도 엄청나게. 난 얼이 빠졌다. 물기가 묻어 나올 것 같은 파랗고 파란 눈동자가 날 또렷하게 직시한다. 곱고 예쁜 이목구비. 이마에 흘러내리는 잔머리는 눈부신 금빛이었다. 내 또래로 보이는 그 애는, 그야말로 성화 속 아기 천사가 조금쯤 자라난 모습을 하고 있었다. 끌어안고 머리를 마구 쓰다듬어 주고 싶을 만큼 귀엽고 예뻤다. 호감이 절로 피어오른다. 멍하니 쳐다보던 난 퍼뜩 정신을 차렸다.

"죽고 싶어?"

놀랍도록 음산하게 깔리는 목소리는 여자아이의 것이라기엔 좀 낮았다. 남자애란 말이야? 생김새가 좀 다른 것도 그렇고 저 거만한 말투와 곱게 자란 분위기. 이 아이는 분명히―

"이 귀여운 소녀를 밀친 것도 모자라 협박까지 하다니! 너 귀족이라도 되나 본데, 이 성국에서 네 신분은 아무것도 아니야!"

와, 유치하다. 하지만 난 열 살이니까 유치한 건 당연하다. 타국의 신분 높은 사람들이 성국에서 갑질하는 경우가 가끔 있다고 들었다. 이런 어린애가 그럴 줄은 또 몰랐네. 기막혀하면서도 난 이 예쁘장한 소년에게로 슬금슬금 다가가고 있었다. 내가 딱 앞에 섰을 때 녀석이 비딱하게 입꼬리를 들어 올렸다.

"그렇겠지. 이 성국을 나서면 네가 파리 목숨이듯이."

녀석은 아이답지 않은 싸늘한 얼굴로 내뱉었다.

"날 방해했단 것만으로 죽어 마땅하지만, 한 번은 넘어가 주지."

어안 벙벙한 채 서 있던 것도 잠시, 차갑게 돌아서는 그 예쁜 금발 머리통을 후려치고 싶은 충동이 치밀었다. 이런 시건방진 도련님을 봤나? 얼마나 귀하게 자란 몸인지는 몰라도 싹수가 노랬다. 기껏해야 나랑 동갑인 열 살쯤으로 보이는데!

난 심호흡한 뒤 물었다.

"너 참 성격이 나쁘구나?"

내 정체를 모르는 이 녀석에게 내가 만만하게 보일 거라는 건 안다. 하지만 그게 날 무시해도 된다는 건 아니잖아? 난 손가락을 딱 튕겼다. 그러자 녀석의 몸이 바짝 굳었다. 나는 성녀고, 성국 전역의 대기가 내게 복종한다. 그 때문에 내 의지에 반응해 녀석의 몸을 속박한 것이다. 난 나풀나풀 걸어가 그 애 앞에 섰다. 승자의 미소가 입가에 떠올랐다.

"그럼 이제 사과를 받아 볼까?"

이 소년이 선택할 수 있는 가장 효과적인 방법은 아이답게 빼, 하고 울음을 터뜨리는 거다. 예쁜 아가의 눈에서 눈물이 퐁퐁 솟으면 '애한테 너무 심했나?' 하고 내게 죄책감이 생길 거다. 그러면 마음 약한 이 성녀님은 무례를 용서하고 딱밤 한 대로 녀석을 얌전히 풀어 줄 테지.

하지만 첫인상처럼 도도한 애였다. 성질도 사나웠다. 당장에라도 달려들어 내 목을 꺾어 버릴 듯한…… 맹수 같은 눈이다.

어머, 무서워라!

그래, 피를 봐야 알겠단 말이지?

난 녀석에게 바짝 다가섰다.

"사과해."

고개를 들이밀자 녀석은 흠칫거리면서도 수그리지 않고 나를 노려보았다. 드러난 손등에 핏줄이 돋아난다. 저항해 봐야 소용없을 텐데? 이 성국에서 내 힘은 절대적이라고! 난 녀석에게 최후통첩을 던지듯이 엄중하게 물었다.

"야, 사과 안 해?"

입은 움직일 수 있을 텐데도 녀석은 침묵으로 답했다. 건방지긴! 난 너그럽게 5초 정도 기다린 후에 손을 위로 올렸다. 뽀얀 뺨에 가볍게 손이 닿자 녀석의 표정에 의문이 어렸다. 난 집게손가락 끝으로 살짝 볼살을 꼬집어 올렸다. 아주 쫄깃쫄깃한 볼살이다. 꼭 찰기 많은 밀가루 반죽을 주무르는 것처럼 표피가 보들보들하고 매끄러웠다.

이래서 어른들이 아이들 볼을 꼬집는 건가! 탱탱한 볼살을 옆으로 길게 당겼다가 놓았다 하면서 가지고 놀자 녀석의 얼굴에 치욕감이 피어올랐다.

세상에, 저 표정을 좀 보라. 장난감 취급을 당해서 불퉁하게 도리질 치는 아이들과는 다른 위험스러운 눈빛, 이 생생한 분노라니. 조숙하고 예민하다.

이런 아이들의 자존심을 함부로 건드려선 안 된다. 안 그러면 삐뚤어질 테니까. 하지만 이 아이는 이미 삐뚤어질 만큼 삐뚤어졌다. 이미 노래진 새싹이랄까?

난 후드 아래 드러난 입가로 보란 듯이 활짝 웃어 주었다.

"얍!"

바로 힘을 주면!

쭈욱— 당겼다가 아픔에 익숙해질라치면 풀어 주고 다시 힘을 주어 당기고. 강약을 조절하며 마구잡이로 피부를 꼬집자 녀석의 눈에 눈물이 차올랐다. 생리적인 고통의 눈물이었다. 내가 악기를 배워서 손에 힘이 있거든! 꼬집은 살결 너머로 녀석이 이를 악무는 게 느껴졌다.

"빨리 사과 안 해, 너?"

욕지거리 섞인 신음 같은 것을 내뱉으며 녀석은 내게 저항하려고 애썼다. 하지만 몸이 안 움직여지는데 저항이 되겠어? 어림도 없지. 한동안 뻐기던 녀석의 눈에 고인 눈물이 똑 떨어지는 그때 난 손을 떼어 냈다.

정말 독한 아이다. 경의를 표할 만한 인내심이었다. 크면 아무래도 질긴 가시덩굴이 될 싹수가 보이는걸. 솔직히 내가 지쳤어. 이제는 애도 지나가는 사람을 밀치고 사과 한마디 없이 지나가선 안 된다는 정도는 배웠을 테지. 으음…… 배웠겠지? 아마, 그럴 거야.

"그래, 내가 포기할게. 가 봐."

속박을 풀어 주자 잔뜩 몸에 힘을 주고 있던 녀석이 균형을 잡지 못해 비틀거렸다.

어어, 조심해! 그러다가 넘어진다고. 눈물을 흘렸단 사실을 지우고 싶은지 녀석은 급하게 손등으로 눈을 문질렀다.

난 너그러운 성녀님이니, 이대로 용서해 주지. 난 바로 등을 돌리고 돌아섰다.

"너!"

컥! 갑자기 목덜미가 확 잡아채이면서 목이 졸렸다. 사납게 변한 대기가 그 아이를 공격하려는 걸 난 재빨리 저지했다.

진정하렴. 쟤는 아이라구! 참 거칠다. 난 녀석의 손길에 휙 돌려 세워졌다. 그 바람에 뒤집어쓴 후드가 훌러덩 벗겨져 나갔다. 봉인 해제! 아, 이건 아닌가. 살랑거리는 흑발이 사방으로 쏟아져 내렸다. 내 모습을 본 녀석의 손에서 힘이 빠져나갔다.

푸른 눈동자가 물을 쏟을 듯이 커진다. 적나라하게 확장된 동공. 아, 역시 이 미모란. 굳어 버린 녀석을 향해 난 성녀답게 자애로운 미소를 보였다. 녀석이 움찔거렸다. 뻔하다. 보아하니 꽤 금지옥엽으로 자란 도련님 같은데.

"왜 이래, 내게 반한 거니? 그럼 곤란해."

'날 때린 여자는 네가 처음이야!' 같은 상황 아닐까.

아 때린 건 아니지만, 꼬집는 거도 육체적인 통증이란 점에서 맥락을 같이 한다. 나의 신빙성 높은 추측에 녀석은 의심하는 기색을 보였다.

"성녀?"

"응."

"……말도 안 돼."

녀석은 얼굴을 찡그렸다. 뭐가 말도 안 돼? 네가 사정없이 밀치고 폭언을 내뱉은 이 몸이 성녀인 게? 하필 반한 여자애와의 신분 차이에 주눅이 들어서? 감히 절벽 위의 꽃을 내가 넘보았구나! 하는 좌절감 때문에?

실은 그럴 만도 한 게, 어지간한 귀족이라도 성국의 주인인 성녀에겐 댈 수 없는 신분이니까. 꿈을 가져 보는 것도 좋을 텐데 어린 녀석이 현실적이군.

온갖 상상의 시나리오가 머릿속에서 펼쳐지고 있는데, 찡그린 인상이 서서히 펴졌다.

녀석은 내게 무슨 말을 하려고 했다.

"너……."

그때였다.

"성녀님, 어디 계세요!"

크르르룽! 불현듯 들려온 우렁찬 외침에 난 산중에서 호랑이 울음을 들은 것처럼 화들짝 놀랐다.

이건 아리안느? 세상에, 그녀가 왜 여기에 있지! 아리안느는 성국에서도 손꼽힐 정도로 강력한 신성력을 보유한 대사제다.

상냥하고 자애로운 내 보육 사제 에이레네와는 달리 아리안느는 눈매도 날카롭고 성격도, 음…… 좀 있었다. 솔직히 더러웠다. 내가 정말로 가끔가다가 사고를 치면, 간신히 화를 밟아 누르며 이러시면 안 된다고 으르렁거리며 말하는 그녀였다. 그때 그 표정이 상상 초월하게 무서웠다.

어린 사제들도 말썽을 부렸다가 아리안느에게 걸려서 혼나면, 그녀의 옷자락만 봐도 경기를 일으키며 달아난다고 하지. 하필 그 아리안느가 날 찾으러 오다니! 에이레네는 어디 가고!

순식간에 맹수에게 쫓기는 토끼가 되어 버렸다. 난 우왕좌왕하며 제자리에서 몸을 뒤틀어댔다. 눈에 띄게 당황한 날 빤히 보던 녀석이 의심스럽게 중얼거렸다.

"정말 성녀이긴 한가."

"성녀니이이이이임!"

아리안느의 부름이 한층 더 가까이서 들렸다. 이젠 으르렁거림마저 섞였다. 으아아! 조금 전에 신성력을 사용했기 때문에 내 기운을 추적해 온 걸까.

두리번거리던 내게 길 저편의 골목이 눈에 들어왔다. 그 안쪽으로는 잡동사니 같은 게 아무렇게나 쌓여 있었다. 숨을 만한 장소인 것 같다. 막 그리로 뛰어가려던 난 문득 녀석을 돌아보았다. 얘 이대로 놔둬도 되나?

혹시나 아리안느가 그에게 날 못 봤느냐고 물으면 손가락질로 정확히 저기 숨었다고 일러바칠 것 같았다. 그건 안 되지. 생각을 마친 난 바로 녀석의 손목을 세차게 잡아챘다. 그리고 뛰었다.

녀석은 무슨 의도에서인지 순순히 내게 이끌려 왔다. 골목길에 들어서자마자 우리는 겹겹이 쌓인 상자들 사이에 숨었다. 난 스릴러물의 주인공처럼 잔뜩 긴장한 채 아리안느의 위치를 가늠했다. 어디에 있지?

다행히 그녀는 이쪽으로 누군가 숨어든 걸 눈치채지 못한 듯하다. 소리가 멀어지고 나서야 한시름 놓은 난 그제야 녀석을 돌아보았다. 녀석은 유순한 얼굴로 날 쳐다보고 있었다. 아까의 사나운 기색은 씻은 듯이 사라졌다.

난 바로 간파했다. 작위적이군. 저건 어른들의 반응이다. 보통 아이라면 날 우러러본다거나, 신기해하는 반응을 보일 게 틀림없다.

하지만 녀석은 거기까지 연기해 내지는 못했다. 녀석의 눈은 차가웠다. 아이답지 않은, 관찰하는 듯한 시선이 거슬린 난 생긋 웃어 보였다. 화답의 미소는 없었다.

얼굴에 아직 붉은 손자국이 남아 있네. 너무 힘주어 꼬집었나? 조금 미안해진 난 손을 뻗어 그 애의 뺨을 문질렀다. 표정을 싸늘하게 굳히는 녀석에게 난 다정하게 속삭였다.

"착하지? 조용히 해."

순간 녀석의 눈이, 야수처럼 광포해졌다. 난 후우, 한숨을 내쉬며 녀석의 머리를 쓰다듬었다. 사실 아까부터 쭉 이래 보고 싶었거든. 사륵거리는 금발의 감촉을 만끽하면서 난 달려들 것처럼 사나운 눈빛의 녀석에게 말했다.

"있지, 내가 아무리 좋아도 그렇게 열렬한 눈으로 보면 곤란해."

신께선 날 무척 아끼셔서 화를 내실지도 모르거든. 말이 끝나자 녀석은 입술을 꾹 다물었다. 여긴 성국이고 난 성녀다. 조금 전 이유도 모르고 당한 걸 떠올린 듯 녀석이 눈빛에서 반항심을 거두었다.

성격이 나쁘지만 자기 통제력이 있는 아이다. 몸은 열 살이 되 실제 열 살이 아닌 내겐 인내심을 키워야 하는 경험이 많았지만, 이 아이는 달랐다. 크게 되겠는걸. 새싹의 난 모양을 보고 미래에 어떻게 클지 가늠하듯 난 생각했다.

귀한 집 아이인 것 같은데 왜 이런 곳에 혼자 나다니는 것일까?

"넌 어떻게 성국에 온 거야? 보호자는 어디 있니?"

미아인가? 그렇다곤 보기에 뭔가 목적이 있어 보이는데.

내 평범한 질문에 녀석은 이마를 찡그렸다.

"넌 성녀인데 왜 쫓겨 다니지?"

내가 성녀란 걸 알고도 녀석은 고집스레 말투를 고치지 않았다. 그건 퍽 아이다운 일이었다.

난 생긋 웃었다.

"성녀에게도 나름의 고난이란 건 있는 법이지."

"신의 힘이 저물어 가는 시대이니 성국에서조차 성녀가 힘을 잃는 건가."

녀석은 내 말에 무슨 대단한 뜻이라도 있는 듯이 추론을 폈다. 이건 또 무슨 음모론적인 생각이야?

멀어졌던 소리가 다시 돌아와, 가까워지고 있었다.

난 코웃음 치며 소리를 낮추어 속삭였다.

"저기, 날 쫓고 있는 사람은 아리안느라고 아주 무서운 사제야. 너처럼 호기심 많은 어린아이를 붙잡고 엉덩이에 불나도록 때려 주는 게 주특기지. 네가 날 밀쳤다고 말하면, 아리안느는 무척 화를 낼 거야. 그러니 조용히 해."

내 말을 백 퍼센트 수긍한 것 같진 않지만 녀석은 일단 입을 다물었다.

신의 힘이 저물어 가는 시대라…….

나는 이쪽으로 틀어져 다가오는 발소리에 숨을 죽이면서 그 말을 되새겼다. 사제들이 그런 이야기를 함부로 떠들어 댈 리 없기도 하지만 모두가 내 앞에선 성국과 신의 위엄을 칭송하는 말만을 해 댔다.

내가 아직 그런 걸 알기엔 어리다고 여긴 걸까? 난 그 차가운 푸른 눈을 주시하며 이 애가 날 낚는 건 아닌지 생각해 봤다. 괜한 말로 날 흔드는 거 아니야? 아니면, 성녀인 내가 별다른 힘이 없어 보여서? 기적이라도 보여 주면 말을 바꿀지도 몰라. 난 약간 자존심이 상했다.

그사이 발소리가 아주 가까워졌다. 이리저리 돌아보다가 결국 이쪽이라고 판단했나.

"성녀님!"

아리안느의 째랑째랑한 음성에 몸을 움츠리는 찰나였다.

─쿵!

난 난데없이 밀쳐져 앞으로 나동그라졌다.

아이고 엉덩이야! 찧었던 곳을 또 찧자 멍이 들었는지 눈물이 핑 돌았다. 이게 두 번이나 날 밀쳤어!

자리에서 채 일어나기도 전에 머리 위에 그림자가 드리웠다.

이, 이건…….

"성녀님 이런 곳에서 뭘 하시는 건가요! 정말!"

"아, 아리안느…….."

아리안느가 날 일으켜서 엉덩이를 툭툭 털어 주었다. 사감이 담겼는지 매서운 손길에 엉덩이가 따끔따끔하다.

"왜 에이레네가 아니라 아리안느가 왔어?"

"에이레네가 성녀님을 한 번 살펴봐 달라고 부탁했는데, 오수를 취한다고 해서 놓고 자리에 안 계시더라고요? 마침 외부에서 기운이 느껴지길래 찾아왔어요. 무슨 일 때문에 신성력을 사용하셨나 해서 놀랐잖아요!"

"뭐, 별일 아니었어."

아리안느의 눈썹이 하늘로 치솟았다.

"상행 구경하시려는 건 좋아요. 그러면 수행 사제를 달고 나오시던가요! 아무리 성국이 안전하다지만 이러다 들키기라도 하면 신전 체면이 뭐가 되겠어요!"

"그치만 사람을 달고 나가면…… 자유롭게 구경할 수 없잖아. 외부인들이 내 정체를 알고 다들 어려워할 것 아냐."

풀죽은 듯이 종알대자 아리안느의 기색이 서서히 누그러졌다. 그녀는 머리를 거칠게 쓸어 넘겼다.

"어휴……. 정말이지. 아무튼 이제 돌아가요."

"그보다 소개할 사람이 있는데."

난 고자질할 셈으로 뒤를 돌아봤다. 내가 굳이 캐묻지 않은 건 녀석에 대해서 알아낼 만한 다른 방법이 있었기 때문이지!

성국의 대사제들에겐 혜안이라는 게 있다. 한 사람을 이루고 있는 근간을 꿰뚫어 볼 수 있는 능력. 상대의 혈통, 출생, 그 속내. 어렴풋한 색채로서 엿볼 수 있다곤 하는데 아직 어린 내겐 이 혜안이 트이지 않았다.

아무에게나 허락된 능력은 아니지만, 아리안느는 아무가 아니다.

"어라?"

뒤를 돌아본 난 정말로 놀랐다. 조금 전까지 녀석이 서 있던 자리는 텅 비어 있었다.

"어, 없잖아?"

"뭐가 없단 거예요. 누가 거기 있었나요?"

"……아니야."

날래기도 하지. 그새 도망가 버린 모양이었다. 녀석의 존재를 설명하려다가, 난 말을 멈췄다. 어쩐지 그래선 안 될 것 같은 기분이다.

잠시 고개를 갸우뚱하던 아리안느가 내 손을 단단히 붙잡았다. 신성력이 주변으로 모여든 직후, 눈 깜빡할 사이에 난 신전 안뜰에 서 있었다. 진지한 얼굴을 한 아리안느가 손을 뻗어 날 떡하니 붙잡았다.

"성녀님, 실은 이번 상행에…… 부정한 기운이 섞여 들어왔어요."

"부정한…… 기운?"

"네. 신성력이 깃든 것들에 기운이 감추어져 있어서 검사에 걸리지 않았나 봐요. 그걸 누군가가 이동시키면서, 흐릿하게 기운이 퍼져 나간 게 감지된 거지요. 모두가 그 행방을 찾고 있어요."

"그거 위험한 거 아니야? 내가 참여해 볼까? 성국 내부를 탐색하는 일이면 나도 할 수 있을 거야."

아리안느가 내 어깨를 힘주어 잡았다.

"아니요. 성녀님은 신성력을 사용하기엔 아직 어리세요. 성인으로 자라나 육신이 완성되기 전엔 그릇이 완전하지 못하답니다. 정 필요하면 말씀드릴 테니 안에 계시는 게 좋겠어요."

말투 자체는 부드러웠지만 아리안느의 눈빛에선 '귀찮게 하지 말고 얌전히 안에 좀 있어!'라는 단호한 의지가 전해졌다.

"알았어."

난 반항 없이 고개를 끄덕였다. 당연한 이야기지만, 그것이 내가 그녀의 말에 따르겠다는 의미는 아니었다. 일 보 전진을 위한 이 보 후퇴랄까. 난 계획을 짰다.

열 살 때는 수시로 졸음이 밀려오기 마련이다. 그 졸음에 난 매우 잘 굴복하는 편이었지만, 오늘만큼은 예외였다. 그날 밤, 침대에서 나는 감기는 눈을 억지로 부릅뜨고 정신을 일깨우려고 노력했다. 핫식스가 필요해! 아니면 커피라도! 입술을 깨물며 되뇌던 난 결국 각성제로 쓰이는 약초를 하나 씹어 먹었다. 으으, 써. 입안에서 박하 향이 훅 퍼져 나간다.

취침 전 기도에서 나타나신 신님이 사고 치지 말라는 듯 이마를 툭 치고 사라지긴 했지. 하지만 난 아이답게 말을 안 들어도 되는 호사를 마음껏 누릴 셈이었다.

그래, 오늘 밤은 모험을 떠나는 거야!

야밤의 위기, 나의 기사님?

나는 습관적으로 쏟아지는 잠을 굳은 의지로 깨치며 버텨 내는 데 성공했다. 그리고 모두가 잠들었을 때쯤 슬며시 침대에서 일어났다.

난 주변을 쓱 둘러보았다. 걸어서 빠져나가겠단 계획은 아니었다. 내가 머무는 곳은 신전 내에서도 심처였고 충도 까마득하게 높았다. 영화에서처럼 커튼을 찢어서 타고 내려갈 튼튼한 줄을 만들기 전에 날이 밝을지도 몰라. 성기사들이 눈을 부릅뜨고 보초를 서고 있는데 아무도 모르게 빠져나간다는 것 자체가 비현실적이다. 007급 잠입 요원이 되더라도 어려울걸?

그래서 난 당연히 다른 방법을 택했다. 좀 더 간단하고, 손쉬운 방법을. 공간 이동.

공간 이동은 내가 가장 먼저 사용할 수 있게 된 능력이었다.

상상으로나 꿈꿔 봤던 이 능력을 실제로 사용할 수 있다는 걸 알게 되었을 때, 처음에는 믿기지 않았다. 공간을 건너뛰어 전혀 다른 장소에 뚝 떨어진다는 게 가능한 일이라고?

그러나 내 질문에 답하듯 사제 몇몇이 그 능력을 사용하는 것을 보고 눈이 휘둥그레진 난 그날부로 공간 이동을 배우기 시작했다. 공간 이동은 고난도의 신성 마법이었고, 신성력도 많이 소모했다.

일곱 살 무렵, 처음으로 근거리 공간 이동에 성공했을 때 난 너무도 기쁜 나머지 자리에서 방방 뛰고 말았다. 지금에 와서는 그걸 가르쳐 준 사제들을 골치 아프게 만들고 있지!

아까 아리안느가 날 추적해 올 수 있었던 건, 공간 이동 때문이 아니라 내가 그 애를 붙잡는데 신성력을 사용했기 때문이다.

공간 이동만큼은 내가 자신 있게, 잘 들키지 않고 사용할 수 있는 신성 마법이거든!

가끔 남모르게 외출하는 건 사실이지만 밤늦은 시간에 그래 본 적은 없다. 나갔다가 제시간에 들어오기만 한다면 들키지 않겠지? 계산속을 웅얼웅얼하며 난 침대 밑에 미리 숨겨 둔 외출복으로 옷을 갈아입었다. 자, 이제 준비 완료. 난 굳게 마음을 다졌다.

첫 가출이라 기분이 이런 건가? 두근두근, 죄책감과 긴장감이 심장을 뛰게 한다. 성녀님이 불량 청소년처럼 가출이라니!

하지만—

"난 꼭 해야 할 일이 있거든."

곧바로 정신을 집중한 난 공간을 건너뛰었다. 다른 풍경이 망막을 덮어씌우며 시야가 바뀌었다. 발밑의 감촉이 달라졌다. 캄캄한 밤, 낯선 공간.

하지만 난 여기가 어딘지 알 것 같았다. 바로 그 골목길이었다. 아리안느에게 잡혔던, 그리고 날 두 번이나 엉덩방아 찧게 한 소년이 있던 바로 그 자리.

이유는 뻔하잖아? 난 그 애를 찾아 여기에 왔다. 그 무례한 녀석이 어디에 있든 찾아내서 실컷 혼내 줄 셈이었다. 성녀답지는 않으나 열 살짜리다운 복수심이 내 안에서 활활 불타고 있었기 때문에.

난 바드득 이를 갈았다.

"걸리기만 해 봐라."

떠올릴수록 화가 난다. 뭐, 단순히 화가 나서 이러는 건 아니지만. 난 그 애가 궁금하거든. 난 없는 더듬이를 허공에서 매만져 보았다. 촉이 와. 그 애한텐 뭔가 있어.

난 주변에 퍼져 있는 신성력에게 신의 권속으로서 명했다. 그 아이가 있는 곳으로 날 인도해 달라고. 내가 직접 신성마법을 사용해서 성국을 탐색하는 것보단 좀 더 은근한 방식이었다.

"이미 떠났을지도 모르겠네."

회의적으로 중얼거리는 찰나 달빛이 내리듯 내 앞에 눈부시게 하얀빛이 어른거렸다. 길게 뻗어 나간 그 빛은 이내 내 눈앞에 폭이 좁은 길을 펼쳐 냈다. 난 나비가 된 것처럼 땅을 가볍게 박차고 그 길을 따라갔다. 따라가기 쉽도록 빛은 평지로 이어져 있었다. 간혹 구렁이 담 넘듯 담벼락을 넘어야만 했지만 그건 쉬운 일이었다.

성국에서, 특히 이렇듯 달빛이 내리는 밤이면 월신의 성녀인 내겐 특별한 능력이 생긴다. 달의 중력을 받는 것처럼 몸이 가벼워지며 나비처럼 사뿐하게 나다닐 수 있었다. 빛의 길이 희미해질 무렵, 난 녀석을 발견했다. 내가 처음 도착한 곳과 유사한 좁은 골목길이었다.

"어머?"

난 입을 가렸다. 그 아이는 바닥에 누워 있었다. 귀한 집 도련님인 체하더니 노숙을 하는 거야? 혹시 이미 천벌이 내린 건! 멀찍이서 보며 한가하게 머리를 굴리던 난 뭔가 심상치 않은 상황이라는 걸 깨달았다.

그 아이에겐 문제가 있어 보였다. 사방으로 뻗은 팔이며 다리 모양이, 스스로 누웠다기보단 누군가 쓰러트린 모양새다. 그리고 그 애 앞쪽엔 거리를 두고 무언가가 서 있었다. 어쩐지 소름돋는 검은 그림자. 시퍼런 안광이 번뜩이는 걸 목격한 난 곧바로 땅을 박찼다. 붕 날다시피 해서 순식간에 거리를 좁히고 그 애 앞에 내려앉았다. 용기를 낸 게 무색하도록 난 바로 얼어붙었다.

"이, 이건 뭐야……."

그 무언가는, 겉보기로는 사람과 유사했다. 두 발로 땅을 디딘 채 서 있었고 이목구비의 원형은 사람의 것이었다. 그러나 짐승처럼 세로로 찢어진 눈과 번뜩이는 송곳니, 갈퀴처럼 기다란 손톱은 사람의 것 같지 않았다. 그건 괴물이었다. 엄마야! 있다는 걸 알았지만 실제로 본 건 처음이란 말이야!

영화에나 나올 법한 흉악한 괴물. 보는 것만으로도 다리가 덜덜 떨렸다.

막 달려들려던 괴물은 나를 보고 무언가 꺼려지는 듯 멈추었다. 그래, 여긴 성국이고 난 성녀거든. 근데 성국에 웬 괴물이란 말이지? 난 성력을 몸에 두르고 얕은 신음이 들리는 뒤쪽을 향해 물었다.

"너, 괜찮니?"

"성⋯⋯녀?"

목소리가 썩 좋아 보이지 않았다. 녀석은 몸을 일으키려 애쓰는 듯싶었다. 하지만 뼈가 부러졌는지 몇 번 둔하게 바닥을 긁다가 이내 털썩하는 소리가 들렸다. 그 소리에 자극받은 괴물의 동공이 좁혀 들었다. 공격 신호였다.

이젠 가출한 걸 들키고 말고가 문제가 아니었다. 난 그 애를 감싸 안고 결계를 펼쳤다. 다친 몸 위로 무게가 실리자 녀석은 고통스러운 듯 미간을 찌푸렸다.

콰광! 결계를 가격하는 소리가 들림과 동시에 난 속삭였다.

"참아 봐."

그리고 몸을 돌렸다. 놈이 사납게 이를 드러내며 결계를 후려치고 있었다. 소름 끼치게 삐죽한 손톱으로 찢을 듯이 마구 내려찍었다.

쾅, 쾅! 그 기세에 난 순간 압도당했다.

"맙소사."

비현실적으로 공포스러워 심장이 쿵쿵 뛰었다. 난 속으로 신을 부르짖었다. 무얼 어떻게 해야 하지? 부정한 것을 태우는 신성 마법이란 게…… 있었지. 하지만 배운 적은 없다. 성국 내에서 그런 걸 사용할 일이 있을 리 없잖아!

원래대로라면, 저런 괴물은 성국에 발을 들일 수도 없을뿐더러 신성 결계에 온몸이 타들어 가게 된다. 지금 저렇게 멀쩡히 서 있는 건 괴물이 결계를 버텨 낼 만큼 강력하다는 증거였다. 근처를 순찰하는 이 한 명쯤은 이 사태를 감지하고 달려와 줄만도 한데, 다들 근무 태만이야!

속으로 비난하기 무섭게 괴물의 몸이 옆으로 날아갔다. 어어? 퍽! 무언가에 맞고 휙 날아간 괴물이 건물 벽에 부딪혔다.

밤을 뿌리치듯 선명한 은빛이 눈앞에 환상처럼 흩날렸다. 달빛 자락처럼 아름다웠다. 그 머리카락의 주인이 누군지 난 분명히 알고 있었다.

"카, 카마엘?"

그는 흡사 저 하늘의 달로부터 내려온 죽음의 천사 같았다. 내 부름에도 아랑곳하지 않고 카마엘은 할 일을 했다. 그는 꿈틀거리며 일어서는 괴물에게 빠르게 접근하여 일격에 목을 쳐냈다.

—콰각!

"꺅!"

모, 목을 뎅겅 자르다니! 눈에 보이지도 않을 만큼 빠르고 예리한 검이었다. 성국의 모든 성기사가 그런 검을 보일 수 있는 것은 아니었다. 오로지 단 한 명―성국 제일의 성기사 카마엘이 내 앞으로 걸어와 무릎을 꿇었다.

"성녀님을 뵙습니다."

그의 말이 떨어지기 무섭게, 몸 주변을 감싸던 신성력이 저절로 걷혔다. 나뿐만 아니라 내 신성력도 그의 존재를 절로 인지하고 있었다. 선명한 제비꽃 빛깔의 눈동자와 마주하자, 긴장이 스르륵 풀렸다. 난 어리광을 피우듯 그에게 말했다.

"카마엘, 와 줘서 고마워. 정말 무서웠어."

이럴 때만큼은 난 기꺼이 열 살이 된다.

"이런 밤에 돌아다니시지 않았더라면 무서워하실 일은 없었을 겁니다."

그럼 그렇지. 난 불퉁하게 입을 내밀었다.

"미안해."

카마엘은 다정다감하게 누군가를 달래 주는 성격이 아니었다. 그건 원체 그가 냉정한 탓일까. 인간이 아니기 때문일까. 카마엘은 요정족이었다. 한때 지상에 악의 기운이 범람할 때 월신의 손길 아래 구원받은, 이제는 멸망하다시피 한 요정족의 일원. 월신의 명을 받드는 성기사 카마엘.

그는 온 나라의 기사와 견주어 보아도 그보다 강한 자가 있다고 말할 수 없을 만큼 강했다. 인간의 삶보다 기나긴 세월을 갈고닦아 온 그의 검은 날카로웠고, 지독하게 빨랐다. 무엇보다 카마엘은 믿을 수 없을 만치 아름다웠다. 그건 실로 사람의 것 같지 않은 아름다움이었다. 강한 검사라면 보통 우락부락한 근육질의 남자를 생각하기 마련인데 카마엘은 그런 이미지와 전혀 매치되지 않았다. 여자인지 남자인지 알 수 없는 모호한 얼굴에 모델같이 늘씬하고 호리호리한 체구. 피부는 불순물 섞이지 않은 유리로 빚은 양 투명하니 희었고 이목구비는 섬세하고 단아했다. 난 처음 그를 보고 턱이 빠지도록 입을 벌렸지.

졌어! 완전히 패배야!

계속 보면서 좀 익숙해지긴 했지만, 이런 달빛 쏟아지는 밤에 그를 보는 건 처음이다. 빛을 머금고 은사처럼 반짝이는 머리카락이며 오묘한 보랏빛 눈동자. 그의 모습은 요정이라는 단어를 다시금 떠올리게 할 만큼 신비로웠다. 월신께서 그를 구하신 건 신도를 벌떼같이 끌어모으고도 남을 저 눈부신 외모 때문이 아닐까. 난 종종 그런 불순한 생각을 하곤 한다.

하지만 그에게도 결점이 하나 있었다. 저 무표정한 얼굴. 미소 짓는다면 분명히 예쁠 텐데, 아쉽게도 난 그가 표정을 허물어뜨리는 걸 단 한 번도 본 적이 없었다. 유리의 요정이 아닐까 싶을 만큼 그는 감정을 드러내는 일이 드물었다.

어쩜 감정이 희박한 걸지도 모르겠다. 그는 어쨌거나 요정이니까! 대체 왜 요정인지는 모르겠지만 말이야. 팅커벨 같은 작은 요정도 귀여울 테지만 '달의 기사'라 일컬어지는, 이 세상만사에 초연한 요정기사는 내게 퍽 마음에 드는 존재였다.

다시 말해, 나는 그를 정말로 좋아했다. 난 그의 냉정한 말에도 굴하지 않고 방긋 웃으며 팔을 벌렸다. 그는 어린 시절부터 길든 대로 날 안고 등을 토닥거렸다. 그건 정말로 마법 같은 효과가 있어서 난 그 의무적인 손놀림에 금방 마음이 안정되었다. 그의 품에 안겨 있던 난 곧 잊고 있던 사람을 떠올리게 되었다. 녀석이 몸을 일으키려고 시도하다가 신음을 냈기 때문에.

"윽."

"이건 누구입니까."

순식간에 날 떼어 놓은 카마엘이 경계하듯 검에 손을 가져갔다. 난 재빨리 다가가서 그 애를 부축했다. 의도치 않게 상처 부위를 건드렸는지 녀석이 급하게 숨을 몰아쉬었다. 이마에 식은땀이 송골송골 맺혀 있다. 많이 아픈가 보다. 난 원한을 잊고 녀석에게 성력을 불어넣었다. 아니, 불어넣으려고 했다.

그런데 카마엘이 손을 뻗어 날 막아섰다. 그는 하얗게 빛이 어린 내 손을 붙잡고 제 쪽으로 당겼다. 그의 다른 손에는 어느덧 검이 쥐어져 있었다. 보랏빛 눈동자가 예리한 광채를 머금었다. 난 당황해서 물었다.

"왜, 왜 그래?"

"떨어지십시오. 베어야 합니다."

사무적인 목소리에 난 질겁하고 그의 손을 뿌리치려 했다. 그러나 카마엘은 놓아주지 않았다. 난 설명을 요구했다.

"왜 그러는 건데. 이 아이는 좀, 성격이 나쁘긴 하지만 그게 죽을 만큼은 아니야. 아니, 아직 어린애라고!"

"이건 불신자들의 왕국에서 온 침입자입니다. 몸에서 부정한 기운이 느껴집니다. 관문에서 입국을 허용해 주었을 리 없으니 숨어들어 온 것이겠지요. 침입자는 즉결처분 대상입니다."

난 황급히 그 애를 내려다보았다. 부상 때문일까?

아까와는 달리 그 애의 몸에서 새어 나온 이상한 기운이 그의 주변을 감싸고 있었다. 카마엘의 기운이 눌러 내던 터라, 퍼져 나가지 않은 게 다행이었다.

"불신자라니, 말도 안 돼!"

말도 안 되지만 현실이지. 하지만 설마 이런 식으로 만나게 될 줄은 몰랐다. 성국에서 불신자라는 건, 단순히 신을 믿지 않는 자들이라는 의미가 아니었다. 그건 비신도라고 표현하니까.

불신자란 신의 힘을 훔치고 신에게 도전하는 야만스러운 침략자들. 그들 중 특별한 힘을 가진 이들은 '마법사'라고 불리었다. 그래, 마법은 신의 힘.

불신자들의 왕국이란 것은, 무섭도록 영토를 확장해 오다가 최근 삼 년간 알 수 없는 이유로 쥐 죽은 듯이 침묵을 유지하고 있는 마법 왕국 칼리스를 칭하는 말이었다.

성국은 세상 어느 나라도 적대하지 않지만 칼리스는 경우가 달랐다. 그들은 오십 년 전, 강고한 성벽에 둘러싸인 이 성국을 침략하려다 실패했다.

그때 그들의 왕은 월신의 저주를 받았다. 강력한 저주였으나 신의 힘을 훔친 칼리스의 왕은 저주를 막아 낼 방도를 찾아냈다. 그들의 왕이 저주를 받았음에도 칼리스는 흔들림 없이 강성했으며 강렬한 적의와 정복욕으로 끊임없이 성국을 노렸다.

오십 년 전 그들이 전쟁을 벌였을 때 성국에서도 많은 사람이 희생되었다. 눈처럼 흰 성벽이 피로 붉게 물들고 수도 없이 많은 사람이 희생당하여 통곡 소리가 넘쳐 났다.

최근에도 성국 밖으로 나간 사제들이 그들에게 죽임을 당하는 일이 있었다. 그 때문에 성국 내에선 칼리스인들에 대한 악감정이 하늘을 찌를 지경이었다. ·

다른 사제가 이 아이를 봤다면? 나는 그 결과를 차마 상상하지 못했다. 여기 있는 카마엘은 그나마 원칙대로 행동하는 것뿐. 양국 간의 적대적인 역사를 생각하자면 아이라고 해서 그냥 보아 넘길 수 없다. 침입자이기도 하잖아?

나의 신은 달의 앞면만큼이나 눈부신 자비를 설파하지만, 그만큼이나 뒷면의 잔혹한 보복을 논하기도 하지. 그러나 망설임은 길지 않았다. 난 눈에 힘을 주어 카마엘을 응시했다.

"안 돼, 카마엘. 난 카마엘이 이 애를 베는 걸 놔두지도, 이 애가 죽도록 내버려 두지도 않을 거야."

자고로 아이를 죽게 놔두는 성녀는 없는 법이니까. 조마조마한 긴장감이 흘렀다. 카마엘은 여전히 표정에 아무런 변화도 보이지 않았다. 그 흔들림 없는 보랏빛 눈동자. 그는 검을 도로 꽂아 넣지 않았다. 난 그의 손길을 뿌리치며 차분히, 그러나 또렷한 목소리로 명령했다.

"검을 집어넣어, 카마엘. 난 허락하지 않겠어."

그제야 내 의지가 전해졌는지 카마엘은 검을 집어넣었다. 그는 무감정한 목소리로 답했다.

"명령이시라면."

난 다시 은은한 빛을 내기 시작하는 손을 녀석에게로 가져갔다.

내가 이래도 괜찮은 건가. 난 가만히 자문해 보았다. 성국과 적대 관계인 칼리스인, 그것도 침입자를 치료한다는 건 내게도 꺼림칙한 일이었다. 날 두 번이나 밀친 못된 녀석인데! 미운 정이라도 들 만큼 오래 보았던 사이도 아니다.

하지만 고작 열 살 남짓 되어 보이는 어린애가 죽어 가는데 방치하는 건, 내겐 불가능했다. 그건 절대로 옳을 수 없는 일이다. 난 더 이상 망설이지 않았다. 회복의 빛을 쏟아붓자 위중하게 보였던 그 아이의 낯빛이 좋아졌다.

중간에 부정한 기운이 솟구쳐 올라와 신성력에 반발했다. 난 최대한 부딪침을 피해서 세심하게 기운을 불어넣었다. 내상을 입은 듯했는데 그 때문에 속 깊은 곳까지 낫게 할 수는 없었다.

하지만 내가 치료해 주지 않았다면 정말로 목숨이 위험해졌을 것이다. 그의 몸에 온기가 감돌고 고유의 활력이 돌아올 때쯤 난 손을 떼어 냈다.

묵묵히 지켜보고 있던 카마엘이 물어 왔다.

"어떻게 하실 겁니까."

"어떻게 하지?"

난 도리어 물었다. 이대로 누구 눈에 띄면 안 될 텐데, 그러면 정말로 곤란해진다. 쉽게 해답을 바라는 내게 카마엘은 호락호락하게 답을 넘겨주지 않았다.

"어떻게 하고 싶으십니까?"

다들 칼리스인에게 적대적이니 신전으로 가는 건 안 될 일이고…… 따로 추궁을 해 봐야겠어.

난 골똘히 생각하다가 주먹으로 손바닥을 탁 쳤다.

"그렇지, 카마엘의 숙소가 여기서 가까운 곳에 있지 않았어?"

카마엘의 얼굴은 변함없이 무표정했지만, 꺼리는 기색이 느껴졌다. 그로서는 난데없이 숙소를 공개하게 될 참이다. 혹시 야한 책을 숨겨 놓은 건 아니겠지?

"낮에 누군가가 불신자들의 물건을 성국에 반입해 소란이 일었습니다. 저녁 무렵에 물건을 찾아내서 소각하고 반입자를 즉각 추방하긴 했습니다만 그때 병력이 쏠린 틈을 타 잠입한 자가 있을지도 모릅니다. 이 아이가 그 소란과 무관하지 않다면."

그는 힘을 주어 말했다.

"제가 미처 감지하지 못한 위험 요소를 내버려 둘 수는 없습니다."

"아이잖아. 무슨 꿍꿍이가 있다고 해도."

슬며시 고개를 기울이는 게 카마엘은 열 살인 내가 다른 누군가를 '아이'라고 지칭하는 것이 어색한 듯했다.

무표정한 그를 보아 오면서 내 독심술도 일취월장했다.

"이미 치료했는걸? 깨어나면…… 이야기를 들어 보자."

난 성녀였다. 그건 내 명령이 절대적이란 걸 의미했다.

카마엘은 순순히 그 애를 어깨에 둘러업었다.

"제 숙소로 가시지요."

"가나가 들기면 설명하기 곤란해져. 공간 이동하는 게 어때."

카마엘이 고개를 저었다.

"여럿이 함께 이동하는 건 그 파동이 대기에 남을 가능성이 높습니다."

철저하잖아!

카마엘은 성국인들의 삶이 규칙적이라 이 밤중에 나다니는 사람도 없거니와 자신의 영역이라 다른 이들은 순찰하지 않는다고 덧붙였다.

"좋아, 가자!"

곧바로 한쪽 어깨에 그 애를 들쳐 멘 카마엘이 날 안아 들고 달렸다. 그러니까 애 둘을 짊어지고 달린 거다. 난 힘껏 그의 목에 매달렸다. 눈앞이 휙휙 바뀌고 온몸이 들썩들썩한다. 재미는 잠시뿐이었다.

우욱. 멀미 날 것 같아!

다행히 카마엘의 숙소는 그리 멀지 않았다. 성기사들은 보통 신전에서 숙식을 제공받고, 개중 혼인한 이들은 따로 집을 두고 나가서 산다. 하지만 카마엘은 미혼임에도 신전에서 거리를 둔 성국 외곽 쪽에 혼자 집을 두고 있었다.

그는 신전, 혹은 신전의 사람들과 거리를 둔 생활을 이어 왔다. 그건 참 말하기 낯부끄러운 이유 때문이었다. 그러니까, 그가 많은 이들을 타락의 길로 몰아넣는……. 아니, 좀 심란하게 한다는 이유.

카마엘은 그를 처음 본 어린 여사제들을 상사병에 잠기게 할 만큼 아름다웠다. 때로는 함께 일하는 성기사들도 얼굴을 붉히고 헛기침하게 할 만큼 가공할 미모였다. 그를 애타게 연모한 나머지 고백했다가 거절당하고 실의에 빠져 목을 맨 이들은 그나마 순진한 것이다. 때로는 그를 유혹하는 이들도 있었고 대담하게 그의 숙소를 덮쳐든 이들도 있었다. 이런 귀찮고도 번거로운 사건들 때문에 카마엘은 홀로 떨어져 살게 되었다. 그건 신전의 평화를 위해서도 어쩔 수 없는 일이었다.

에이레네는 내게 그저 많은 이들이 그를 지나치게 좋아했기 때문에, 요정인 카마엘은 사람을 좋아할 수 없어서 그렇게 되었다고 말해 주었다. 좀 많이 에둘러서 설명을 해 주긴 했지만, 그거만 들어도 뻔하잖아?

나도 카마엘의 숙소에 온 건 처음이다. 멀미가 진정되자 난 눈을 휘둥그레 뜨고 주변을 쭉 훑어보았다. 하얀 벽면의 집에는 문이 두 개, 즉 방이 두 칸 있었는데 성국 제일의 성기사가 머물기엔 초라한 감이 있었다.

하지만 카마엘은 상관없을걸.

그가 날 내려 주자 난 고개를 정신없이 돌렸다. 신기해!

"깨끗하네."

환자를 돌보기에 적당한 곳이었다. 내부는 깨끗하고, 사람 냄새가 나지 않았다. 그저 눈만 붙이는 장소인 듯 간소했다.

카마엘은 요정답게 과일류만을 약간 섭취한다고 들었다. 돈쓸 일도 없을 테니까 저축도 많이 했을 것 같다. 알부자라는 거겠지, 그야말로 일등 신랑감!

내가 쓸데없는 생각을 하는 동안 카마엘은 집에 들어서서 방

구석에 대충 그 애를 넣어놓았다. 빨래도 아니고, 팽개치지 않은 게 다행인가? 혹시나 풍이 들진 않을지 걱정이 된 난 두리번거리며 물었다.

"간이침대 같은 건 없어?"

카마엘이 설마 자기 침대를 양보해 주진 않겠지. 나도 거기까진 기대하지 않았다.

"없습니다. 다른 사람이 머물 일이 없으니까요."

퍽 쓸쓸하게 느껴지는 발언이었다. 하지만 카마엘은 이제까지 그 점에 만족하고 있었던 것 같다.

그 때문에 그는 이 부상당한 어린 인간-그것도 부정한 기운을 몸에 품은-이 자신의 집 안에 있는 걸 몹시 경계하는 것처럼 보였다. 왜냐하면 그 애를 자꾸만 힐끔거리며 검에 손을 가져갔기 때문에.

"그래도 남는 이불 같은 건 있지 않을까? 이대로 내버려 두는 건 너무하잖아."

내 질문에 카마엘은 곧바로 방을 나섰다. 저편에서 잠시 부스럭거리는 소리가 들리는가 싶더니 그가 이불 두 장을 꺼내 들고 왔다. 대충 공중에 던졌을 뿐인데 바닥에 반듯하게 이불이 펼쳐졌다.

카마엘은 물건을 집듯 대충 그 애를 들어 올려 눕히고 남은 한 장으로 몸을 덮어 주었다. 사무적인 손놀림으로 카마엘이 그 작업을 마치기까지 그 애는 깊이 잠든 듯 깨어나지 않았다.

내 걱정스러운 표정을 본 카마엘이 말했다.

"칼리스인들은 빨리 낫습니다."

그는 무정하게 덧붙였다.

"조만간 심문할 수 있을 겁니다. 무슨 의도로 성국에 침입했는지 알아내야 합니다."

"으, 응, 그렇지."

난 '심문'이란 단어가 주는 무시무시한 어감에 떨떠름하게 고개를 끄덕였다. 그런데 가만, 그 조만간이 고작 몇 시간 안쪽은 아니겠지?

"그럼 카마엘이 그를 살펴 주겠어? 난 들어가 봐야 할 것 같은데."

카마엘은 요정족이라 잠을 자지 않는다. 화장실도 가지 않는다. 그렇기에 그는 최적의 간수였다.

카마엘은 냉정한 어조로 말했다.

"저에게도 일이 있습니다. 제 업무를 미루어 두고 그를 감시하려면 성녀님의 명에 따라 다른 임무를 수행하고 있음을 밝혀야 합니다."

"어어, 그건 곤란한데."

카마엘에게 명령을 내릴 권한이 있다지만, 그와 나는 접점이 거의 없었다. 그와 접촉해서 명령을 내리기까지의 과정에 문제의 소지가 있다고……. 그리고 열 살짜리 성녀가 카마엘에게 비밀리에 내릴 명령이 또 뭐가 있겠어? 난 잠깐의 고민 끝에 손가락을 세웠다.

"내가 휴가처리 해 줄게."

다들 내가 카마엘에 대해서 관심이 많은 걸 알고 있다.

대충 '잠도 자지 않고 성국을 위해 힘쓰는 그가 안타까웠다.' 정도의 평계를 대면 되리라.

"그가 깨어나면 신전에 넘기시는 게 어떻습니까. 성녀님의 명이라면 사정을 봐줄 겁니다."

난 즉시 고개를 저었다. 이 아이를 신전에 넘기면 일이 커지게 된다. 칼리스인이 성국에 침입한 것 자체가 죄이니 죽이진 않더라도 최소한 감옥에 장기간 가두거나, 무서운 형벌을 내릴지 모른다.

규율을 집행하는 신관들은 매섭고 가혹했다. 그러나 그들은 어디까지나 달의 뒷면이었고 마땅히 해야 할 일을 하는 것뿐이었다. 내가 그들의 반발을 무릅쓸 수 있는 성녀라고 할지라도 이 아이의 존재를 들키지 않는 게 나았다.

적어도 아직은.

난 새삼스러운 눈으로 그 앨 내려다보았다. 눈을 뜨고 있을 때는 그토록 가시를 세운 아이였는데. 정신을 잃은, 창백하게 질린 얼굴은 무구하게만 보였다. 그 연약한 뺨에 손을 가져가다, 문득 깨달음이 스쳤다.

난 그를 구하고 싶었다. 단지 치료해 주고 싶다는 뜻만이 아닌, 좀 더 복잡한 의미로. 왜 이런 감정이 이는지 모르겠다. 날 밀치고, 막말하고, 도망가 버린 수상한 녀석인데.

아 물론, 누구나 호감을 느낄 만큼 천사같이 예쁜 아이이긴 하지. 하지만 그보다도 이상할 만치 외면할 수 없는 이 감정은 뭘까. 그건 모두가 성녀인 날 공경하는 가운데 그 혼자만이 유일하게 달랐기 때문인지도 모른다.

내게 뻔뻔하게 반말을 퍼부어 댔지. 그와의 다툼은 그냥 또래의 남자아이와의 말싸움 같았다.

그건 내가 성녀로 태어난 이래, 처음 있는 일이었다. 그래서 이 아이에 대해서 흥미가 생겨난 것 같다. 거기까지 생각한 난 또 하나의 깨달음을 얻었다. 그러고 보니 이런 시나리오는 어디서 들어 본 것 같은데. 난 잠깐 순정만화의 남자주인공이 된 것 같은 기분을 느꼈다. 날 '때린' 사람은 네가 처음이야! 가 이 경우에는 '밀친'으로 된 거구나.

난 진지하게 말했다.

"정 문제가 되면 그렇게 하겠어. 하지만 지금은…… 그를 돌봐 줘. 응? 유급 휴가로 처리해 줄게."

"알겠습니다."

유급 휴가의 미끼에 혹했는지, 카마엘은 굳이 내 의도를 캐묻지 않았다.

"낮에 기회를 봐서 다시 올게."

난 곧바로 공간 이동을 시전했다.

침대맡에 덩그러니 선 나는 옷을 갈아입고, 아무 일도 없었던 것처럼 수면을 취했다. 거의 새벽에 가까워진 시각이었다. 그러니까 그렇게 늦게 잠든 내가 제시간에 일어나지 못한 건 당연한 일이다.

*

"성녀니임⋯⋯."

"더 잔다니까!"

어린 여사제 베냐에게 버럭 신경질을 내 가며 꿋꿋이 잠자리를 고수하던 난, 결국 조심스레 몸을 흔드는 손길에 깨어났다.

에이레네였다.

"성녀님, 식사는 하셔야지요."

마침 배 속에서 꼬르륵, 하는 소리가 들렸다. 난 뭉그적거리며 침대 밖으로 발을 내밀었다. 다리가 바닥에 떨어져 내리는 동시에 난 이불 속에서 완전히 벗어났다. 에이레네가 기다렸다는 듯이 말한다.

"식사를 하시려면 세수부터 하셔야지요."

어, 그런 조건은 없었잖아? 일어나면 바로 밥부터 먹으라는 거 아니었나! 속은 기분이 들었지만 에이레네가 성모가 현신한 듯한 온화한 얼굴을 하고 있어서 따지고 들지 못했다.

푹 빠져들 듯이 잤던 터라 아직 잠의 그림자가 가시지 않았다. 난 느릿느릿 세숫물에 얼굴을 씻어 내고 건네지는 수건으로 얼굴을 닦았다. 여섯 살 이후로는 아침 세안은 내가 알아서 하겠다고 고집했기에 시중을 드는 이는 따로 없었다. 그 덕분에 나는 '과연 성녀님은 근면하시군요!'라는 진실과 거리가 먼 찬사를 받아왔다.

으, 갑자기 가슴이 따끔따끔한데⋯⋯.

배고픔이 더 강해졌기에 난 양심의 가책을 바로 뿌리쳤다.

에이레네의 손을 붙잡고 종종거리며 따라가자 푸짐하게 차려진 아침 식탁 앞에 앉게 되었다.

풀밭이야, 풀밭! 하지만 채소 위주의 가벼운 식단이라고 해서 맛이 없는 건 아니다. 갓 구운 폭신한 빵과 직접 만든 버터와 치즈, 레몬즙과 허브를 잔뜩 뿌려 찐 생선, 곡식이나 과일을 갈아 만든 드레싱에 버무린 샐러드……. 이걸 다 먹으려고 하면 내 자그마한 위장은 빵 터져 버릴지도 모른다.

신께는 최상의 것을 바치는 것이 종교에서의 미덕이었다. 고로 이 풍요로운 성국에서 태어난 나는 매끼마다 항상 최상의 식재료로 만들어 낸 풍성한 만찬을 즐기곤 했다.

으으, 맛있어! 오늘도 대만족이다. 미슐랭 3스타 레스토랑의 주방장이 최고의 솜씨로 차려 내는 것만큼 맛있었다. 과장이 좀 섞이긴 했다. 미슐랭 3스타 레스토랑의 맛을 내가 어떻게 알겠어? 어쨌든 그런 걸 쭉 먹고 자란 난 입맛이 좀 까다로웠다. 요는 까다로운 입맛이 되었음에도 매일 아침, 점심, 저녁마다 먹는 음식들은 늘 맛있다는 것. 행복해!

나는 에이레네가 뼈를 발라서 작은 접시에 얹어 준 생선살을 냠냠거리며 먹었다. 그러다가 실수인 척 포크를 잘못 찍어서 소스에 흠뻑 젖은 잎 쪼가리를 테이블보에 떨어뜨리고 울상을 지었다.

"이걸로 드세요."

에이레네가 웃음을 흘리며 접시에서 샐러드를 수북하게 퍼

주었다. 사실 젓가락으로도 안 흘리고 먹을 수 있었지만…… 이건 그냥 서비스다.

열 살짜리 여자아이가 서툴게 포크질 하는 모습을 보면 모두가 귀엽다고 좋아하거든!

난 어린이 흉내에 퍽 익숙해져 있었다. 너무 완벽해도 인간미 없잖아. 안 그래도 인간인지 아닌지 의심 가는 성녀인데.

배가 부를 즈음에 머리도 돌아가기 시작해서, 어제 있었던 일이 생각난 난 불쑥 말을 꺼냈다.

"그 있잖아, 에이레네. 내가 카마엘에게 휴가를 내려 줬어."

"네? 어제 나가신 뒤 카마엘 경을 만나셨나요?"

어제 나가셔서……. 낮에 나가고도 모자라 한밤중에 또 나가서 싸돌아다녔던 걸 떠올리자 지레 찔려서 심장이 작아지는 것 같았다.

난 되도록 태연하게 말했다.

"웅. 그렇지 뭐, 그도 좋아하더라고."

"카마엘 경은 어제 수색 작업에 참여하느라 성녀님이 가신 쪽에 계시지 않았는데……."

에이레네가 평온한 표정으로 지적하자 가슴이 덜커덩했다.

하지만 어깨를 으쓱한 난 자연스럽게 거짓말을 꺼냈다.

신님, 용서해 주세요!

"내가 그를 만나고 곧바로 이동해 버려서 위치가 달라진 거야. 어쨌든, 카마엘이 너무 수고하는 것 같기에 휴가를 줘야겠다는 생각이 들었어."

에이레네는 더 따지지 않고 담담히 말했다.

"카마엘 경에겐 휴가를 누릴 자격이 있지요. 기간은 어느 정도로 생각하세요?"

난 그 아이가 낫기까지 얼마 정도 걸릴까 생각했다. 마법과 가까운 칼리스인들은 상처를 입어도 쉽게 낫는다. 게다가 그 애는 재생력이 있는 것 같으니…… 넉넉히 잡으면 아마도.

"이 주 정도 주면 되지 않을까? 그가 쉰 걸 본 적이 없는 것 같아."

"그러고 보니……. 저도 본 적이 없네요."

고개를 갸우뚱하며 에이레네가 하는 말에 난 침을 꿀꺽 삼켰다. 그거 굉장한데? 카마엘을 부려먹는 것에 급작스레 죄책감이 몰려왔다.

탁월한 신성력 덕에 이십 대의 젊음을 유지하고 있지만, 대사제인 에이레네의 실제 나이는 오십 대 정도 된다. 그녀는 날 때부터 이 성국에서 자라왔다. 에이레네의 말은 그녀가 기억하지 못하는 때를 제외하더라도 40년 이상 카마엘이 휴가를 받은 적이 없다는 소리가 된다. 이쯤 되면 노동력 착취 수준이다.

다음에 진짜 휴가를 줘야지.

굳게 마음먹은 난 에이레네를 힐끔거렸다. 이젠 그녀를 떼어놓아야만 했다. 그 애가 깨어났는지도 궁금하고. 깨어났겠지? 그 애의 성질머리를 생각하자 어쩐지 불길한 예감이 들었다.

성녀인 내 예감이라는 건 높은 확률로 실현되곤 했다.

조소해진 닌 삐르게 조잔거렸다.

"그러면 난 기도실에 가 볼게, 오늘은 저녁까지 내내 거기에서 공부하고 있을 거야. 에이레네도 볼일 봐. 어제 들어온 물건들 정리하는 거 감독해야 하잖아."

에이레네가 온화한 미소를 지었다.

"그럴게요."

그러면서도 의심이 들었는지 구태여 날 따라왔다. 내가 하얀 옷으로 갈아입고 기도실에 몸을 집어넣자 그녀가 문을 닫는 소리가 들렸다. 꼭 여기 가만히 갇혀 있으라는 것 같은데…….

어쨌든 그것으로 난 자유를 찾았다. 안에서 문을 굳게 잠근 난 몸을 돌렸다. 바닥에 얕게 물이 깔린 가운데 듬성듬성 놓인 돌다리를 지나면, 빛이 쏟아지는 자리가 있다. 빛나는 만큼이나 고독하고 오롯하게 신을 직면하는 장소. 일단 안에서 잠그면 외부에서 침입하는 건 불가능에 가깝다. 다른 기도실은 열쇠가 있지만 이곳은 오직 성녀를 위한 기도실이니까.

기도실 안에선 보통 힘의 흐름이 거의 완전하게 고정되어 있어서, 이 안에서 신성력을 사용하는 건 대단히 어려운 일이다.

물론 어려운 게 불가능하다는 소린 아니지. 그래서 내가 여기로 온 거다. 이 안에서 신성력을 사용할 수 있게 된 건 고작 6개월밖에 되지 않았다.

에이레네건 그 누구건, 내가 이 안에서 어디론가 뿅 하고 가버릴 거라는 생각은 하지 못할 것이다. 알리바이를 완전히 보장받을 수 있는 방책을 마구 남발하는 건, 별로 좋은 생각은 아니었다.

하지만 아껴 두더라도 쓸 때는 써야 하는 법. 나는 가만히 숨을 죽이고 온전히 신경을 집중했다. 공간을 건너 내가 원하는 곳으로 모든 것을 건너뛴다는 기분으로— 가만히 힘을 모아 탁! 터뜨리면!

그래, 이거지.

난 카마엘의 집 앞마당에 서 있었다. 갑자기 신성력을 대량으로 써 버린 탓에 호흡이 가빠져 와 난 숨을 한차례 몰아쉬어야만 했다.

열 살의 몸은 유리잔과 같아서 연약하기에 조심해야 했다.

카마엘이라면 아무리 작은 기척이라도 느낄 수 있을 것이기에 난 노크도 하지 않고 문을 열었다.

그를 살펴 주라고 명했으니 충실한 요정기사님은 내 뜻에 따랐을 것이다. 조각상처럼 변함없이 그 자리에 있겠지. 어둑어둑한 방안에 불빛이 비쳐들자 소리가 들렸다.

끙끙, 억누르는 듯한 신음이 들려온다. 뭐야 이 소리는?

난 성큼 안으로 발을 들였다.

"오셨습니까."

인사부터 올리는 카마엘은 여전히 반짝반짝 예뻤지만 난 그에게 웃어 줄 수가 없었다.

맙소사. 내 눈에 들어온 광경이란 것이…… 좀 문제가 있었다. 방 한구석에 줄로 꽁꽁 묶인 그 애가 신음을 흘리고 있었다.

"으읍!"

날 본 그 애가 몸부림을 치기 시작하자, 거친 밧줄이 더욱 몸을 죄어들었다. 밧줄이 어린애 살갗을 파고드는 모습은 썩 보기 좋지 않았다. 난 눈살을 찌푸렸다.

침입자에 어쩌면 위험인물일지도 모른다지만 어린애잖아. 현재로선 환자이기도 하고.

그냥 손발 정도만 묶어놔도 되었을 텐데!

경찰서에서도 보통은 수갑만 채운다.

난 카마엘에게 불만의 표시로 볼을 부풀려 보였다.

"카마엘 저건 너무하잖아! 내가 살펴 주랬지 언제 저렇게 묶어 놓으랬어!"

"좀 날뛰더군요."

카마엘은 가책 없는 얼굴로 대답했다.

아무리 악랄한 짓을 시켜도 그는 무표정한 얼굴로 덤덤하게 그 일을 수행할 것 같았다.

그렇게나 신비롭고 아름다운 모습을 하고 있으면서도.

언행 불일치도 아니고 이건 모습과 행동이 일치하지 않는 거니까 뭐라고 해야 하나.

천사의 탈을 쓴 악마? 양의 탈을 쓴 늑대? 그 무엇도 카마엘에게 가져다 대기엔 적절하지 못했다. 우리 카마엘은 악마도 늑대도 아니란 말이야.

내가 쓸데없는 고민에 더 이상 시간을 빼앗기지 않도록 그는 단호하게 말하여 신경을 끌었다.

"이제 어떻게 처리하실지 정하셔야 합니다."

그의 무표정한 얼굴은 이번에야말로 틈 없어 보였다. 아직 결정하지 못한 나는 일단 당근을 던져 주기로 했다.

"아 맞다, 카마엘은 오늘부터 휴가야. 이 주일간 푹 쉬어도 좋아."

"이 일이 처리되어야 휴가를 누릴 수 있을 것 같습니다."

우우- 융통성 없이 굴긴! 하지만 난 '내 말이 곧 법이다'라고 찍어 누르는 데는 익숙하지 못하다. 아무나 절대군주가 되는 건 아닌 모양이야.

더군다나 카마엘의 유리구슬 같은 눈동자를 마주할 때면, 조금쯤 위축되기도 했다.

"일단 이야기를 들어 볼까?"

난 정신을 집중해서 집 주위를 둘러싸는 결계를 쳤다. 옅은 신음을 흘리던 아이의 입에서 카마엘이 둘둘 말린 헝겊 같은 것을 빼냈다. 저게 목에 걸리면 기도가 막힐 텐데!

난 안쓰러운 눈초리로 그 아이에게 다가앉았다. 바닥에 널브러진 아이는 여전히 기세 좋게 날 노려보고 있었다. 난 품에서 손수건을 꺼내 입가를 닦아 주며 조용히 물었다.

"너, 혹시 집이 가난하니? 그래서 누가 시켜서 어쩔 수 없이 이 일을 하게 된 거야?"

어이없는 얼굴을 하는 거 보니 그건 아니군. 그래, 나도 아닐 것 같았어. 신분제 위주의 이곳 세계에서 계급은 부의 척도인데, 넌 척 보기에도 귀족 같았거든. 그것도 늘 떠받들어지며 밥 먹고 옷 입는 것 하나 홀로 하지 않을 것 같은, 진짜 귀족 중의 귀족.

"성국엔 왜 숨어들어 온 거야?"

코웃음 치는 소리가 들려온 것 같았다.

"왜 그 괴물한테 쫓기고 있었어?"

그래, 확실히 알겠다. 내 질문이 씹히고 있군!

"말하기 싫으면 내가 맞춰 볼까?"

침묵으로 일관하는 아이에게 난 동정하는 듯한 표정을 지어 보였다.

"넌 아마 사생아일 거야. 입지도 불안정해서 가문에서도 홀대받는 처지겠지."

나라마다 정도는 다르지만, 이곳 세계에서는 대체로 정실의 자식 외에는 인정하지 않고, 사생아는 매우 차별받는 편이라고 들었다. 이런 어린아이가 성국에 잠입하는 위험을 무릅써야 할 정도면, 대충 사유가 이렇지 않을까.

뭐 틀려도 상관없다. 카마엘이 틀렸다고 날 면박 주는 성격도 아니니까.

"어렸을 때부터 네 쓸모를 입증하라고, 강요받았겠지. 버림받지 않기 위해서 무슨 일이든 해야 한단 생각에 사로잡혔을 거야. 그래서 자청해서 성국을 염탐하러 들어온 거야. 가엾기도 하지."

그의 상황을 점점 생생하게 떠올릴수록 내 목소리에 감정이 실렸다. 넌 참 불쌍하구나. 그럼, 그럼. 가여운 아이야. 듣다 못한 그 애가 결국 비아냥거리며 입을 열었다.

"상상력이 참 뛰어나군."

아닌가? 하지만 내 의도는 진실을 맞추는 데 있지 않았다. 좋아, 말문을 텄다, 이거지. 난 애틋한 눈망울로 그를 바라보았다. 물론 연기다.

"자아, 내게 다 말해 봐. 네가 맡은 임무에 대해서 털어놓기만 하면 그 후는 내가 책임져 줄게. 걱정할 것 없어. 난 성녀고 내가 한 말은 지키니까."

"뭐?"

"성녀인 내가 책임지고 네 안위를 보장해 주겠다는 소리야. 성국에서 살 자리를 마련해 줄 수도 있어. 여기선 성실히 일하고 신앙심만 있으면 차별받지 않고 살 수 있으니까."

"개소리 마."

카마엘이 경고의 눈짓을 보내는 것에도 개의치 않고 아이는 날 닥치게 하고 싶단 눈빛으로 몸을 들썩였다.

"네가 칼리스인이란 건 문제가 될 수 있지만, 내가 교화했다고 잘 말해 줄게. 괜히 사생아라고 가문에서 구박받고 눈치 보면서 사는 것보단 너에게도 그편이 더 낫지 않겠어? 이건 기회라고. 지금의 삶을 벗어날 기회. 이젠 평범한 아이로서 사람답게 살 수 있단다."

그 드높은 자존심에 사생아 소리를 계속 들으면 그게 사실이 아니라 해도, 오인당하는 자체가 거슬릴 것이다.

그는 정말로 모욕당한 표정이었다.

"말도 안 되는 소릴 계속 지껄일 거면—"

"성녀님께 무례는 용납하지 않겠다."

카마엘이 아이의 몸에 발을 얹었다. 안 그래도 엎어져 있는 자세였는데 그런 꼴을 당하자 치욕감이 배가되는 듯했다.

시퍼렇게 날이 선 얼굴로 파르르 떠는 그 애 앞에 나는 가만히 다가앉았다.

"있지, 넌 내가 얼마나 굉장한 제의를 하고 있는지 잘 모르는 것 같아."

뿌드득, 이 가는 소리가 들려오는 것 같았다. 난 상냥하게 눈을 맞추었다.

"이 성국에서 사는 건, 모두가 바라는 일인걸. 이곳은 정말로 낙원이나 다름없단 말이야."

이게 바로 섭외? 매수? 사법 거래? 뭐, 아무튼 그런 거란 말이지.

굶주릴 일도 없고, 복지도 좋고, 아프면 바로 치료받을 수 있고 전쟁도 근 오십 년간 없었으니 더할 나위 없이 안전하다.

전염병이 창궐하며 군주에게 착취당하고 전란에 휩싸이기도 하는 성국 밖의 사람들에게 성국민이 된다는 건 실로 바라마지 않는 일이다.

그러나 성국은 아무나 받아 주지 않는다. 입국 심사도 까다롭게 행해진다고 들었다. 신앙심이 있어야 여기서 살 수 있지만, 그건 뭐 차차 기르는 것으로 하자.

"모두가 바란다고? 자기들끼리만의 세상에서 갇혀 살며 신의 품에 숨어 평화를 노래하는 너희는 당연히 그리 생각하겠지."

싸늘한 목소리가 그 애의 입에서 또박또박 흘러나왔다.

"바깥에선 어떤 일이 벌어지든 고고하게 관망만 하는 너희는 불신자들을 향해서는 기꺼이 무거운 엉덩이를 떼고 칼날을 들 이대지."

이것 봐라? 발음이 흐릴 만도 한데, 제법 똑 부러지게 말한다.

이런 비난, 낯설다. 그 안에 인처럼 박힌 선명한 감정이 느껴졌다.

적개심.

열 살 답지 않은 어휘에 열 살 답지 않은 감정.

난 도도하게 반박했다.

"전쟁을 일삼는 너희 칼리스와는 달리 성국은 그 어떤 나라도 침략하지 않아."

"그 잘난 월신의 권능으로 세상의 부를 끌어모으고 자기들끼리 독식하는데 전쟁이 무에 필요가 있겠어. 너희는 이미 다 가졌는데."

성국은 병든 자들을 치료해 주는 대가로 돈을 받는다. 꽤 많은 돈을. 그 때문에 성국을 찾는 순례자들이 많았다. 그걸 말하는 걸까?

하지만 그건 신성력이 한정되어 있기 때문이다. 가끔 봉사 활동처럼 무상으로 치료해 주기도 한다고! 물론, 성국민은 치료가 무료다.

"전쟁을 정당화하지 마! 칼리스도 가난한 나라는 아니잖아? 그리고 한정된 권능을 한정되게 베푸는 것이 죄인가?"

"모두에게 베풀지도 못할 보잘것없는 권능, 고작 그따위 것으

로 인세에서 섬김받으며 휘두르는 권력은 달콤한가?'

"신성모독이다! 카마엘, 쟤 한 대만 때려 줘!"

듣다 보니 울컥한 난 버럭 소리를 지르며 손가락질했다. 이게
정말! 누가 칼리스인 아니랄까 봐! 내 인내심은 금세 바닥났다.

난 평생 온화하고 사려 깊은 성녀는 될 수 없을지도 몰라.

그 와중에도 카마엘이 워낙 굳세게 주먹을 쥐었기에 난 급히
덧붙였다.

"아리안느가 어린 사제들 쥐어박는 것처럼만."

요구란 원래 세세하게 말할수록 잘 관철되지. 그리고 아리안
느는 절대로 사정 봐주지 않는다.

카마엘은 주저 없이 그 애의 머리통을 후려갈겼다. 딱! 어찌
나 아프게 때렸는지 아이의 눈에 눈물이 고였다. 그 자연스러운
생리 현상마저도 치욕스러운 표정이었다. 아마 여기 카마엘이
없고 몸이 자유로웠다면 당장 날 후려치려 들지 않았을까.

조금 전 소리를 내지른 걸 잠깐 반성한 나는 성녀답게 최대한
상냥한 표정으로 그를 설득하려고 시도했다.

"넌 지금 잘못 생각하고 있어. 칼리스에서 전파하는 잘못된
지식의 영향으로 성국에 대해서 일방적인 편견을 가지고 있는
데—"

그 애는 기가 차다는 듯이 입술을 비틀었다.

"편견? 추악한 진실을 알고 있을 뿐."

"한 대 더 때려!"

딱! 로봇처럼 충실하게 카마엘은 아이의 머리통을 후려갈겼

다. 아마 혹이 났을지도 모른다. 이를 부득 가는 아이를 앞에 두고 난 깊게 숨을 들이마셨다. 후우— 울컥하는 마음이 가까스로 누그러진다.

그래, 난 교양 있는 성녀고 성국의 얼굴이니까. 쟤는 세뇌 교육의 희생양일 뿐이야. 비록 그 말투나 내용이 마음에 들지 않을지라도, 인내심을 가지고 상대하자.

그렇지, 일단은 통성명부터.

"너 이름이 뭐니?"

"어림없는 소리. 내 이름을 알아내어 저주라도 걸 셈인가?"

그 비웃음이 역력한 표정에 난 다시 심호흡을 해야만 했다.

소악마를 연상케 하는 표정. 어쩜 저런 아기 천사 같은 얼굴로 말하는 투며 표정 하나하나가 저리 건방질 수 있는지. 나이를 좀 먹어서 원숙해지면 여러 사람 화병으로 쓰러지게 만들 것이다.

난 애써 입가에 미소를 띄워 올렸다.

"그럼 뭐라고 부르길 원해? 그렇지, 꼬마라고 불러 줄까?"

어, 싫어하는 것 같은데?

"야 꼬마. 꼬마야 꼬마야 꼬마 꼬마 꼬마! 꼬마야!"

점점 더 표정이 안 좋아진다. 이거 좀 재밌다.

"왜, 불만 있어? 너 꼬마 맞잖아. 키도 나랑 비슷한 게 완전 땅꼬마인걸."

난 신나서 이죽거렸다. 비슷하다는 눈높이로 어림짐작해 보건대 얘는 나보다 주먹 하나만큼 키가 컸다. 원래 이 나이 즈음

에는 여자애들이 키가 큰데, 나보다 큰 걸 보면 얘도 작은 키는
아니다.

하지만 어쨌든 외양은 꼬마다. 금발에 예쁜 푸른색 눈을 가
진, 입버릇 험한 귀족 도련님.

성격만 좋았으면 많은 소녀들에게 언덕 위의 왕자님 같은 환
상을 심어 줄 만한데, 안타깝게도 성격이…….

"너랑 내 키가 비슷하다고?"

어처구니없다는 듯한 투였다.

난 의기양양하게 물었다.

"그러니까 말해, 네 이름. 네가 진짜 이름을 말하든 말하지 않
든 간에 널 부를 이름이 필요해."

"성녀님께서 물으시는 말에 대답하라."

잠자코 있던 우리 예쁜 카마엘이 바로 추임새를 넣었다. 강요
하듯 살벌한 어조로.

"……아델."

그리고 녀석은 고민 끝에 내던지듯이 이름을 털어놓았다. 역
시 꼬마라 불리기는 싫었던 모양이다.

역시나 진짜 이름은 아닌가 보네. 혜안까지는 아니더라도 이
름에는 힘이 담겨 있어서 성녀인 나는 이름을 아는 것만으로도
상대의 정체를 어렴풋이나마 읽어 낼 수 있다.

그런데 아델에게서는 아무것도 읽히지 않는다. 성녀인 내가
신성력이 극대화되는 이곳, 성국에서 이처럼 읽어 낼 수 없는
걸 보면……. 진실한 이름을 말한 것은 아닌 것 같다. 아명이나

예명을 말한 듯싶은데 정식 이름 전체가 아니면 소용없다.

카마엘에게도 혜안은 존재하지만, 그 역시 읽어 낼 수 없는 듯했다. 희뿌연 안개에 시야가 가려진 양 그는 미간을 찌푸렸다. 내가 모자라서 그런 게 아니란 것에 안도하며 난 콧대를 세웠다.

"그래, 아델. 그래서 성국에는 왜 잠입한 거야? 성국을 염탐하려고? 누가 무슨 중요한 정보라도 빼 오라고 시켰니? 아니면 칼리스에서 성국을 침략할 계획이라도 세우고 있어?"

아, 물론 넌 쫄따구에 불과하니까 거기까진 어차피 모르겠지.

으스대며 퍼부어진 질문에 자존심이 상했는지, 아델이 차가운 얼굴로 내쏘았다.

"감히 내게서 뭔가를 캐낼 수 있다고 생각해?"

그 멘트는 딱 자존심 높은 귀족 도련님의 전형다웠다. 나는 꽤 흥미로워졌다. 와, 이런 캐릭터는 처음인걸? 나도 '감히'라는 단어를 입 밖으로 표현하지 않는단 말이야. 어지간히 떠받들어져 자란 듯싶었다.

내가 평가를 내리는 사이 아델이 눈살을 찌푸렸다.

"……개인적인 일이야."

"개인적인 일? 칼리스인이 성국에 잠입할 정도로 중요한 사적 용무가 무엇이지?"

나는 순식간에 취조자로 돌변해서 엄중하게 물었다. 그래 봤자 열 살짜리의 목소리이니 별로 위압적이진 않다.

아델은 감정을 단절시키듯 장벽을 세운 눈으로 물었다.

"그 이유가 타당하다면 나를 풀어 줄 생각?"

"성국에 해가 되지 않는 일이라고 판단된다면, 고려해 보지. 더군다나 넌 어리니까 선처할 수는 있어."

사실 나도 너를 어떻게 할지 모르겠거든. 일단 듣고 나서 생각해 보자. 나는 턱을 세웠다.

성녀인 내가 설마 너에게 잔인무도한 짓을 하겠어?

도주를 꿈꿀 수 없게 만드는 존재인 카마엘을 힐끗 바라본 그는 협조적으로 구는 게 유리하다고 판단한 것 같았다.

아델은 무표정한 얼굴로 입술을 움직였다.

"누가 우리 가문의 물건을 훔쳐서 달아났어. 그 사실을 깨닫고 추적했을 때 그자는 이 성국 안으로 도피한 상태였지. 그래서 나는—"

말을 끌며 아델의 눈동자가 원을 그렸다. 할 수 있는 말들과 감춰야 할 말들을 분류하여 정리하는 것처럼. 그는 곧 간결하게 내뱉었다.

"이 안으로 들어와야만 했어. 그뿐이야."

"어떻게 들어왔는데?"

"이번 상행이 대규모라는 이야기를 듣고 짐수레에 올라타서 몸을 숨겼다. 성국의 결계에 걸리지만 않는다면 나 하나쯤 숨어들어오는 건 어려운 일이 아니지."

"어떻게 걸리지 않은 건데?"

난 눈을 빛냈다. 내 집의 보안 문제는 중요하단 말이야. 네 몸에선 분명히 마법의 기운이 느껴졌다고! 그런데 결계를 통과하다니, 도대체 어떻게?

아델은 고개를 저었다.

"그건 말할 수 없어."

제법 단호하다. 구슬릴 엄두도 내지 말라고 딱 끊는 듯한 눈빛. 에둘러 말하는 화법에 답답증이 도졌다.

"그러면 널 쫓던 그 괴물은 뭐지?"

"그자가 훔쳐 간 물건에 저주가 걸려 있었다. 그 영향을 받아 그렇게 변질된 거야."

"그럼 엄청나게 위험한 물건이잖아!"

그런 괴물들이 성국 안에 우글거리게 되면 어떻게 해! 나는 과장되게 반응하며 팔짝 뛰었다.

그런 나를 기분 나쁘도록 한심스럽게 응시하며 아델이 툭 말을 내뱉었다.

"그럴 일은 없어. 물건은 회수되었으니까."

"회수되었다고? 하지만 네게 그 물건은 없었어. 그렇단 말은 그 물건을 다른 누가 가지고 갔단 이야기인데……. 동료가 있었나? 둘 이상의 칼리스인이 성국의 결계를 뚫고 잠입했다고?"

내가 눈을 반짝이며 날카롭게 지적하자 아델은 입술을 깨물었다. 그는 곧 분명하게 말했다.

"이제 날 보내 줘."

그리고는 입을 꾹 다물었고, 나는 카마엘을 따로 불러내야만 했다.

"집행 신관들에게 처결을 맡겨야 합니다."

카마엘은 나와 둘이 있게 되자마자 그렇게 말했다. 그답지 않은 강경한 주장에 나는 카마엘을 물끄러미 올려다보았다.

그 섬세하고 예쁜 얼굴도 이번만큼은 꽤 매서운 빛이다. 카마엘이 나한테 이런 얼굴을 보이다니!

하지만 내가 쉽사리 받아들일 수 없는 문제였다. 집행 신관에게 처결을 맡긴다는 것은 즉, 아델이란 소년의 생이 끝장나는 것을 의미했다. 죽이지는 않더라도, 머릿속을 샅샅이 읽어 낼 테니 정신이 멀쩡하지 못할 것이다.

성국에 침입하고도 멀쩡히 살아서 나간 예를 남겨서는 안 되니까. 그래야 적들이 이 성국을 감히 침략하려 들지 못할 테니까. 누군가가 성국에 침투했단 사실이 알려지면, 혹은 성국에 비밀리에 침투하는 방법이 알려진다면. 무수한 적에게 성국의 드높은 성벽은 구멍이 성성한 돌벽으로 보일 터. 그 결과로 성국은 침략의 시선에 노출되리라.

알지만, 나는 그럴 수 없었다. 성국에는 대외적인 무력을 대표하는 성기사가 있다. 그들은 달의 앞면이다.

그리고 더 그늘진 곳에 위치해 온갖 일들을 도맡는 집행신관들. 그들이 달의 뒷면이다. 성국에 침투한 아델의 존재를 집행신관들이 알게 된다면 과연 어떻게 될까?

나는 기록에 의해 그들이 어떤 식으로 성국의 안전을 지켜 왔는지 안다. 내가 명령해서 당장은 보내 줘도 성국 밖으로 끈질기게 추적해서 처결하려고 할 거다.

그러니 카마엘을 설득해서, 저 아이의 존재를 여기서 묻는 것이 가장 나은 방법이다. 설득까지 할 필요도 없다. 내가 명령을 내리면 그는 충실히 입을 다물 테지.

하지만 난 이해를 구하지 않고 막무가내로 내 주장을 관철하고 싶지 않았다. 난 그를 정말로 좋아하니까!

생각을 조리 있게 정돈한 난 우선 조심스럽게 말을 꺼냈다.

"성국에서 칼리스인에 대해서 민감하게 생각하는 건 잘 알아. 더군다나 저 애는 귀족 출신이지. 그를 사로잡는다면 성국에 도움이 될지도 몰라. 하지만…… 꼭 그래야겠어? 저 애는 아직 어리고, 나름 솔직하게 자기 목적에 대해서 털어놓았잖아."

"단순히 첩자라기에는 범상치 않은 아이입니다. 여러 번 꿰뚫어 보려고 시도했지만, 정체를 읽어 낼 수 없었습니다."

"진짜 이름을 말한 것도 아닌걸."

"그 아이가 아델이라고 불린 적이 있는 것은 사실입니다. 진짜 이름은 아닐지라도, 그 이름은 그의 영혼과 연결되어 있습니다. 제게는 그렇게 느껴집니다."

그 말에 난 놀라 버리고 말았다.

"그런데 알 수가 없다고? 카마엘의 혜안은 강력하잖아."

대사제만큼이나! 물론 성장한 나만 빼고…… 그래, 난 아직 어린애니까. 어쩐지 작아지는 내게 카마엘이 담담하게 대꾸했다.

"예, 읽히지 않습니다. 그래서 범상치 않다는 겁니다. 숨기는 게 많은 상대이니 제대로 조사해 볼 필요가 있습니다."

"거짓말하지는 않은 것 같았어."

"제게도 그리 느껴졌습니다만, 거짓말을 하고도 들키지 않을 힘을 가지고 있을 가능성도 있다고 생각합니다."

전혀 감정적이지 않은 음성이라, 설득력 있었다. 그 차분한 설파에 나는 어쩐지 설득하기보단 설득당하는 처지에 놓이고야 말았다.

뭐라고 말해야 하지? 나는 또다시 머리를 굴려 대다가 푹 한숨을 내쉬었다. 성기사로서 위험인자를 경계하는 그의 말이 일리가 있었으니까. 아델, 네가 뭐라고 내가 고민해야 하는 걸까. 카마엘은 물었다.

"왜 그렇게까지 그를 신경 쓰십니까?"

그야 아델은 예쁜 금발을 가진 고작 열 살짜리 꼬마애고, 내가 성녀라는 사실을 알고도 숭앙하지 않고……. 모르겠다. 그래도 짧게나마 인연이 닿았는데 험한 꼴을 보게 내버려 둔다는 게 별로 내키지 않는걸. 아니, 그건 내키지 않는다거나, 조금 싫은 정도를 떠나서 용납할 수 없다는 마음과 더 가까웠다.

그건 우물에 빠지려는 아이를 기꺼이 구하려는 마음과 닿아 있지 않을까? 공자 왈 맹자 왈을 중얼거리다가 난 카마엘의 의심쩍은 시선을 받고 머쓱해졌다.

내 정신 상태를 그에게 의심받는다면 무척 슬플 것이다.

고심 끝에 난 고개를 쳐들었다. 결론은 이거다. 나는 옳음을 행해야 했다. 나는 성녀였으므로 그 옳음의 기준을 판단할 수 있다. 난 똑 부러지는 투로 선언했다.

"나는 아무리 극악무도한 칼리스인이라도 아직 이이인 이상 기회를 주어야 한다고 생각해."

칼리스인도 사람이고 사람 사는 데 좋고 나쁜 사람 있는 건 다 똑같은데 설마 죄다 극악무도할까마는, 일단 성국 사람들이 생각하는 것처럼 그렇게 말해 놓고―

"기회라니요."

"그래, 역시 죄부터 묻는 건 옳지 않아. 아까 쟤가 하는 말 카마엘도 들었지?"

그 신성모독적인 말을 들으며 검에 손을 가져갔던 카마엘이 선선히 고개를 끄덕였다.

"그렇게 말한 건 순전히 저 애의 탓이라고 볼 수는 없어. 쟤는 성국에 대해서 칼리스에서 배운 대로만 알고 있고, 뭘 잘못 알고 있는지도 몰라. 뿌리박힌 편견이지. 어린 시절부터 그렇게 교육받았을 테니까. 그래서 칼리스의 어린애까지도 성국에 적대적인 거고."

난 손가락을 척 치켜들었다. 내 안에서 추상적으로 정리된 것이 말로 제법 술술 나와 주고 있었다.

"그러니까 칼리스인에게 성국이 정말 얼마나 좋은 곳이고, 그들이 우리를 얼마나 잘못 생각하고 있는지 깨닫게 해 주어야 한다는 거지. 저 아이를 통해서 우리는 교화의 가능성을 엿볼 수 있게 될 거야."

이거 제대로 말하고 있는 것 같지? 내가 무슨 말을 하고 있는지 나도 모르겠지만, 어쩐지 스스로도 설득력을 얻어 가는 느낌이다.

"교화의 가능성이라고요?"

카마엘은 납득하기 어려운 듯했다. 표정은 그대로였지만 눈썹이 미세하게 꿈틀거렸으니까.

하지만 난 그 미세함도 포착하는 세심한 성녀다. 난 사르르 웃었다.

"그래, 저 애한테 성국을 제대로 보여 줘서 인식을 바꿔 놓는 거야. 그게 성공한다면 우린 새로운 가능성을 얻게 되는 거라구. 칼리스인을 교화하여 기존의 대립 관계에서 벗어나게 될 가능성!"

"만약 실패한다면요?"

단칼에 부정적인 질문을 내미는 그에게 나는 검지를 좌우로 까딱여 보였다.

"그건 그때 가서 생각해 봐야겠지. 달의 뒷면은 앞면을 충분히 보여 주고 난 뒤에 드러내도 늦지 않아. 끊임없이 성국을 건드리는 칼리스와 전쟁을 벌이는 것보다 그들과 지금부터라도 발전적인 관계를 만들어나가는 것이 낫지 않겠어?"

이미 신벌까지 내린 마당에 관계는 끝장난 것으로 보이지만.

카마엘은 적어도 내가 무언가를 강력하게 주장하고 있고, 그걸 일단은 받아 줘야겠다고 생각한 모양이었다. 누그러짐이랄까. 확실히, 지난 세월 동안 냉정한 그 역시도 내 어리광을 받아 주는 데 익숙해져 있었다.

"단순히 실험하시는 거라면, 반대하지는 않겠습니다."

"우와!"

탄성을 내지르기 무섭게 카마엘은 쌀쌀맞은 얼굴로 선언했다.

"하지만 그가 성녀님을 위험하게 할 경우 바로 베겠습니다."

나는 잠자코 고개를 끄덕였다. 그리고 잠시 뒤 나는 아델 앞에 서 있었다.

"있지, 우리 결정했어."

"뭐를."

불편한 자세로 바닥에 널브러져 있던 아델이 눈을 가늘게 뜨며 물었다.

내내 이렇게 묶여 있었을 테니 온몸이 쑤실 만한데 경계심 많은 고양이 같은 눈빛. 전시 작전 중인 군인처럼 몸에도 힘이 들어가 있다.

난 빙긋 웃으며 아델의 코앞에 손가락을 들이댔다.

"일단은 우매한 너에게 성국이 어떤 곳인지 보여 주기로!"

"……보여 준다고?"

아델이 몇 초의 시간을 둔 후에 미심쩍게 되물었다.

첩자일지도 모르는 그에게 성국을 보여 준다니! 마음 놓고 빼내 갈 것 있으면 빼내 가 보라고 하는 격 아닌가?

난 짐짓 관대한 미소를 보였다.

"아까의 대화로 나는 네가 성국에 대해 대단히 잘못된 편견을 가지고 있다는 것을 알았어. 넌 성국을 겉보기만 그럴싸했지 세계의 부를 독식하여 저희끼리만 잘 먹고 잘사는 부패하고 타락한 집단으로 생각하는 것 같더라고. 하지만 성국은 절대 그런

데가 아니야."

내 부드러운 설교를 지루하게 여겼는지 아델이 '들어주기 귀찮은데.'라고 말하는 듯한 표정을 지었다. 성녀님이 말씀하시는데 불경하긴!

"그래서?"

"넌 아직 어려. 네 배움과 현실이 다를 수 있단 걸 이해하지 못하고 있지. 물론, 그건 네 잘못이라고만 할 수는 없겠지. 배운 대로 아는 건 자연스러운 일이니까. 하지만 잘못 알고 있다면 제대로 알아야지. 그래서 난 네 눈으로 이 성국을 직접 보고 편견을 수정할 기회를 줘야 한다고 생각해."

이번에는 약간 내 정신 상태를 의심하는 눈길이 와 닿았다. 난 개의치 않고 선언했다.

"그러니까 제대로 봐. 네가 칼리스에서 보고 들은 성국과 실제의 성국이 얼마나 다른지."

보여 주겠다고! 내가 친절한 제의로 말을 맺음과 동시에 카마엘이 아델을 일으켜 세웠다.

발목에 가는 금속성의 발찌가 채워지자 아델은 또다시 눈을 찌푸렸다. 몸을 묶은 줄을 풀어 줬음에도 아델은 발찌가 거슬리는 듯 발목을 어루만졌다. 그건 열쇠 구멍 따위 없는, 신성력으로만 해제할 수 있는 종류의 물건이었다.

"그게 있으면 넌 도망갈 수 없어. 카마엘 주변에서 떨어지면 좀 아플 거야. 아, 시험해 봐도 좋아. 아픈 건 너지 내가 아니니까."

그 발찌를 찬 채로 발찌를 채운 자에게서 일정한 거리 이상 벗어나면 곧바로 바닥에 무릎 꿇을 만치 어마어마한 고통이 몰아닥친다고 한다. 비인도적인 방식이긴 하지만 아무 대책도 없이 아델을 풀어놓고 데리고 다니는 건 카마엘이 납득하지 못할 뿐더러 나도 그럴 생각이 없었다. 어쨌거나 아델은 칼리스인이며 침입자였고, 때문에 약간의 신체적 부자유를 감수해야만 했다. 문제가 하나 있다면.

난 믿음으로 가득 찬 눈으로 카마엘을 올려다보았다. 그리고 사뿐히 손을 모아 그의 손을 힘껏 움켜쥐었다. 아직 어린 내게 양손으로 쥐어도 다 잡히지 않을 만큼 큰 카마엘의 손은 기사의 것답게 단단했다. 길고 아름다운 손가락이다.

난 방긋 웃으며 말했다.

"자, 그러면 카마엘 잘 부탁해."

"……예?"

카마엘은 드물게도 곤혹스러운 듯이 답했다. 카마엘이 반문하는 걸 들어본 건 처음이었다.

하지만 내가 아델을 데리고 다니면서 성국 구경을 시켜 줄 수는 없잖아. 잊고 있나 본데 난 몰래 나온 몸이라고! 일단 돌아가서 구실을 대서 나오지 않으면 안 된다. 기도실에서 몰래 나올 수 있단 걸 들키면 안 되니까.

난 손을 마구 흔들면서 카마엘을 향해 속사포처럼 말을 쏟아냈다.

"있지, 카마엘은 성국 제일의 성기사잖아. 정말 믿음직스러워! 내가 여태껏 말한 거 잘 이해하고 있을 거라고 믿어. 아이니까 막 때리지 말고 잘 돌봐야 해! 이런, 벌써 시간이. 에이레네가 찾겠다. 어서 가 봐야지!"

난 숨 가쁘게 신성력을 일으켰다. 빨리 공간 이동을!

"성녀님—"

그리고 다음 순간 메아리처럼 들리는 카마엘의 목소리를 뒤로 한 채, 나는 기도실로 되돌아와 있었다.

내 신속한 반응 속도란! 역시 신성력은 소망이 강할수록 잘 발현된단 말이야. 카마엘 정도면 그깟 꼬마 한 명이 탈출 시도를 한다고 해도 제지할 수 있을 것이다.

익숙지 않을 게 틀림없는 보모 노릇 시킨 건 좀 마음에 걸리지만, 나중에 천천히 갚아 주지 뭐. 조금의 미안한 마음도 없이 난 느긋하게 결론지었다. 내가 기세등등하게 기도실 문을 박차고 나왔을 때는 벌써 점심 무렵이었다.

왔다 갔다 하느라 신성력을 많이 썼더니 배가 고파 왔다. 그러고 보니 카마엘은 식사를 안 할 텐데……. 아델에게 점심을 챙겨 주긴 하려나?

하지만 일단 내 배가 고팠으므로 그 애의 사정은 후에 생각하기로 했다. 한 끼쯤 굶는다고 죽는 건 아니다. 한 끼가 아닐 것 같다는 날카로운 지적이 뇌리를 스쳤으나 그다지 인상적인 건 아니었다.

맛있게 점심을 먹고 포만감에 배를 두드릴 무렵, 굶주려 있을 누군가는 이미 싹 잊혀 있었다. 몸이 노곤해져 와 잠깐 낮잠을 자겠답시고 누웠다가 일어났을 때에는 이미 저녁에 가까워진 오후였다.

우와! 완전히 잊고 있었어!

무슨 핑계를 대고 빠져나갈까 고민하던 난 저편에서 서류를 들여다보고 있던 에이레네에게 쪼르르 달려가 말해 버렸다.

"에이레네, 나 잠깐 카마엘을 보고 올게."

"카마엘 님을요? 어떤 일이시기에?"

"그, 그냥 카마엘한테 휴가를 주었잖아. 그동안 뭐 할 건지 휴가계획에 대해서 좀 들어 보려고. 요정기사의 휴가는 뭔가 특별할 것 같지 않아?"

이런 걸 구실이라고 말하다니! 바보 같은 소리였지만 열 살짜리 아이의 답변으로 합격점인 것 같다. 그녀는 귀엽다는 웃음을 보였다.

"제 생각에 카마엘 님은 처소에 머물겠다고 하실 것 같은데. 그냥 카마엘 님을 보고 싶으신 거지요? 섭섭한걸요? 성녀님께선 저보다 카마엘 님을 좋아하시는 거 같아요."

"아, 아니야. 똑같이 좋아!"

생각할 것도 없이 대답이 선뜻 나온 걸 보니 거짓은 아니다.

그래, 똑같이 좋지. 호감의 성격은 좀 다르지만. 이렇게 말하면 미안하지만 카마엘은 예쁜 안드로이드 같은 느낌이고 에이레네는 날 돌봐 주는 친한 언니 같은 느낌이다. 에이레네가 후후 소리를 내서 웃었다.

"저도 동행할까요?"

"바로 카마엘이 있는 곳으로 이동할 거니까 동행은 필요 없어."

"어머, 이제 이동에 능숙해지셨나 봐요."

걱정스러운 심사가 드러난 에이레네의 얼굴에 그늘이 졌다. 또 얼마나 몰래 나돌아다니려나 하는 근심이 엿보인다.

찔리는 것이 있음에도 난 천연덕스럽게 웃어 보였다.

"응, 요새 많이 늘었어. 아무튼 그러면 가 볼게!"

"늦지 않게 들어오세요."

나는 '카마엘이 있는 곳으로!'라고 주문을 외우듯 속으로 외치며 정신을 집중시켰다.

지난 몇 시간 동안 어떻게 지냈을까. 설마 그 시간 동안 나만 빼고 친해지진 않았겠지? 같은 무의미한 경계심과 질투심이 섞인 생각을 하면서 말이다.

그리고 역시나 내 걱정은 기우였다. 그간 무탈하게 거리 구경을 했나 보다.

나는 그들을 바로 발견할 수 있었다. 워낙 눈에 띄는 인물들이었기 때문에. 그들은 가게들이 늘어선 거리를 걷고 있었다. 불만이 얼굴에 덕지덕지 묻어 있는 아델은 꼭 잔뜩 털을 곤두세운 길고양이 같았는데, 탈출 시도라도 했다가 된통 당한 듯 뚱한 얼굴이었다.

카마엘은 칼리스인을 떠맡게 된 이 보모 신세를 사무적으로 받아들이는 기색으로, 여전히 무표정했다. 그리고 오래간만에 거리를 나선 카마엘과 그의 곁을 따르는 인형 같은 소년에게 관심이 쏟아지고 있었다.

"여기 보렴? 몇 살이니?"

"정말 예쁘게 생긴 아이예요. 카마엘 님과 같은 요정인가요?"

라며 야단법석을 떨어 대는 주변인 때문에라도 아델의 기분은 심히 좋지 않아 보였다.

심지어 그의 불퉁한 표정을 두고 새침하다느니 도도하다느니 평을 들었을 땐 뭔가 잘못되었다고 생각했는지 표정이 한층 싸늘해졌다.

아델은 그냥 놓고 보면 남자아이라기보단 확실히 여자아이 같다. 사람들이 불쑥 손을 내밀어 아델의 머리를 쓰다듬어 대기에, 난 곧 아델이 임계점에 도달하리란 걸 알았다.

기껏 사로잡은 까탈스러운 길고양이가 폭발하기 직전, 나는 불쑥 나섰다.

"여기 있었구나."

"오랜만이에요, 성녀님!"

"이곳을 찾아 주셔서 영광입니다."

내 오팔 빛이 감도는 금안을 마주하자마자 사람들이 고개를 수그리며 예를 갖추었다. 그 눈빛에서 배어 나오는 애정과 공경심은 전생에 내가 받아 본 적 없는 것들이었다. 정말로 성녀이긴 했구나, 같은 종류의 불순한 시선도 와 닿긴 했지만 말이다.

나는 아델의 머리카락을 쓰다듬으며 배시시 웃었다. 아무나 쓰다듬는 건 용납 못 해. 이건 나만의 특권이라고! 아델은 내 손길을 심히 쳐 내고 싶은 눈치이긴 했지만 주변의 시선을 의식해서 차마 그러지 못했다.

"저 아이는 누구인가요?"

"상행을 따라온 외부 아이인데 특별히 성국을 구경시켜 주고 있어."

이건 거짓말은 아니지? 그 한마디로 모두가 '성녀님은 역시 은혜로우셔!'라며 별다른 의심 없이 고개를 주억거려서, 난 약간 가책을 느꼈다.

곧 오랜만에 거리에 들른 성녀에게 뭔가 바쳐야겠단 생각이 들었는지, 모두가 앞다투어 공물을 내놓기 시작했다.

"이것 한 번 드셔 보시겠어요? 이번 상행에서 들여온 건데 아주 싱싱하고 맛이 좋답니다."

라며 잘 익은 체리를 내밀거나,

"성녀님께 잘 어울릴 거예요!"

섬세하게 장식된 보석 머리핀을 내놓는 사람도 있었고,

"안고 주무시면 폭신폭신하답니다."

라며 털이 송송 나고 보드라운 인형을 안겨 주는 사람도 있었다. 어쨌든 어린아이에게 걸맞은 공물들이라 아델의 눈빛이 묘해졌다.

마음에 드는데? 난 웃으며 보드라운 인형 털을 손끝으로 문질렀다. 하지만 짐이 많아지면 곤란하므로 앞의 세 개만 딱 받기로 했다. 짐은 재빨리 카마엘에게 떠넘겼다.

"선착순이야."

도도하게 손가락을 쏙 세워 보이면서. 물론, 다 받아서 챙겨 가고 싶긴 하지만 지금 중요한 건 그게 아니니까. 그리고 성녀인 내가 소소한 선물에 집착하는 것도 가당치 않은 일이다. 내가 얼마나 부자인데!

사람들의 인사를 받으며 우리는 길을 거닐었다. 반석이 깔린 도로 위에 색색의 가게가 문을 연 거리는 평화로웠고 사람들의 표정은 밝았다.

나를 보며 조용히 신께 감사의 기도를 올리는 이들도 있었고, 호들갑을 떨며 소곤거리는 이들도 있었다. 그 모두에게서 읽어 낼 수 있는 건 유쾌하고 긍정적인 분위기였다.

전생에도 내가 살던 나라는 풍요로운 편이었지만, 이처럼 행복한 얼굴을 한 사람들을 또 어디서 볼 수 있을까. 콧노래를 흥얼거리며 걷던 난 불쑥 잊고 있던 것을 물었다.

"식사는 했어?"

카마엘은 그런 것까지 챙겨야 하냐는 듯이 태연한 눈으로 나를 보았다. 역시, 건너뛰었구나……. 아득해진다.

그래, 카마엘은 배고픔을 못 느끼니까 그 고통을 이해 못 하겠지. 하지만 아델은 다르잖아. 이건 아동학대라고!

그때 어디선가 꼬르륵 소리가 들렸고, 나는 재빨리 아델을 돌아보았다. 뺨이 살짝 달아오른 소년은 신경질적으로 입술을 깨물었다. 난 모든 걸 다 이해한다는 듯이 자애로운 미소를 그려 내며 짝, 박수를 쳤다.

"좋아, 식사하러 가자!"

이 무리 포로라고는 해도 인도주의적으로 밥은 챙겨 줘야지.

물론 난 다 먹었으니까, 디저트류가 풍부한 곳으로 가야겠다! 이 근처 맛집이…….

내 뇌리에는 금방 근처에 있는 한 장소가 떠올랐다. 잠시 후 우리 셋은 '새벽 별'이라고 쓰인 간판 아래 서 있었다. '새벽 별'은 나풀나풀하고 투명한 레이스로 장식된, 신비주의적인 분위기를 물씬 풍기는 카페 겸 식당이었다.

높은 가격대에도 꾸준히 많은 단골손님이 찾았다. 자리에 앉자마자 이 집의 명물인 혀가 녹을 듯한 진한 치즈케이크와 파이 몇 개, 담백한 차, 그리고 아델을 위한 식사를 본인에게 묻지도 않고 주문했다.

직접 나온 주인장이 친절한 얼굴로 주문을 받아 적었다. 이 가게가 생긴 지 20년은 된 것에 반해 주인장은 젊었고 이십 대 중반쯤 되어 보이는 단정한 얼굴을 하고 있었다.

그것을 보니 나도 퍼뜩 잊고 있었던 것을 깨달았다. 생각해 보니까 여기 주인, 퇴직한 대사제였어! 강대한 신성력을 바탕으로 젊음을 유지하는 터라 여전히 생생한 얼굴이었지만, 어딘지 모르게 현기가 감도는 눈이었다.

건강상 은퇴했다고 하는데, 대사제 일을 하면서 얼마나 속을 썩였는지 스트레스에서 해방되고 나니까 건강이 오히려 좋아졌다고 들었다. 으아, 대사제인데 설마 아델의 정체를 꿰뚫어 보는 것은 아니겠지?

그러나 그는 주문을 받은 다음 현기 어린 눈으로 나에게 목례한 뒤 별말 없이 사라져 갔다. 다행이다. 난 안도의 한숨을 내쉬었다.

카마엘은 천장에 가득한 별장식과 휘장처럼 늘어진 푸르고 투명한 레이스를 바라본 뒤 평소처럼 침묵을 유지했다. 아델은 뭐든 못마땅한 눈치였으나 배가 많이 고팠는지 불만을 표하지 않았다.

곧 식사가 차려졌다. 내 생각대로 아델은 귀족인 모양이었다. 깍듯하고 우아한 손놀림도 그렇고 식사를 하는 자세가 인상적이었다. 먹는 속도도 퍽 빨랐다. 그가 썰어 놓은 스테이크 조각을 괜스레 포크로 찍어서 갈취해 가니, 아델이 눈을 부라렸다. 쪼잔하긴! 근데 이거, 맛있나?

난 스테이크를 맛보았다. 입안에서 퍼져 나가는 육즙의 풍미며, 보들보들한 육질이 정말 끝내줬다. 몸을 부르르 떨며 아델 앞에 나온 고기를 탐내다가 내 몫의 디저트가 나오자 나 역시 시식을 시작했다.

이 명물 치즈케이크의 풍부한 향과 맛은 정말로 감동적이다. 달콤하고 진한 감칠맛. 꼭 혀가 녹아들어 사라지는 것 같다. 조금의 가식도 없이 야단법석 떨면서 마음껏 얼굴로 행복을 표출하는 나를 카마엘이 흘끗 바라보았다.

내가 고작 디저트를 맛보면서 세상을 다 가진 양 만족해하는 걸 이해하지 못하는 눈치였다.

난 잠시 고민했다. 카마엘은 요정이라 잘 먹지 않는데 먹고 탈 나는 거 아니겠지? 거의 음식물을 섭취할 필요가 없기도 하거니와 이런 건 그가 먹는 음식류가 아니라서. 그렇지, 먹지 않아도 상관없다는 건 먹어도 되긴 한다는 뜻이잖아?

난 우리 예쁜 카마엘에게 기꺼이 양보할 마음이 있었다. 특별히 케이크 한 귀퉁이를 잘라서 권해 보자 호기심이 이는지 카마엘이 포크를 가져갔다. 그러나 그는 한 입 깨작거리고선 간단하게 평했다.

"달군요."

……아무래도 요정의 미각은 별로 발달하지 못한 것 같다.

까칠한 표정으로 표정에 걸맞은 태도를 고수하던 아델도 배고픔 앞에서는 순순해지기로 한 것 같았다. 내가 취향의 맛집으로 제대로 데려온 게 아닐까.

그 나이 사내아이가 그리 빠른 속도로 먹으면 입가에 빵부스러기라도 묻어날 법한건만. 아델은 엄격한 교육을 받고 자라나 몸에 밴 듯이 얄미울 정도로 단정한 자세를 유지했다. 차별 대우는 좋지 않기에 나는 그에게도 친절하게 웃으며 내 몫의 디저트를 권했다.

"자, 맛 한번 볼래?"

아델에게선 더럽게 먹던 것을 내미느냐는 혐오 어린 눈길이 돌아왔다. 난 기분이 팍 상해 버렸다.

까칠까칠하긴, 앞으론 널 수세미라고 부를 테다!

"좋아, 그러면 다음엔 어디로 갈까."

속으로 실컷 욕하고 나니 기분이 좋아졌기에 나는 금방 생긋거리며 웃었다. 웃는 얼굴엔 침 못 뱉는다고도 하잖아.

아델은 애초에 침 뱉는 행위와 거리가 먼 새침하고 도도한 얼굴로 말했다.

"내 의사는 어차피 상관없는 것 아니야? 마음대로."

그렇게 제 처지를 잘도 인식하고 있으면서 태도는 왜 그 모양이야! 지적해 주고 싶은 마음이 울컥 솟구친다. 하지만 성녀인 내가 빽 소리를 지른다면 얼마나 격 없어 보이겠어?

물론 내가 내공이 더 깊었다면 적절하게 일침을 가할 수 있었겠지만 우아하고도 교양 있게 멸시하는 방법은 아직 익히지 못했다. 대신 난 너그러운 사람이 될 거야. 어디 보자, 성국에 대해서 좋은 인상을 심어 주려면 역시.

"그러면, 의료원에 한번 가 보자."

식사를 마치고 나는 성큼 앞장섰다. 성국의 의료원은 간단히 말해 병원으로 사람들을 치료해 주거나 의학을 연구하고 신약을 개발하는 곳이다. 때때로 성력과 잘 배합된 전염병 치료제 등이 이곳에서 개발을 마치고 배포되곤 했다.

문제는, 의료원 사람들이 종종 외부를 드나들기에 위치가 외벽과 인접해 있다는 것이다. 그 점이 못내 마음에 걸린 듯 카마엘은 반박하고 싶은 것처럼 입술을 달싹였다.

그는 자신의 검을 어루만지며 뭔가를 가늠해 보는 듯하더니 입을 꾹 닫았다. 그거, 아무래도 도망치려 든다면 베어 버리겠다는 의지가 엿보인단 말이지. 살벌한 빛이 눈동자에 스쳤다.

그러고 보니 카마엘은 지난 칼리스와의 성전 때 엄청나게 활약했다고 하지. 당시 그의 눈부신 은발은 핏빛으로 물들었고 무수헌 불신자를 베어 낸 그의 검은 제 몸을 더럽혔을지언정, 성국을 지켜 내는 데 성공했다. 냉정한 얼굴로 적진에 뛰어들어 망설임 없이 불신자들을 말살하던 그는 칼리스에서 은빛 사신으로 불리었다고 한다.

험난한 전쟁의 역사를 그대로 기억 한편에 담아 두고 있는 자치고 카마엘은 칼리스인을 대하는 데 대단히 덤덤하고 사무적인 편이었다. 성국에서 칼리스인이 대체로 어떻게 여겨지는가를 고려한다면, 그의 태도는 놀라울 정도였다. 역시 요정이라 그런가.

사실 칼리스인에 대한 반응은 일관적이었다. 이제껏 보아 온 바로는 아무리 온화한 사제라고 해도 칼리스 이야기만 나오면 얼굴이 차갑게 굳어지며 '저주받을 불신자들'이라고 내뱉는다.

혐오와 멸시, 두려움, 증오. 지난 성전 때 성국에서 치른 희생을 떠올리자면 그럴 만도 하지.

그러나 카마엘은 달랐다. 단지 자신의 적이라 규정지어진 상대를 경계하고, 의심하고, ……필요한 순간이 온다면 주저 없이 죽인다.

지금 눈앞에 있는 아델이 아무리 어린아이라고 해도 예외는 없을 것이다. 칼리스가 호시탐탐 성국을 노리고 있고, 지금도 때때로 그들과 분쟁을 겪는 만큼 어쩔 수 없는 일이었다.

내게는 그 사실이 조금 무겁게 느껴져 왔다.

"그런데 너 말이야, 몇 살이니?"

걸음을 옮기면서 문득 묻자 아델이 코웃음 쳤다.

"그런 식으로 내게서 서서히 정보를 캐내려는 건가 본데, 그런 뻔한 수작에 넘어갈 것 같아?"

"그냥 나보다 어릴 것 같길래. 너 키도 작잖아."

난 일부러 비웃듯이 입꼬리를 한껏 끌어올리며 말했고, 아델의 얼굴이 확 굳어졌다. 키 작단 소리에 반응하지 않은 남자아이는 드문 법이다.

"도대체 누가 작다는 거야?"

진지한 기색의 카마엘이 아델과 내 키를 재어 보려는지 우리 둘을 번갈아 시야에 담았다. 그 매 같은 눈빛에 웃음을 터뜨릴 뻔했지만, 난 꾹 눌러 참고 도도하게 물었다.

"그래서 몇 살?"

말 안 하면 그냥 어린애 취급하겠다는 기색을 담아.

"몇 짤이에요, 동생?"

한껏 눈썹을 치켜세운 아델이 이를 갈며 내뱉었다.

"……열 살이야."

얘는 냉정한 체하면서 생각보다 긁는 데 약하단 말이야? 내가 깐죽거리는 게 아델에겐 말도 안 되고 어처구니없는 상황인 듯싶었다. 누구도 제게 감히 그런 적이 없었던 것처럼 발끈하는 것을 보아하니 어지간히 귀하게 자란 것 같다.

"으흠, 아쉽네. 동갑이야. 그러면 생일은 어떻게 돼? 계절만이라도 말해 봐."

난 걸음을 내디디면서 재잘거렸다. 이왕 말을 튼 거 꼬치꼬치 따져들 셈이었다. 아델은 내가 자꾸 그를 건드리는 것을 못 참겠는지 이를 악물었다.

"……가을에 태어났어."

"흐음."

나는 봄에 태어났으니 나보다 더 늦게 태어났구나! 어린 것. 호들갑 떨며 놀리고 싶긴 했지만, 그건 너무 유치하잖아? 나는 짤막하게 감상을 토로했다.

"참 좋은 계절에 태어났네! 무척 어울려!"

너의 싸가지 없음은 풍요의 계절에 태어나 오냐오냐 자란 탓이렷다. 내 순수하지 못한 칭찬에서 묘한 뉘앙스를 느꼈는지 아델이 미간을 찌푸렸다. 그러나 이내 상대하기도 싫다는 듯이 입을 꾹 다물었다.

카마엘은 조용히 곁에서 걷고 있었지만, 내 생각에 그는 지금 아델에 대한 정보들을 하나씩 꿰맞추고 있을 것 같다. 저 소년의 정체와 목적을 유추하기 위해서.

카마엘이 그러건 말건 난 호기심이 동해서 이것저것 질문을 던지기 시작했다. 어디 보자, 부모님이 두 분 모두 계시냐고 묻는 건 무례한 거겠지.

"형제 관계는 어떻게 돼? 있지, 정 말하기 싫으면 간략하게만 말해도 돼."

아델이 불쾌한 표정을 지었다. 그러나 생각 외로 대답은 순순히 나왔다.

"나 혼자인 거나 다름없지."

모호한 답변에 고개를 갸웃거리자 곧바로 부연설명이 잇따랐다.

"그 누구도 형제라 생각지 않으니까."

……그건 참, 살벌한 소리였다. 핏줄로 이어진 형제가 있긴 있지만, 혈육에게 느끼는 애정은 없다는 뜻인가.

그 말을 툭 던진 아델은 거기에 조금도 아쉬움을 느끼지 않는 양 태연했고, 어떻게 보면 비웃는 듯도 한 표정이었다. 투정을 부린다거나, 형제들과 사이가 안 좋아서 괜스레 내뱉는 걸로 들리지는 않았다.

아무래도 저 애의 모난 성격은 평탄치 못한 가정환경에서 비롯된 것이리라. 괜히 애꿎은 가을 탓을 했구나. 난 마음속으로 계절에게 사과했다.

그리고 이왕 입을 열게 한 김에 조금 더 호기심을 채우기로 했다.

"왜? 어머니가 다른가?"

형제간에 데면데면하다면 아무래도 이런 이유이지 않을까. 귀족 사회에서 여러 부인과 그 소생들의 갈등은 뭐 흔한 이야기다. 아델은 대수롭지 않게 고개를 끄덕였다. 그래도 형제니 같이 자라긴 했을 텐데 아델의 말투는 극단적이었다.

"그럼 혹시 괴롭힘당한 거야?"

이번의 질문이 꽤나 마음에 들지 않았나 보다. 아델이 대놓고 눈살을 찌푸렸다.

"괴롭힘을 당해? 내가?"

그러더니 피식 웃는 얼굴이 아이답지 않은 건방짐을 풀풀 풍겼다.

"그 반대겠지."

"어린 동생을 때리기라도 한 거야?"

내가 입을 삐죽거리며 묻자 아델은 한심하단 눈초리로 나를 흘겨보았다.

"아니, 굳이 그럴 필요가 있을까. 나는 존재만으로도 그들에게 본질적인 위협이 되고 있지. 예컨대……. 목숨이라든가."

믿을 수 없을 만치 싸늘한 조소가 아델의 낯에 머물렀다. 그걸 깨닫자 등골이 오싹했다. 목덜미에 소름이 오소소 인다. 이 아이가 칼리스인이기 때문일까? 열 살, 코 찔찔 흘리며 말썽 부릴 나이의 소년이 어떻게 이런 섬뜩한 얼굴을 할 수 있지? 의젓하다거나 조숙하단 말과는 다른 느낌.

아델은 내 반응이 이상하단 걸 느꼈는지 화제를 돌렸다.

"그러고 보니, 나도 한 가지 궁금한 게 있는데."

"뭔데?"

"성녀의 출생에 대해서 재미있는 이야기를 들었어."

"재미있는 이야기?"

"성녀는 신이 직접 빚어 내린 신성한 존재라 인간의 몸에서 나지 않는다고 하던데. 십 년 전, 성국의 하늘에 빛의 길이 열리고 신전 안쪽의 꽃봉오리에서 네가 태어났다고 들었어."

어머나, 내 비범한 출생이 칼리스까지 소문이 났단 말이야? 박혁거세와 같은 신화 속 인물이 된 기분이 오묘했다. 난 냉큼 답했다.

"어, 맞아. 그거 사실이야."

별로 비밀이랄 것도 없으니까 말해도 괜찮겠지?

잠깐 카마엘의 눈치를 봤으나 이건 성국에서 홍보 차 실컷 떠들어 댄 사실이라 그도 별로 개의치 않는 듯싶었다. 난 활기차게 말했다.

"나 꽃에서 나왔어!"

아델이 역시나 태클을 건다.

"그걸 어떻게 믿지?"

"어떻게 믿느냐니? 난 성녀이고 거짓말은 하지 않아."

아니, 이거야말로 뻥이지. '거짓말은 되도록 하지 않으려고 노력한다' 정도가 맞는 말이리라.

하지만 신의를 심어 주기 위해선 이 정도 과장은 있어야 하는 거다.

"네 말을 의심하는 게 아니라, 네가 꽃에서 태어났다는 걸 의심하는 거야."

이건 또 뭔 소리람? 내가 멀뚱멀뚱 바라보자 아델이 멍청이를 보는 듯한 얼굴로 설명했다.

"네가 꽃에서 태어났다는 건, 너도 분명히 누군가에게서 들은 거겠지. 그 사실을 말해 준 누군가가 애초에 거짓말했다면 네가 잘못 알고 있을 수도 있다는 이야기야. 성녀에게 신성성을 부여하기 위해 네 탄생에 관한 허구의 이야기를 지어내서 모두가 입을 맞췄다면, 네가 그걸 사실이라고 믿고 있어도 무리는 아니지."

하긴 신화에서 이야기되는 비범한 출생은 모두 왕을 신격화하기 위해서 만들어진 이야기라지. 역사 시간에 배운 기억이 난다. 물론, 전생에 말이다.

근데 열 살이라면 이제 슬슬 산타의 존재를 의심해 보는 나이 아닌가? 이거 완전히 의심병 환자에 음모론자잖아!

아델은 마치 '냄새가 나는군.' 하는 추리소설 명탐정처럼 굴고 있었다. 이런 애어른을 봤나! 하지만 네가 모르는 게 있지.

"아니야, 내가 꽃에서 나온 건 사실이야. 나는 태어났을 때 꽃향기와 보드라운 꽃 잎사귀의 감촉을 느꼈어."

그건 바로 내게 전생이 있기에 태어난 순간을 기억할 수 있다는 것. 내 기억은 진실이다. 일단 난 엄마 배에서 나오면서 마땅히 느꼈어야 할 고통을 느낀 적이 없었다.

"태어날 때부터의 기억을 가지고 있다고?"

눈을 가늘게 뜨고 날 바라보는 아델에게 나는 의기양양하게 대답해 주었다.

"응, 그래서 내가 성녀인 거지!"

이윽고 들려온 말은, 생각지 못한 것이었다.

"그렇다면 넌 인간이 아닐 수도 있겠군. 인간은 그런 식으로 태어나지 않으니까."

그 소리에 난 조금 충격을 받았다. 급작스레 정체성의 고민에 빠져든 난 조금 후 중얼거렸다.

"그런가? 하긴 사람이 그런 식으로 태어났단 이야긴 없는 것 같아. 그럼 난 성녀라는 단일종족인 걸까?"

내가 사람이 아니라니……. 충격이야! 여기는 이세계고 다시 태어났을 때부터 내가 특별하다는 건 인지하고 있었지만 말이다.

그때 잠자코 듣고만 있던 카마엘이 입을 열었다.

"성녀님의 신체는 다른 이들보다 더 탁월한 신성력을 보유하고 있을 뿐 인간의 것이 맞습니다. 날 때부터 대사제로 태어났다고 하는 게 맞겠군요."

내가 희망을 얻어 또랑또랑한 눈으로 쳐다보자 카마엘이 단호한 투로 말했다.

"성녀님은 인간입니다. 성녀님께서는 전능하신 월신의 힘으로 새로운 방식으로 세상에 나셨지요. 그러나 인간의 육체를 가졌는데 인간이 아니게 되진 않습니다."

하긴, 나는 인간의 습성을 그대로 지니고 있으니까. 나이를 먹으면 자라나고 배고프면 먹고 졸리면 잔다. 생리 현상도 인간의 매커니즘을 그대로 따르고 있었다.

인간이 아니라고 말하려면 눈앞의 카마엘처럼 인간과 정말다른 점을 지니고 있어야 하는 게 아닐까.

"전능하신 월신이라니."

아델은 비웃는 듯한 소리를 냈다. 그는 카마엘의 말 중 어떤 부분에 반응하고 있었다.

"그토록 잘나신 월신께선 어째서 우리 같은 불신자에게 고작 신벌이란 걸 내릴 뿐이지? 아예 우릴 말살시켜 버릴 수 있잖아."

확실히 가시적인 효과를 보이려면 그게 효율적이지. 심드렁하게 생각하는 데 아델이 더 깊게 짚어 냈다.

"아니, 애초에 불신자가 될 수 없게끔 했으면 되었잖아."

나는 잠자코 그의 말을 듣고만 있었다.

"그렇게 하지 않는 건, 그렇게 할 수 없었단 뜻이지. 그러니 신이 전능하다는 건 잘못된 말이야. 그들은 성력이란 힘을 독차지하고 있을 뿐이지."

신은 초월적인 힘을 지니고 인간을 위에서 굽어보는 강력한 군주에 불과하다. 아델은 그러한 논리를 말하고 있었다.

"너희들은 신이 내린 힘만을 다룰 뿐이지만, 우리 칼리스에서는……."

"그만."

카마엘이 그의 말을 딱 잘라 끊어 냈다.

"성국 내에서 불경한 말은 허락하지 않겠다."

사실 나도 좀 궁금해지는 주제이긴 했는데, 그렇게 입을 막아 버리면 아쉽잖아? 하지만 카마엘의 기세가 워낙 강경해서 뭐라고 말을 꺼내긴 그랬다. 다만 아델은 개의치 않고 못된 입을 놀렸다.

"불경한 말을 하면? 칼리스인인 내가 신벌 따위 두려워할 리―"

"더 이상 말한다면 네 목을 치겠다."

그 말을 할 때 카마엘의 눈에 무섭도록 차가운 빛이 스쳐 지나갔다. 정말로 베어 버릴 참이다. 그러면 내가 말리기도 전에 아델을 시체로 만들어 버릴 수도 있을 것이다. 카마엘의 검은 눈에 보이지 않을 정도로 빠르다고 하니까.

그러니 아델.

"들었지? 조용히 해."

나는 가볍게 간죽거렸다. 카마엘의 매서운 기세에 나도 살짝 겁먹은 터였다. 죽는 것보단 입 다무는 게 낫잖아. 아델은 뭐라 더 말하고 싶은 얼굴이었으나, 카마엘에게 좀 쫀 거 같았다. 그는 결국 침묵을 택했다. 어색한 공기가 내려앉았다.

정보는 더 캐낼 수 없겠군. 그에게서 알아낸 정보를 어떻게 이용해야 할지 모르겠다. 나는 칼리스에 대해서 아는 바가 별로 없거든. 그저 이 아델이란 소년은 내게 꽤 흥미로운 존재였고 때문에 그의 이야기를 듣는 건 꽤 재미있는 일이었다.

정리해 보자면, 아델은 칼리스의 귀족 태생의 소년. 나이는 열 살, 가을에 태어났고 금발에 푸른 눈이니 양친 중 한 명 이상이 금발에 푸른 눈일 가능성이 높음. 형제가 한 명 이상 있지만 사이가 매우 좋지 않고, 어휘 수준이나 식사 태도를 보면 교육을 철저히 받았음을 알 수 있다.

거만한 성격을 보아하니, 별로 누군가에게 굽히고 살거나, 억눌리고 살았을 것 같지 않다. 정확히 표현하자면 싸가지가 없으니 윗사람이 별로 없는 환경에서 컸을 것이다. 그러니까 서자라 구박받는 건 말이 안 되고 아마 적자이지 않을까.

그런데 가문의 적자가 성국에 잠입하는 위험한 일을 맡는다는 게, 잘 매치가 되지 않았다.

누군가가 가문의 물건을 훔쳐서 이 성국 안으로 도피했다고 했지. 그건 아주 중요한 물건임이 틀림없다. 아무에게나 맡길 수 없는 물건. 또 아델이 믿는 것 없이 성국에 홀로 들어왔다고 생각하긴 어렵다.

퍼뜩 스쳐 보낸 의심이 다시금 솟았다. 누군가가, 아델 말고도 성국에 잠입해 있는 건 아닐까. 그 사라진 물건이 어디로 갔는지도 알 수 없으니까.

인세 전체를 돌봐야 하는 신께서 늘 성국만을 내려다보는 건 아니기에, 결계를 무사히 통과한 칼리스인의 존재를 일일이 알아낼 순 없다. 성녀인 나조차도 신께서 따로 지켜보는 건 아니니까. 제한 조건이 많긴 한데, 그래도 성녀인 나를 이 성국 안에선 누구도 해할 수 없다는 것만큼은 분명하다.

뭐, 차차 지켜보면 알게 되겠지. 지금 내가 해야 할 일은 비뚤어진 아델 갱생 작업이다. 그것만 생각하자. 그런데 저걸 어떻게 고쳐야 하나…….

고장 난 녀석을 과연 내가 고칠 수 있을까. 난 수리엔 재능이 없는데. 갈등과 의구심으로 가득한 시선을 느꼈는지 아델이 문득 내 쪽을 돌아보았다.

나는 괜스레 콧방귀를 끼곤 모른 척 정면을 응시했다. 아무리 어른스레 말한다고 해도 아이는 아이. 고문을 당해도 입 열진 않겠지만, 자기한테 막 대하는 데에는 인내심이 별로 없는 편이라는 게 그나마 그를 입 열게 한다.

교화라……. 어떻게 해야 할까? 내가 갈등에 잠긴 사이, 우리는 곧 의료원에 도착했다. 담쟁이덩굴에 둘러싸인, 녹색을 띤 오 층 건물은 소담하고 아늑하여 작은 저택처럼 보였다.

의료원이라고 해서 전쟁터처럼 의원들이 진땀을 흘리며 팔

다리가 잘린 사람들을 치료하는 극적인 장면을 볼 수 있는 건 아니었다. 난 의료원에 들어서는 사람들을 지켜보았다. 어떤 사람은 아픈지 연신 허리를 두드리고 있었고, 감기에 걸렸는지 콜록거리며 코를 풀고 있는 사람도 있었다.

······어쨌든 중환자는 없어 보인다. 다들 건강하게 잘 살고 있는 모양이야! 하지만 이대론 그냥 성국의 의료원이 얼마나 잘되어 있는지 보여 주는 것에 불과하잖아. 그건 내 목적과는 좀 어긋났다.

이래선 안 돼. 내가 보여 주려는 건 우리가 타국, 혹은 외부세계에 전 인류적인 혜택을 미치고 있다는 사실이다. 전염병을 퇴치하기 위한 신약을 개발하고 있다거나, 그 약을 배포하거나 하는 것 같은.

음, 그런 건 여기서 볼 수가 없으려나? 생각해 보니까 내가 떠올린 것들은 전부 외부활동이었으니, 성국 내에서 목격할 수 있을 리 없다.

뭐야, 그럼 여긴 왜 왔지? 그래도 온 김에 뭔가 건질 게 있을지 모르니, 일단 안으로! 꿍얼거리며 의료원에 들어서자 마침 날 알아보는 사람이 있었다.

"성녀님 오셨습니까. 카마엘 님도 오셨군요."

90도로 허리를 숙이며 인사하는 젊은 청년에게 난 손사래를 쳤다.

"바쁠 텐데 그리 인사할 거 없어. 어때 일은 잘되어 가?"

"언제나와 같습니다. 옆에 있는 아이는?"

청년은 머리를 쓰다듬고 싶어 죽을 것 같은 표정으로 아델을 바라보았다. 자존심이 상했는지 아델이 쓱 눈썹을 치켜들었다.

"얘는 상단에 속한 아이인데 내가 성국을 견학시켜 주는 참이야."

"과연 성녀님, 은혜로우십니다. 이 아이에게 평생 잊지 못할 추억이 되겠군요."

뭐, 어떤 의미로는……. 본인은 별로 내키지 않은 듯하지만 말이야. 저리 찬탄해 주니 좀 머쓱했다.

아델에게 불을 지르듯이 청년이 밝은 얼굴로 말했다.

"이런 기회는 흔치 않으니 성녀님께 감사하다고 꼭 인사드리렴. 이 얼마나 영광스러운 일인지."

뭐, 영광? 반발심이 끓어오르는지 아델의 볼이 씰룩거렸다. 난 쓸데없이 떠들지 말라는 듯이 경고의 눈길을 보냈다. 카마엘 역시 금세라도 입을 틀어막을 기세였다.

입술을 깨무는 아델을 두고, 난 청년에게 상냥하게 물었다.

"혹시 특별한 일은 없어?"

"어떤 일을 말씀하시는지."

"의료원에서 방문하는 사람들을 치료하는 일만 하는 건 아니잖아."

내 용건에 부합하는 대답을 토해 내란 말이야! 독촉하는 눈길에 청년은 내가 어떤 의도로 묻는 건지 고심하는 듯했다.

"물론, 그렇지는 않지요. 아, 혹시 전염병 치료제와 식량 배포에 관한 건을 말씀하시는 건지요."

"응, 맞아. 보고해 주겠어?"

정확히 답을 꼬집어 낸 눈치 좋은 청년이 환한 얼굴로 술술 내뱉었다.

"외부로 파견 나간 의료원장님이 많은 자료를 수집해 와서, 치료제 개발 건은 그간 상당히 진도가 나갔습니다만, 문제는 다른 곳에 있었지요."

"뭔데?"

"치료제를 만드는 데 쓰인 약재 중 하나가 귀족들의 정원에서나 기르는 진귀한 꽃이었거든요. 꽤 가격이 있는 편이라 대량으로 만들어서 배포하기에는 무리가 있었습니다. 이걸 어떻게 조달해야 할지 고심했지요."

"그래서 어떻게 했어?"

"다행히 숲에서 흔히 나는 약초 중에 대체할 만한 것을 찾아내는 데 성공했습니다. 근 몇 주간 의료원 사람들이 잠도 자지 않고 숲을 헤집고 다니며 채집하고 연구하느라 고생했는데, 이렇게 성공하니 감개무량합니다. 이게 다 성녀님의 은총 덕이 아닐는지요."

……다소 찔리는 구석이 있었다. 그가 말한 건에 대해서 나는 전혀 몰랐으니까. 전생에서도 난 학생에 불과했고, 여기에서의 나도 좀 특별한 열 살짜리 아이일 뿐이다. 열 살의 아이한테 뭘 바라는 사람이 나쁜 거지!

하지만 그의 환상을 지켜 줘야만 했기에 난 아무것도 모르고 있었다 티를 내지 않기로 했다. 난 해맑은 미소로 그의 손을 부여잡았다.

"정말 수고했어!"

이 정도는 해 줘야지. 그리고 청년은 생애 다시없을 찬사를 들은 듯이 함박웃음을 지었다. 행복감이 넘치는 표정의 청년은 내게 백 점 만점의 백 점짜리 대답까지 해 주었다.

"수고는 무슨요. 비록 월신의 축복을 받고 있지 못하다고 해도, 성국 밖의 사람들도 저와 같은 사람이지 않습니까. 제가 받은 은총으로 고통스러운 사람들을 구원하고 세상을 이롭게 하는 것이 신께 영광 돌리는 일일 겁니다. 월신께서도 그걸 바라실 거구요."

그렇지! 난 짝짝 박수를 치고 싶었다. 그래, 이게 내가 바라던 말이었어! 성국 사람들은 우리끼리만 잘 먹고 잘사는 게 아니라고. 성국은 애초에 신자들의 안전지대 같은 느낌이지 외부인들을 수탈한다거나 부를 독점하는 집단이 아니었다. 아델은 분명히 그걸 알아야 했다.

내 눈빛을 받은 아델이 퉁명스럽게 물었다.

"치료제는 무료로 배포하는 건가?"

아델의 건방진 말투도 그는 귀엽게 여기는 듯했다. 머리를 쓰다듬고 싶은 듯이 아델을 바라본 청년은, 다정하게 말을 건넸다.

"아니, 그건 아니란다."

……어라? 내가 고개를 갸우뚱하니 아델은 그것 보라는 듯 의기양양하게 고개를 쳐들었다. 하지만 이어진 말은 내가 바라

는 그대로의 것이었다.

"우리는 그렇게 하지 않는단다. 우리가 아무 대가도 받지 않고 치료제를 배포하는 것 같은 일이 반복된다면, 사람들은 어려움이 닥쳐도 스스로 해결하려 하지 않고, 성국에 의존하여 해결해 주길 바라게 되겠지. 그것은 태만이며 도태를 의미하므로, 신께서 원하시는 바가 아니란다. 이런 전염병은 재해나 다름없으니 마땅히 도와주어야 하지만, 그 도움을 당연하게 여기도록 해서는 안 돼. 그것은 오히려 해가 되는 일이란다."

맞는 말이다. 성국은 엄마가 아니고, 그런 식으로 뭐든 대가 없이 퍼 주었다간 결국 아무도 도와줄 수 없는 상황에 이르고 말 것이다.

동의하듯 고개를 끄덕이는데 청년의 말이 잔잔하게 이어졌다.

"우리는 빵 하나 살 정도의 돈을 받거나, 돈이 없는 이들에게 노동력을 제공받고 있지. 혹은 세 가지의 선업을 하도록 맹세시키거나."

"세 가지의 선업?"

"그래, 아주 간단한 일이라도 말이다. 그 사람이 할 수 있는 한에서 먼저 제시하면 내용을 들어 보고, 정해 주지."

"구체적으로 어떤?"

"길을 가다가 쓰러진 사람이 있다면 보살펴 준다거나, 노인만 사는 집 앞의 눈을 치워 준다거나, 구조 활동을 도와준다거나 …… 뭐, 그런 사소한 일들부터 시작해서, 더 많은 일을 할 수 있는 사람에겐 또 맹세의 내용이 달라지지."

"그게 무슨 차이지? 어차피 지키지 않으면 그만 아닌가."

아델의 반박은 일리가 있었고, 성녀답지 않은 마음가짐으로 나도 긍정했다. 물론 속으로만. 그거 정말로 지키지 않으면 그만이잖아. 말로는 누가 안 한다고 하려고?

"지키지 않으면 신벌이 내리지."

"신벌이 그런 것에도 내려?"

눈을 휘둥그레 뜨면서 묻자, 청년이 어깨를 으쓱하면서 말했다.

"월신의 이름 아래 맹세시키니까요. 불가피하게 지키지 못했다면 어쩔 수 없는 일이지만, 잊거나 가벼이 생각해서 지키지 않았다간 양심에 따라 사후에라도 혼쭐이 날 겁니다."

그의 말투가 워낙 가볍기도 한 터라 사후 혼쭐이 난다는 말에 할머니한테 혼이 나는 어린 손주가 떠올라 키득거릴 뻔했다. 하지만 성녀답지 못한 듯하여 난 애써 웃음을 삼켰다.

끊임없이 트집 잡는 아델이 또 한 번 꼬투리를 잡았다.

"그래 봐야 어차피 믿음이 없는 자들에게는 소용없는 소리이지 않아? 신벌이 두려웠다면 진작 선업을 베풀고 살았겠지."

궁금해서 묻는다기보단 물고 늘어지는 낌새가 강했는데, 의료원의 에이스답게-어쩐지 내 맘속에선 에이스가 되었다-청년은 아델에게 너그러운 눈길을 보냈다. 이쯤 되면 슬슬 짜증이 날 만도 하건만, 그는 여전히 웃는 얼굴이었다.

"그건 그렇지 않답니다, 도련님."

청년은 타이르듯이 다시 입을 열었다. 그가 뭐라고 반박할지 궁금해진 난 가만히 귀를 기울였다. 청년의 시선이 내게로 와 닿았다.

"그 사람은, 맹세를 했지요."

그래, 맹세를 했지. 그래서? 마치 옛날이야기를 듣는 어린아이가 된 것 같았다.

"그 사람은 당장 병마에서 벗어나고 싶어서, 아무려면 어떻겠냐는 가벼운 마음으로 후에 선업을 하마, 맹세했을지도 모릅니다. 아니 대개의 사람은 그러하겠지요. 그리고 신벌에 대해 두려워하는 이도 있겠지만, 죽음을 맞기까지는 시간이 넉넉하다고 생각하여 맹세를 지키는 것을 소홀히 하는 사람도 많을 겁니다."

그럼, 그럼. 역시 화장실 들어갈 때와 나올 때의 마음은 다른 법이니까.

"하지만 누군가에 의해 목숨을 건지는 건 쉽게 잊힐 만한 일이 아니랍니다. 사람에게는 양심이란 게 있어서, 그때 품은 감사의 마음은 오래도록 가슴에 남아 있게 되지요. 그래서 어느 순간, 맹세를 지킬 기회가 온다면 그들은 기꺼이 손을 뻗어 그 맹세를 지키려고 할 것이랍니다. 자신이 받은 생으로 남에게 이롭게 하려는 최소한의 양심, 우리는 그것을 믿고 있습니다. 신앙심과 달리 양심은 누구에게나 존재하는 것이니까요."

청년의 눈동자가 잔잔한 빛을 머금은 순간, 난 문득 그의 정체가 알고 싶어졌다. 그러고 보니 이 사람, 이름이 뭐였지? 사제인가? 처음 보는 얼굴인데, 그에게서 느껴지는 기운이 낯설지가 않았다. 침묵 뒤에 던져진 아델의 질문이 청년과 나의 교감을 갈라놓았다.

"그리 되살린 이가 훗날 이 성국에 해를 끼치는 악인이 된다면?"

"그 또한 어쩔 수 없는 노릇이겠지. 하지만 그렇게 되지 않기를 빌고 있단다."

청년의 말끝은 무거운 여운을 품었다. 그 소리는 나와 아델의 관계를 암시하기도 했다. 나는 아델을 살리고, 그의 편견을 불식시켜 성국 밖으로 내보내고 싶었다.

하지만 그 후로 내가 아델에게 기대할 수 있는 건 그가 성국에 해가 되는 사람으로 성장하지 않기를 바라는 것뿐이다. 내가 하려는 건 세뇌가 아니라 설득이니까. 설득이란 건, 강제성이 없는 법이다. 아델을 그간 많이도 구박했지만, 속으론 다 좋은 뜻을 품고 있었단 말이야.

하지만 삐뚤어진 아델은 내가 이렇게 생각해 줬는데도 앙심만 품고 전혀 기억하지 못할지도 모른다.

뭐, 변한 것 하나 없이 돌아가서 성녀란 이런 존재라고 칼리스에 다 까발려 버릴 수도 있겠지. 그렇다고 나도 꿀릴 건 없다이거야. 도리어 '성녀란 게 저런 거니까 성국 앞날도 볼만하구나.'라며 방심을 유도할 수도 있잖아!

생각에 빠진 내게 청년의 마지막 말이 들려왔다.

"이 의료원도 그렇거니와 성국은 월신의 뜻을 실현하는 가장 첫걸음이 되는 장소랍니다. 그 뜻을 펼쳐 나가 세상을 이롭게 하는 게 신도로서 우리가 가진 신념이지요."

나 역시 그렇게 생각한다. 그리고 신의 뜻이란 게 내가 구원 받았듯이 이 세상에도 이로운 뜻일 거라고도 생각한다. 그래서 난 성녀로 나고 자라 삶의 방향이 정해진 것에 한 점 아쉬움이 없었다. 만족한 채, 이 삶을 힘껏 살아 나갈 뿐. 소득도 있었다,

난 아델을 끌고 그 자리를 벗어났다. 청년에 대해서는 어렴풋이 짐작 가는 바 있었지만……. 여기서 알은체하기는 그랬다.

"어때, 조금은 네 생각이 바뀌었니?"

내 질문에 청년의 말을 들은 이후로 내내 입을 다물고만 있던 아델이 고개를 모로 기울였다.

"뭐, 그 단내 나는 설교를 듣고 말이야?"

"너 성국 사람한테 뒤통수라도 맞았니? 아니면 돈이라도 뺏겼어?"

마음의 변화가 일기는커녕 빗장을 단단히 걸어 잠근 듯 비웃음 서린 표정에 난 참지 못했다.

"왜 그렇게 마냥 부정적으로만 받아들이니? 난 네게 성국이 네가 생각한 만큼 나쁜 곳이 아니란 걸 보여 주고 싶었어, 그리고 보여 줬다고 생각하고. 하지만 정작 넌 아무것도 보고 듣지 않는구나."

그 때문에 답답하다 못해 울화가 치솟을 지경이었다. 그리고 억울하기도 했다. 성국은 내가 정말로 좋아하는 내 나라인데, 아무리 칼리스인이라지만 이러는 게 너무 억울하잖아. 씩씩대

는 날 바라보던 아델이 불쑥, 입을 열었다.

"너 칼리스가 받은 저주가 뭔지 알고 있어?"

그건 내가 생각조차 하지 못한 질문이었다. 칼리스가 받은 월신의 저주. 성국을 침범하여 받았다는 그것. 끔찍한 것이되 마땅히 내려져야 할 징벌이라고 들었다. 다만 그 내용에 대해서는 들은 바 없었다. 아마도 대사제들 정도 외에는 모를 것이다. 그리고 여기 있는 카마엘은, 알고 있겠지.

나는 옆에 우뚝 서 있는 카마엘에게 시선을 주었다. 카마엘은 여전히 냉정한 얼굴로 세상사에 무관심한 표정을 짓고 있었다. 마치 무엇을 보여 주고 말해도, 아델이 바뀌지 않을 걸 알고 있었던 것처럼. 아델의 목소리가 마치 선고처럼 들려왔다.

"어떤 달콤한 소리를 지껄여도, 내겐 그게 현실이야."

스산하고도 뼈저린 여운을 담은 그 목소리가 이상하도록 가슴에 박혔다. 벽을 쳐서 단절하듯 시선을 거둔 아델의 얼굴을, 난 뚫어지게 쳐다보았다.

확실히 나는 그것을 간과하고 있었다. 비록 칼리스 전체가 아닌 그 왕에게 내려진 저주일지라도 왕정제의 국가에선 영향력이 지대할 것이다.

선대의 죄를 내리 물림 받는 후대의 입장이라는 건 어떤 걸까. 저주니까 고통스럽고, 끔찍한 것이겠지. 그런 걸 어린 시절부터 겪거나 보아 왔다면 성국의 좋은 면을 바라볼 수 있을 리 없다. 만인에게 천사라도 내게 나쁜 짓을 하면 그 사람은 악인일 뿐이니까.

유전병처럼 대대로 물려 내려져 혈통이 끊길 때까지 이어진다는 월신의 저주. 연좌제라는 게 좋은 본보기가 되기도 하지만, 그 반작용도 존재하기 마련이라는 것은 알고 있다. 선대의 실수로 저주에 시달리는 후대의 이들은 자연스레 성국에 대한 반감을 이어갈 수 있었다. 아니, 반감이 더 짙어질 수도 있겠지.

어릴 때부터 세뇌를 당해서 성국에 대해 악감정을 품었다고 생각했는데, 이제 보니 아델에겐 깊이 맺힌 뭔가가 있었다. 이건 말로는 풀 수 없는 문제다.

난 저주의 내용에 대해서 모르니까. 돌아가야겠다는 생각이 들었다. 저주에 대해 알아보기 위해서. 아델이나 나나 기분이 가라앉은 것은 마찬가지였기에, 함께 돌아다니며 더 이상 무언가를 할 맘이 들지 않았다. 또 그를 굶길까 싶어 카마엘에게 식사를 챙겨 주라고 신신당부한 나는 곧 처소로 돌아왔다.

알지도 못하면서 누구를 설득할 수 있겠어? 나는 진실을 알기 위해 곧장 기도실로 향했다. 카마엘에게 묻지 않은 것은 저주에 대해서 묻기 좋은 상대를 알고 있었기 때문이다. 눈치 볼 필요도 없고, 언제나 이해할 수 있는 답만을 내어주며, 저주에 관해 누구보다도 잘 알고 있을 이.

재빨리 달려온 난 기도실 가운데에 무릎을 꿇고 앉았다. 눈을 감고 손을 모은 채 경건하게 기도를 시작했다. 한 곳에 똑똑 떨어지는 물방울처럼 점점 집중된 의식은 어느 순간 완전한 웅덩이를 이루며 하얀빛에 휘감겼다.

접신에 성공한 것이다. 나는 성녀이기에 매일같이 신을 영접

한다. 주로 잠들기 전, 기도 시간에 말이지.

"오늘 의료원에서……."

나는 조심스레 입을 뗐다. 온화한 인상의 청년에게서는 친숙하면서도 막대한 기운이 느껴졌다. 난 그 바다와 같은 기운의 주인이 누구인지 알고 있었다. 성녀인 내게도 그와 비슷한 힘이 존재하고 있었으니까.

"제 앞에 나타나셨지요?"

확신을 담은 질문에 바로 답이 떨어졌다. 공기 중에서 웅웅거리는, 가냘프고 여린 소리부터 굵고 우렁찬 소리까지 온통 섞여 있는 듯이 들리는 신비로운 음성으로.

[그렇단다.]

밤하늘의 빛나는 달을 상징하는 신, 월신의 눈길은 성역 전체에 미친다. 그 때문에 내가 하는 일을 알고 계실 거라고 생각했지만, 역시나였다.

나쁜 장난을 치다가 들킨 기분으로 난 뜨끔해서 물었다.

"제가 칼리스인을 데리고 있는 걸 어째서 지켜만 보고 계셨어요?"

[네가 그것을 원했으니.]

자식의 선택을 존중하는 부모처럼 신께서는 자애롭게 화답했다. 울컥, 속에서 따뜻한 기운이 샘솟았다. 나는 성녀, 그리고 신의 유일한 자식이니 이만한 특혜가 가당하다 할 것일까. 당연스레 여기기엔 내가 너무도 받은 것이 많았다.

그토록 받은 것이 많음에도 난 더 바라는 것이 있기에 이 자리에 왔다. 그러니 진실로 성녀답다고 하기는 어려울 것이다.

하지만 월신께서는, 내가 느끼고 생각하는 것에서 입을 다물고 복종하라고 날 성녀 삼지는 않으셨을 터였다.

"저는 그 아이가 좀 못된 애긴 하지만, 아주 구제 불능은 아니라고 생각해요."

가슴이 따끔거렸다. 꼭 거짓말하는 거 같잖아! 아델은 굉장히 못된 남자아이 같은 첫인상이었는데. 그리고 딱히 첫인상이 나아질 뭔가도 없었지.

"아시겠지만 제가 살았던 세계에서도 악의 무리라고 칭해지는 집단이 많았어요. 하지만 그 집단 사람들의 면면을 보자면, 모두가 악한 것만은 아니었지요. 그러니 칼리스인이라는 이유만으로 아직 성국에 어떤 해도 끼치지 않은 아이를 벌하는 건 역시 옳지 않다고 생각해요."

월신께서 성국에 침범한 불신자 아델에게 벼락을 내리지 않고 그의 앞에 모습을 보인 이유도, 어쩌면 내 말과 같은 맥락이지 않을까.

어쩌면 신께선 이미 나사의 양 끝에 놓인 양 틀어진 칼리스와의 관계를 회복시키고 싶은 것인지도 모른다. 그들 역시 인간임은 마찬가지이니까. 아까 그 청년이 신의 화신임을 알아챈 순간부터 그런 생각이 들었다.

곧 진중한 음성이 울려 퍼졌다.

[내가 칼리스를 용서하기를 원하느냐.]

"한쪽이 양보하지 않으면, 양쪽은 대립을 이어갈 뿐이겠지요. 인간이 아니기에 손을 내밀어 주실 수 있지 않을까요. 제가 너무 꿈같은 생각을 하는 건가요?"

난 눈을 동그랗게 뜨고 물었다. 이미 그러기엔 늦었다고 한다면 어쩔 수 없겠지만. 대대로 이어지는 저주란 건 뒷맛이 씁쓸했다. 원래 처벌은 단숨에 내려져야 한다고 그랬어.

참, 중요한 걸 묻지 않고 넘어갈 뻔했다.

"근데 그 저주란 게 어떤 건가요?"

[달이 뜨는 밤이면 잠을 이루지 못하고, 희생당한 사람들의 비명이 귓전을 맴돌지. 달빛이 닿은 피부는 쪼는 듯이 따가우며 살갗 아래는 소금물이 닿은 듯 아릿하지. 처음에는 고작 그 정도, 조금 괴로운 수준이었단다.]

"처음에는요?"

처음에는 그랬다면, 지금은 그 정도가 아니라는 뜻이다.

[저주는 세월이 지날수록 강해진단다. 대를 이어 온 지금 얼마만큼 강해져서 어떤 증상으로 나타날지는 나도 잘 모르겠구나.]

"네? 그게 뭐예요!"

이런 무책임한 소리가 있나! 저주의 시전자도 강도를 가늠할 수 없는 저주라니. 난 어처구니없다는 듯이 얼굴을 찡그렸다.

다소 버르장머리 없는 대꾸에도 월신께선 평온하게 말했다.

[하지만 아무 제한 없이, 강력한 마법을 가진 칼리스인에게 저주를 걸 수는 없단다. 그 저주는 세월이 흐르면 효과가 강해지는 만큼 명백한 한계가 존재하지.]

"한계라고요?"

[그래, 저주를 푸는 방법이 있단다. 그리 대단한 것도 아니지.]

"……그게 뭔데요?"

나는 물은 즉시 입을 꾹 다물고 숨을 죽였다. 그런 방법이 있었다면, 왜 칼리스에서는 여태까지 저주를 풀지 못한 걸까? 그러니까 아직도 저주에 시달리며 원망하고 있는 거지.

그리고 모호한 답변이 돌아왔다.

[그 방법은, 알아도 어찌할 수 없는 것이란다.]

"알아도 어쩔 수 없다니요?"

난 조급하게 되물었다. 대단하지 않은 방법이지만 어쩔 수 없어서 풀지 못하는 저주라니. 어째서? 타고난 한계라는 게 있나?

칼리스인 중에서도 저주를 받은 건 그들의 왕뿐이다. 즉, 다른 누구도 아닌 성국을 침략하기로 결정한 칼리스의 지배자. 뭐 때문에 저주를 풀지 못하는 거지.

난 곰곰이 생각해 보았다. 칼리스의 왕이라면 강력한 마법을 가지고 있을 테니 그 때문인가?

신의 힘을 훔쳐 인간의 것이 된 이래로 마법이라는 힘은 신력에 반하는 속성을 띠었다. 마법을 가진 자는 저주를 풀지 못하는 건가?

하지만 내가 기억하기로 이백여 년 전 악행을 저질러 저주를 받은 자들이 있었다. 그들은 혈통이 끊길 때까지 저주를 풀어내지 못했다.

그들은 칼리스인이 아니었고 악행을 일삼은 족속들이었을

뿐이다. 게다가 저주를 받은 이래 채 삼십여 년도 지나지 않아 멸족한 그들에 비하면 칼리스는 저주를 받은 지 오십 년가량 흘렀는데도 꽤 잘 버텨 내고 있다.

칼리스의 왕이 강력한 마법을 가지고 있기에 저주마저도 이겨 내고 있다고는 하는데. 그 이겨 냄이 완전하지는 않으니 고통받는 것일 테지. 어쨌든 마법 때문에 저주를 풀지 못한다는 건 모호하다.

별처럼 쏟아지는 의문을 담고 내가 재촉하듯 손을 모아쥐자 진중한 음성이 떨어졌다.

[저주를 푸는 방법은 그들의 마음에 있단다.]

마음의 문제……. 알쏭달쏭한 소리였다. 마음의 문제라면 소시오패스가 동정심을 느끼거나 죄를 뉘우친다거나, 미녀와 야수에 나오는 야수처럼 사랑을 깨달으면 저주가 풀리기라도 한단 말일까.

아니, 그 이전에 왜 날 시험하시는 듯이 이렇게 애매하게 답해 주시는지 모르겠다. 난 볼을 부풀려 보았다.

신과 성녀의 사이는 기탄없이 서로의 모든 것을 털어놓고 공유할 수 있는 사이라고! ……사실 꼭 그런 건 아니지만 말이야.

[칼리스 왕통에 이어지는 것이니, 왕족 중 누구 하나라도 방법을 이룬다면 저주는 풀리건만.]

신께서 탄식하듯 진실을 풀어 놓았다.

[그들은 그것이 불가능한 얼음의 심장을 가졌구나.]

"얼음의 심장……."

난 어쩐지 고개를 끄덕거렸다. 내 나이 또래의 아델이 벌써 저렇게 꽉 막히고 모난 걸 보면 어떻게 자랐는지 알 것 같다. 세상 모든 것을 비웃고 증오하는 염세적인 눈. 아이조차 저런 눈을 하게 할 정도면, 칼리스의 고위계층들이 어떤 사고방식을 가졌는지 짐작이 갔다. 그들의 왕실은 퍽 삭막하여 약육강식의 논리가 판칠 듯싶다. 편견일지도 모르지만, 간혹 일부로 전체를 짐작할 수 있는 노릇이니.

[나는 항상 죄악을 저지른 이들에게 기대를 걸곤 한단다. 하지만 그들은 한 번도 기대를 이루어 준 일이 없지.]

씁쓸하게 들리는 소리라 나 역시 마음이 안 좋아졌다. 그러나 다음 순간 난 먹이를 노리는 매처럼 날카롭게 물었다.

"그래서 그 마음의 문제가 뭔데요?"

월신께서 상심하시는 건 알겠지만, 안타까운 건 안타까운 거고 난 확답을 들어야겠어! 궁금해 죽겠는데 감질나게 말이야.

[내가 말해 줄 수 있는 건 여기까지.]

단호한 어감을 품은 음성이 공기 중에 웅웅거린다. 접신을 끊고 단절을 준비하려는 조짐이 엿보여 난 이맛살을 찡그렸다.

"그런 게 어디 있어요!"

[네게 모든 걸 말해 준다면 너는 그 아이에게 비밀을 지킬 자신이 있니?]

대놓고 '널 못 믿겠어!'라는 불신이다. 난 눈에 쌍심지를 켜고 반박하려 했다. 하지만 입이 떨어지지 않았다.

나는 성녀인 몸, 내 몸에 깃든 힘이 내가 월신 앞에서 거짓을 말하는 걸 불가능하게 했다. 내가 자신 있다고 말할 수 없단 건 신께 진실을 듣는다면 그걸 아델에게 미주알고주알 털어놓을 가능성이 있다는 걸 의미했다.

그래도 이렇게 대놓고 신께 널 못 믿겠다는 소리를 듣자니 성녀로서 자존심이 상한달까. 조금쯤 상처가 되었달까. 그냥 내가 헛살았구나 하는 생각도 들고…….

어쩐지 우울해서 순식간에 말이 없어진 내게 신께서 노래하듯 읊조렸다.

[모든 것은 순리에 따를지니. 너도 어서 잠에 들려무나.]

"네에—"

접신이 끊기고 난 천천히 눈을 떴다. 해답을 얻을 수 있을 줄 알았는데 더한 의문만이 남았다. 칼리스의 저주를 푸는 방법이 무엇일까.

난 주름 간 이맛살을 손끝으로 꾹꾹 눌러 폈다. 그래, 조급하게 맘먹지 말고 천천히 생각해 보자. 정보를 얻긴 얻었으니까.

칼리스에 내려진 저주는 세월이 지나면서 강력해지는 것이지만, 막상 저주를 푸는 방법은 간단할 수 있다는 것. 나는 그 사실을 곱씹어 보았다.

마음을 느끼는 건 누군가에겐 쉽지만, 누군가에겐 한없이 어려운 법이다. 그건 마치 사이코패스 살인마가 동정심을 느껴서 살인을 중단하는 것과 같거든.

어떤 이들에게는 그것이 불가능에 가깝다는 걸 난 알고 있었다.

저주를 풀 방법이라. 그건 필시 그 누구도-카마엘조차도-알지 못하는, 오로지 월신만이 아시는 비밀이리라.

나는 그 답을 찾아내고 말 거다.

특명, 까칠한 고양이 길들이기!

다음 날 난 바로 아델을 찾아갔다.

"안녕, 기분은 어때?"

아무 일도 없었던 것처럼 활짝 웃으면서 손을 흔들자 아델이 고개를 홱 돌렸다. 우우우- 실례잖아!

어쨌든, 그의 기분은 매우 저조해 보였다. 그럴 만해 보이기는 한 상황이다. 무심하기 짝이 없는, 그리고 칼리스인에게 자비를 베풀어 봐야 소용없다고 생각하는 게 분명한 카마엘이 아델을 또다시 묶어 놓았던 것이다. 발에 묵직한 족쇄가 차이고 양손이 묶인 상태로 만났으니 기분이 좋을 리 없겠지.

난 무릎을 굽히고 아델 앞에 쪼그리고 앉았다.

"또 카마엘한테 대든 거야?"

"내가 그를 따르지 않는 건 당연한 거 아닌가."

이제는 드높은 자존심마저도 무너졌는지, 시큰둥하게 맞받는 아델을 보자 심술이 솟았다.

"응, 하지만 아무래도 순순히 말을 듣는 게 낫지 않을까?"

아델이 날 의문스럽게 쳐다보았다.

"잠입했다가 잡힌 주제에 그렇게 뻗대는 건 좀, 뭐랄까? 모자라 보이잖아. 나라면 일단은 순순히 따르는 척하고 기회를 엿보겠어."

말을 하면 할수록 아델의 얼굴에 분기가 차올랐다. 그걸 감상하는 건 꽤 즐거운 일이었다. 이러면 안 되지만, 내겐 아무래도 가학적인 면이 숨어 있었나 보다. 성녀가 가학적이라니! 괜찮아, 오늘 밤 기도하면서 회개하면 돼. 나의 신이 나를 용서해 주시면 되는 거니까. 너 때문에 괜히 생각만 많아져서 어젯밤 잠도 제대로 못 잤잖아!

괜스레 비난하는 마음이 들어 턱을 치켜들었다. 생각 없고 행복한 성녀님이 되는 게 이번 생의 목표였는데! 내 장대한 꿈은 고작 열 살 때부터 위태로운 조짐을 보이고 있었다. 이래선 곤란해.

"밥은 뭐 먹었어?"

다시 생글거리면서 말을 걸자 속이 제대로 긁힌 아델은 고개를 팩 돌렸다. 내 충고는 새겨듣지 않는 눈치다. 그는 자존심을 버리는 것보다는 차라리 어리석게 구는 게 낫다고 생각하는 듯싶었다.

그건 치기에 가까워 보였다. 하지만 죄인으로 적국에 사로잡힌 위태로운 상황에도 여전히 건방진 태도를 고수하는 건 실은 대단한 일이다. 겁을 상실했거나, 아니면 곧 죽어도 고분고분하게 구는 건 흉내조차 낼 수 없다거나.

거목처럼 부러지지 않는 자존심이라니. 이게 칼리스의 고위 계층에게서 나타나는 일관된 성향이라면, 칼리스 왕족들은 자존심을 굽히지 않아서 저주를 풀지 못하는 걸지도. 꽤 일리가 있는걸? 가설에 혹해있는 사이 부엌 쪽으로 가 있던 카마엘이 돌아왔다.

"밥은 먹었어?"

식사를 중요하게 생각하는 한국 출신답게, 난 카마엘에게 엄한 어조로 물었다. 카마엘은 먹을 필요 없으니까 그렇다 치더라도 아델은 먹어야 산다. 내가 성녀인 이상 내 관할하에서 아동 학대가 일어나도록 방조할 수는 없지. 모든 아이에겐 잘 먹고 잘 자고 무럭무럭 자라날 권리가 있다고!

"먹였습니다."

그는 퍽 깔끔하게 답했다. 진실성이 의심되는데. 난 눈을 가늘게 좁혔다.

"뭘 먹였어?"

"그냥 집 안에 있는 것들을 먹였습니다."

"……저, 잠깐. 카마엘은 뭘 잘 먹지 않잖아? 집 안에 있는 게 뭔데?"

퍼뜩 불길한 예감이 엄습한다.

카마엘은 거의 아무것도 먹지 않는데, 집 안에 있는 식량은 멀쩡할까? 난 회의적이었다.

설마 먼지 같은 걸 먹인 건 아니겠지?

카마엘이 무심한 얼굴로 답했다.

"아주 안 먹는 건 아닙니다. 마침 감자와 고구마가 있더군요."

"그걸 어떻게 먹였어?"

"보통 인간들이 먹는 방식대로 먹였습니다. 재료를 삶고 으깬 뒤 우유와 함께 끓였습니다만."

"그런 쓰레기 같은 걸!"

묶여 있는 아델이 이를 바득 갈며 내뱉었다. 질색하다 못해 분노 서린 표정에 난 물끄러미 아델을 쳐다보았다. 물론 맛있진 않겠지만, 카마엘의 말을 액면 그대로 받아들이자면 그럭저럭 먹을 만한 수프였을 것 같은데. 왜 저렇게 화를 내는 걸까?

카마엘이 차분하게 설명했다.

"성녀님께서 식사를 챙기라고 명하신 바 있으나, 그가 거부하기에 강제적인 방법을 쓸 필요가 있었습니다."

씩씩거리는 아델의 얼굴에 붉은 기가 감돌았다. 뭐지? 저 반응은⋯⋯. 설마. 난 조금 더 불길해졌다. 자꾸 머릿속에 이상한 상상이 피어오르려고 하는데 말이야. 내가 생각한 그런 건 아니겠지? 그러나 무심하기 짝이 없는 카마엘이라면 목적 달성을 위해선 '그런 일'도 거리낌 없이 감행할 것 같았다.

머뭇거리던 난 이내 망설이다가 물었다.

"그으⋯⋯. 강제적인 방법이란 게, 뭔데?"

그러니까 내가 로맨스 소설을 많이 봤는지 말이야.

입과 입을……

카마엘에게서 차분한 음성이 흘러나왔다.

"사지를 내리누르고 입을 벌린 다음 목구멍에 누두의 끝을 대고 음식물을 쏟아 넣었습니다."

"……응?"

난 그 자리에서 무어라 할 말을 찾으려고 노력했다. 누두란 건 깔때기를 말함이다. 푸아그라를 만들기 위해서 거위에게 강제로 사료를 먹인다고 들었는데, 맙소사 딱 그거잖아!

난 인상을 찌푸렸다.

"카마엘! 그건 너무하잖아! 그건 고문이라고! 목구멍이 데었으면 어떡해?"

차마 그에게 비난을 퍼부을 수 없어서 되도록 누그러뜨리며 외쳤다. 카마엘이 여전히 그 무표정한 얼굴로 답변했다.

"충분히 식었을 때 시행했습니다. 과정이 고통을 동반할 순 있으나 신속하게 끝났으니 오래 느끼지는 못했을 겁니다."

"카마엘……"

난 아연실색해서 얼굴을 감쌌다. 아, 으아, 정말로 할 말이 없다. 이래서야 어떻게 아델의 마음을 돌려놓을 수 있겠어. 그를 그렇게 가혹하게 대하다니!

카마엘을 탓하기엔 그는 원래 그런 요정이었다. 매우 무심하고 목적 지향적인 성격의. 아무튼 그건 폭력이잖아! 하지만 카마엘은 포로 신세인 아델이 그런 취급을 당해도 상관없다고 생각했을 테지. 그래, 다 내 탓이었다.

좀 미안해진 난 조심스럽게 아델을 내려다보았다. 카마엘의 실토를 들은 아델의 표정은 썩 좋지 못했다. 그 꼴을 당하고도 모자라서 내가 오자마자 그를 긁어 댔으니 짜증 나는 정도가 아니라 원한을 품을 만도 하다. 그리고 아델은 척 보기에도 원한을 잊지 않고 기억해 뒀다가 반드시 되갚아 줄 독한 소년이었다.

"속은 괜찮니?"

난 묶여 있던 걸 풀어 주면서 상냥하게 물었다. 나라면 엉엉 울어 버렸을 텐데. 눈앞의 이 작은 소년은 어른보다 더 인내심이 좋았다. 여간해선 눈물을 보이는 성격도 아니다.

하지만 아무렇지 않다는 것 또한 아니었다. 트라우마가 될 만한 상황을 겪은 아델은 나를 매몰차게 외면했다.

아이참, 카마엘이 그럴 줄 내가 어떻게 알았겠느냐고.

그렇다고 카마엘에게 뭐라고 하기엔 내겐 애초에 널 돌보라고 시킨 죄가 있단 말이지. 카마엘이 보모로서는 빵점이라는 건 잘 알겠다.

"있잖아, 카마엘은 요정이잖아."

그러니까 변명은 내가 해야지. 분명히 카마엘도 들을 것 같지만, 난 아델의 귀에 바짝 입술을 대고 위로 비슷한 말을 건넸다.

"그러니까, 별로 인간의 상식선상에서 생각하지 않아. 네가 좀 이해하렴."

아델의 표정이 비틀렸다.

"웃기잖아."

자유로워진 아델의 손이 덜컥 날 움켜쥐자 카마엘의 손이 검으로 향했다. 곁눈질로 그 모습을 확인한 난 한 손을 들어 그를 제지했다. 아델은 카마엘의 움직임에 개의치 않고, 내게 얼어붙은 음성으로 쏘아붙였다.

"나는 칼리스인이야. 내가 어른이든 아이든, 그건 변함없는 사실이지."

"……."

"날 신경 써 주는 척할 필요 없어. 난 어차피 네 적이니."

"적은 무슨. 열 살이 그런 거창한 단어를 붙일 만한 나이이긴 한가. 원래 아이들한텐 죄를 묻는 게 아니라고."

내가 불퉁하게 항변하자 아델이 날 붙든 채 시리도록 차가운 낯으로 물었다.

"네가 날 살려 둔다면 십 년 후, 네가 그걸 후회하지 않을 수 있을까?"

스산하게 들리는 소리였다. 십 년 후라……. 난 먼 미래를 떠올려 보았다. 십 년 후에 장성한 아델은 절세의 미남자가 되어 수많은 여자를 줄줄이 낚고 있을 것 같긴 하다. 그런데 별로 생생하게 상상이 되질 않는걸. 내 앞의 아델은 그냥 어린애였다. 열 살짜리 주제에, 쓸데없이 진지하게 생각하고 있어.

……생각해 보니 아델이 꼭 절세 미남자가 된다는 보장도 없구나. 그도 마의 사춘기를 잘 넘겨야 그렇게 되는 거니까. 잘 못 넘기면 아예 망할 수도 있겠지.

아, 일단 나부터가 걱정된다.

어린 시절엔 그리 예쁘셨는데……. 따위의 과거 회상조의 찬사는 듣고 싶지 않다고! 지금 예쁜 성녀님이 좋단 말이야.

빠르게 딴생각을 거친 난 상념을 뿌리치고 입을 열었다. 결론이야 항상 간단한 법이다.

"있잖아, 네 말은."

단순하고 행복한 성녀님답게 난 차근차근 설명했다.

"네가 내일 내 케이크를 훔쳐 먹을지 모르니까, 지금 당장 널 때리라는 소리로 들려."

기가 막힌 지 아델의 입이 벌어졌다.

"누가 그런 유치한 짓을 한다는 거야?"

"아 물론 십 년 후에 훔쳐 먹을 수도 있겠지. 지금보단 그때의 네가 능력이 있을 테니까."

난 사뭇 진지한 표정으로 손가락을 척 들었다.

"고로 내 말은, 일어나지 않은 미래에 대해서 미리 짐작하는 건 무의미하다는 소리야."

"무의미하다고?"

"응, 예를 들어 네가 정말로 내 케이크를 훔쳐 먹기로 단단히 결심했다고 해도, 그 마음은 하루 사이에 바뀔 수 있잖아. 원래 아이들은 변덕이 심한 법이니까."

"내 변덕 하나를 믿고 그리 쉽게 넘길 수 있나?"

난 눈을 휘둥그레 뜨고 물었다.

"그럼 설마 너 그렇게까지 내 케이크를 훔쳐 먹고 싶은 거야?"

"누가!"

난 가엾다는 듯이 안쓰러운 표정을 자아내며 머리를 쓰다듬었다.

"……그냥 내가 하나 사 줄게. 훔칠 거 없어."

아델이 느슨해져 있던 손에 힘을 주어 날 확 밀쳤다. 난 인상을 찌푸리며 아야, 소리를 냈다.

카마엘이 바로 다가왔다. 그가 거의 아델을 베어 낼 마음을 품었다는 걸 깨달은 난 과장되게 엄살을 부렸다.

"카마엘! 쟤가 날 밀었어!"

"벨까요?"

"내가 베어도 돼?"

또랑또랑한 눈으로 묻자 카마엘이 멈칫거린다. 그도 성녀인 내 손에 피를 묻게 하는 건 아니라고 생각하는 듯싶다.

정말 벨 생각은 없었지만, 반쯤 협박이었는데 아델은 전혀 개의치 않았다.

"넌 성국을 대표하는 성녀야."

"응."

"네겐 성국을 수호하고, 다스릴 의무가 있어."

"좀 사실과 다른데……. 비슷하다고 해 두자."

월신님이 나더러 얼굴마담-정말 이렇게 표현한 건 아니지만-만 해도 된다고 했다. 굳이 내가 일선에 나서서 뭘 할 필요는 없다. 물론 뭔가를 하면 더 좋겠지. 밥값이라든가 뭐 그런 거.

"그런데 어떻게 이리 안일하지?"

아델의 눈이 짙어졌다. 그는 그 푸른 눈으로 날 꿰뚫듯이 직시하고 있었다.

"네 앞에 성국의 적이 있는데."

난 하마터면 웃음을 터뜨릴 뻔했다. 성국의 적이라고? 거창하게 말하긴. 마치 난 이렇게 대단한데― 라며 으스대는 아이 같잖아. 꽤 힘이 있는 칼리스 귀족가의 적자인 것 같긴 하다. 하지만 나로선 열 살짜리 소년의 존재를 그렇게 심각하게 생각하기는 어려웠다. 아, 카마엘은 정말로 진지하게 그를 위협으로 여기고 있는 것 같아. 그렇다고 해도……. 내 답은 정해져 있었다. 난 온화한 표정을 그려 내며, 아델에게 말했다.

"그야 나는 성녀니까."

뽐내거나, 잘난 체하는 게 아닌 순수한 의미로.

"그게 무슨 뜻이지."

"말 그대로."

의혹을 품고 반문하는 아델의 시선을 맞받으며 난 상냥하게 웃었다.

"성녀가 열 살짜리 아이를 죽이라고 말한다면, 그건 정말로 슬픈 세상일 거야."

아델의 표정이 묘해졌다. 사지가 오그라들거나 내 정신 상태를 의심하거나. 그중 하나 그 모두를 여실히 경험하고 있는 눈치였다. 그래, 이렇게 말하면 우습게 들릴 거라는 걸 안다. 세상 물정 모르는 성녀의 한가로운 소리로 여겨지겠지.

하지만 어쩌겠니? 나는 왕이 아니야. 난 성녀인걸. 나는 피터 팬에 나오는 팅커벨 같은 존재이며, 가장 어두운 새벽을 밝히는 희망이고 꿈이다. 신을 믿도록 만드는 비현실적인 존재가 냉혹한 재판관이 된다면 어쩌겠어.

남만을 정벌할 당시 제갈공명이 적장 맹획을 일곱 번 사로잡았다가 일곱 번 풀어 주었다는 고사가 있지. 나는 그만한 전략가는 되지 못한다. 그리고 그처럼 칼리스를 복속시키려는 뜻을 가지고 있지도 않았다.

"있지, 성녀에게는 적이 없어."

세상을 빛과 어둠으로 나눈다면 성녀는 빛의 편에 자리하고 있다. 그리고 세상을 선악으로 단순하게 구분하는 세간의 기준과는 달리, 빛과 어둠은 대립 관계가 아니다. 어둠이 번성하면 빛이 드리워지고, 빛이 눈부실 때에 어둠이 내린다. 그러니까 이 까칠한 아델도 내 포용의 대상인 거지. 난 지금 어린이집 보육교사다. 항상 날 좋아하고 말 잘 듣는 착한 아이들만 어린이집에 들어올 수는 없는 법. 물론, 폭력은 금물이겠지만 그건 이미 엎질러진 물이었다.

"누군가가 네 목숨을 노려도, 그가 네 적이 아니라고 말할 수 있다는 소리야?"

아델이 진지하게 되묻자 나 역시 진지하게 답했다.

"이 귀엽고 깜찍한 성녀님의 목숨을 노리는 사람이 있다면 그건 정말 나쁜 놈일 거야."

암암, 악인이고 말고. 평범한 사람이라면 어떻게 그런 극악한 짓을 획책할 수 있겠어?

아델의 표정이 이상해졌다. 이 짜증 나고 말도 안 되는 대화를 이어가는 데 거부감이 역력하다.

"그런 사람이 있다면 당연히 혼내 줘야지. 근데 그거랑 적으로 삼는 건 다른 이야기잖아."

적으로 보는 건 좀 동등한 위치에서 서로 노려보는 느낌이고, 나쁜 놈을 혼내는 건 위에서 내려다보는 거? 그런 느낌이다. 물론 좋은 의도이지만, 듣기에 따라서는 거만하게 들릴 수 있겠지. 그리고 아델은 꿈도 희망도 없는 어린이답게 항상 부정적인 쪽이었다.

"성녀다운 교만함인데. 칼리스를 교화의 대상으로 생각하는 건."

실질적인 위협이기도 하지. 근데 난 칼리스인을 본 건 네가 처음이라서 잘 모르겠어. 칼리스에서 쳐들어오는 걸 내 두 눈으로 본 것도 아니니까.

나는 다분히 무시하는 투로 말했다.

"다른 건 몰라도 확실히 열 살짜리 아이를 적으로 삼는 건 우스운 일인 거 같아."

스스로 무척 대단한 존재처럼 생각하는 경향이 있는데. 분명 아델은 어렸을 적부터 어떤 면으로는 대단히 떠받들어졌음이 틀림없다.

'우리 아들 잘생겼네.' 이런 식으로 말이야. 많은 사람들이 근거 없는 자신감을 북돋아 주었을 터. 아 물론 잘생긴 건 사실이지. 하지만 그 때문인지 아델은 확실히 자기가 세상의 중심인 것처럼 생각한달까. 성녀님답지 않은 마음가짐이지만, 그런 걸 느낄 때마다 찍어 누르고 싶기도 하고 자존심을 콱콱 짓밟아 주고 싶기도 하고. 자존감을 가지는 게 좋은 일이라고는 해도, 아델처럼 넘쳐 나면 어쩐지…….

똥 묻은 개에게 나무람을 당한 듯한 난 갑자기 억울해졌다. 겨 묻은 개에게는 반격할 권리가 있는 법이다.

"잠깐, 교만하다니! 그건 네가 할 말은 아니잖아."

"내가 교만하다는 뜻이야, 그건?"

아델은 정말로 모르겠다는 듯이 고개를 갸웃했다. 살짝 얼굴을 기울이는 모습이 꽤 귀여워 보였지만, 난 굴하지 않았다. 내가 아니라면 저 애에게 본인의 태도가 어떤지 알려 줄 사람은 전무할 테니까.

"그래, 너 나랑 처음 만났을 때 기억나?"

"……기억하지."

"나더러 죽고 싶으냐고 했잖아."

"성녀님께 위협을 했습니까."

성녀에 대한 위협을 용납할 수 없다는 성기사다운 의무감이 피어올랐는지 카마엘이 얼른 나섰다. 하지만 나는 그를 상대해 주기엔 좀 바빴다.

"에이, 카마엘은 가만히 있어 봐. 우리 중요한 이야기를 나누고 있잖아."

아델이 도리어 정색하며 물었다.

"그때는 네가 나에게 돌을 던졌잖아?"

"그 전에 네가 날 밀쳤잖아! 기억 안 나?"

"네가 모퉁이에서 튀어나왔잖아."

"내 입장에선 네가 튀어나온 거라고는 생각 안 하니?"

"어쨌든 부딪혀서 서로 다치는 거보단 밀쳐서 내 안전을 확보하는 게 낫잖아."

그, 그런가? 논리적인 말에 잠깐 설득될 뻔했던 난 다시 기세를 세웠다.

"아니, 밀치지 않고 막기만 했어도 되었어. 넌 그럴 수 있었다고!"

나보단 순발력이며 민첩성도 뛰어난 것 같은데 날 그렇게 세차게 밀쳐서 엉덩방아를 찧게 만들다니.

아니, 그건 용서할 수 있었다. 문제가 되는 건—

"넘어뜨렸으면 적어도 괜찮으냐고 물어보는 게 예의 아니야?"

"난 바빴어."

"아무리 바쁘다곤 해도 입을 움직일 시간도 없었어?"

나 너무 꼬치꼬치 따지고 있어. 하지만 질 수 없지. 아델은 잠시 갈등하는 듯했다.

"……그게 성국의 예의?"

몰인정한 게 아니라 그냥 상식이 없었던 거구나. 아니, 둘 다다! 난 그 뻔뻔한 얼굴을 보며 절실히 깨달았다.

"성국의 예의라니, 사람 간의 예의지! 네가 누군가를 다치게 했으면 살펴보는 건 당연한 거야."

나는 간신히 치솟으려던 목소리를 낮추었다.

"나는 누군가를 다치게 한 적이 많은데. 단 한 번도 신경 써 본 적이 없어."

살벌하잖아. 그의 말이 섬뜩하게 박히면서도 난 답답증에 가슴이 터져나갈 지경이었다. 으아, 대화가 안 통해! 그런데 가만, 누구를 다치게 한 적이 많다는 거야? 동생을 자주 때렸나. 하긴 얻어맞은 동생이 엉엉 운다고 해도 차가운 눈으로 힐끔 보고 지나쳤을 성격 같기는 하다.

난 의문을 접으며 되도록 차분하게, 어르는 듯한 어조로 말했다.

"좋아, 너는 아무래도 높은 신분인 거 같으니까. 뭐, 네 입장에선 그렇게 넘어가는 데 익숙할 수 있겠지. 하지만 보통 사람들은 누군가를 다치게 하면 사과를 건넨다고!"

"나는 보통 사람이 아니니 그럴 필요 없겠네."

저 끝 모를 자부심! 정말 가정교육이 궁금할 지경이다.

"틀렸어. 넌 보통 사람이야."

아델이 싸늘한 표정을 짓자 난 한마디 덧붙였다.

"이 성국에서만큼은."

"그럴 수도 있겠지."

드디어 긍정의 반응을 이끌어 냈다. 만세! 사소한 거지만 한숨 돌린 기분이다. 이제 나는 조금씩 그를 설득해 나가면 되었다. 이를테면 소크라테스의 산파술일까. 스스로 답을 찾아내게 하는 거. 근데 그건 어떤 방식으로 말하는 거지? 나도 모르겠다. 다시 태어나기 전에 난 고작 고등학생이었다고.

산만한 정신을 잡아매며 난 집요하게 과거의 말을 문제 삼았다.

"거기다가 넌 나더러 성국 밖에서는 파리 목숨이라고 했어."

"사실이니까."

"뭐가 사실이야! 내 어디가 파리와 닮았단 말이야?"

이건 뭔가 아닌 듯했지만, 입 밖에 나온 이상 돌이킬 수 없었다. 아델이 짜증이 묻어나는 얼굴로 일침을 가했다.

"멍청한 건지 말귀를 못 알아듣는 건지. 이 수준 낮은 대화가 즐거워?"

사실 나도 민망해서 얼굴이 빨개지려고 한다.

"아, 아무튼 넌 무례하단 말이야."

"예를 갖춰야 할 만한 사람에게만 갖추니까."

비딱한 대답이었다. 아예 안 지키는 건 아니라 이거지. 내가 여기서 뭐라고 해야 하지?

"나도 네가 예를 갖춰야 할 사람이야!"

이성적으로는 긍정의 대답을 해야 하긴 하나 감정이 가로막고 있는 듯한 고뇌가 아델의 안면에 내려앉았다. 그걸 당연히 눈치챈 난 기분이 확 상했다.

"넌 내가 성녀라는 걸 알고도 나를 막 대하고 있잖아. 심지어 내가 이렇게나 널 돌봐 주고 있는데!"

"돌봐 준다고?"

미심쩍은 반문이 돌아왔다.

그를 무책임하게 카마엘에게 던져 놓은 터라 찔리는 게 있었던 난 얼버무릴 셈으로 언성을 높였다.

"저기 봐 카마엘도 나한테 존댓말을 쓴다고! 성녀를 향한 예의를 지켜!"

아 점점 더 걷잡을 수 없이 유치해지는 이 느낌. 나는 왜 열 살짜리 하나 잘 구슬리지 못하는 걸까. 상대가 아무리 조숙한 아이라지만, 어쩐지 자괴감이 느껴진다. 열 살 성녀님답게 굴려고 아이인 척했더니 점점 내 수준도 아이화 되어 가는 걸까.

난 어느덧 정말로 분했는지 씩씩거리고 있었고 점점 표정이 굳어지던 아델이 이내 기가 차다는 듯이 하, 소리를 냈다. 그는 비웃음이 번진 얼굴로 입을 열었다.

"그러면 포로답게 존대를 써 드리지요. 성녀님. 너그러운 척한 것치고는 속이 좁으시군요."

……으으 정말, 때려 주고 싶다! 반쯤 주먹을 들어 올리고 갈등하던 난 폭력이 분풀이는 될망정 이 사태를 해결하는 데 도움이 되지 않는다고 스스로 설득했다.

그런데 난 지금 분풀이하고 싶은 거 아니야? 그렇긴 한데, 보통 사람이라면 어쨌든 때려 주고 싶다고 상대를 때리진 않겠지.

화를 누르던 난 이내 그를 눌러줄 획기적인 발언을 고안하는 데 성공했다.

"너 말이야. 반대로 생각해 보는 게 어때?"

"아직도 할 말이 남았어? 난 이 무의미한 대화는 그만하고 싶은―"

"입장을 바꿔 놓고 한번 생각해 보라고."

아델은 시큰둥한 표정이었다. 나는 그에게 역지사지의 마음을 가르쳐 주기로 굳게 결심했다.

"일단 다른 건 제쳐 놓고 우리가 처음 만났을 때를 떠올려 보라고. 그때 모퉁이를 돌았을 때, 네가 나를 밀친 게 아니라 내가 너를 밀쳤다고 생각해 봐."

"……."

"그리고 네가 엉덩방아를 찧었는데, 내가 모른 척하고 그냥 가 버린다고 가정해 봐. 어떤 기분이겠어?"

들어 줄 마음은 있었는지 곰곰이 생각해 보던 아델이 섬뜩한 눈으로 속삭였다.

"불쾌했겠지. 그 목을 쳐 내고 싶을 만큼."

……엄마, 할머니, 신이시여. 얘는 안 되겠어요! 얘는 구제 불능이에요. 제가 도대체 어떻게 해야 할까요?

엄청나게 살벌한 발언을 거리낌 없이 하는 것도 놀라웠지만, 진심 같아서 더 놀라웠다. 놀랍다 못해 소름이 돋아서 심장이 벌렁벌렁할 지경이다.

난 체념한 채 중얼거렸다.

"그으래서, 내가 얼마나 화가 났었을지는 알겠고?"

"네 신분이 칼리스에서의 내 신분보다 높다는 걸 고려할 때, 대단한 무례였겠네."

내 자비로움을 이제야 깨달았다는 양 고개를 끄덕이며 응답한다.

그걸 들으며 난 점점 더 슬퍼졌다. 어디서부터 잘못되었는지 알 수 없었다.

아델이 어쩐지 진지해진 투로 뇌까렸다.

"죽이지 않고 돌을 던지는 걸로 끝내 줘서 감사하다고 해야 하나?"

"틀렸어, 그러니까 내가 하고 싶은 말은—"

그래, 그냥 할 말을 하자. 얘의 사고관은 너무도 독특해서 내가 바라는 대로 쭉쭉 인도해서 대답을 이끌어 내기는 어려울 거야. 아델은 내 능력 밖의 존재였고 난 그걸 인정하지 않을 수 없었다.

"네가 애초에 내게 사과를 했다면 좋았을 거라는 이야기야. 물론 밀치지 않았다면 더 좋았을 거고!"

아델은 잠자코 긍정했다.

"확실히……. 네가 나와 같은 성격이었다면, 난 거기서 죽었겠지."

어쩐지 함부로 남을 밀쳤을 때의 위험 요인에 대해서 설명한 듯한 기분이 드는데. 그게 죽음까지 언급해야 할 일이야?

"앞으로의 행동에 참고하지."

신중한 얼굴로 고개를 끄덕거리는 아델을 보며 난 그저 암담하기만 했다.

"아아, 됐어. 너 아직 배고프겠구나?"

피로를 야기하는 이런 대화는 되도록 시도하지 않는 게 좋겠어. 결심하며 난 물었다.

"뭐 좀 먹으러 갈래?"

"언제까지 날 데리고 돌아다닐 건데."

아델이 불만스럽게 대꾸했다. 며칠 사이 뺨이 쏙 들어가고 초췌해진 얼굴. 내가 그를 대단히 못살게 한 것 같은 느낌이 든다. 아동학대다!

그의 지적이 맞았다. 언제까지나 아델을 데리고 돌아다닐 수는 없는 법이었다. 하루도 아니고 계속 내가 그와 함께 모습을 비춘다면 소문이 날 것이고, 집행 신관의 귀에 들어가지 않으려야 않을 수 없다. 나는 이 성국의 탑스타니까! 내 일거수일투족은 곧잘 화제가 된다고. 솔직히 지금도⋯⋯. 그리 안전하다고는 할 수 없는걸. 슬슬 아델을 어떻게 할지 고민해 봐야겠다.

난 흘끗 카마엘을 쳐다보았다. 그는 격렬하고 유치한 논쟁을 듣고도 별생각이 없는 듯했다. 그러면 아델을 처단하거나 아예 넘기길 바라겠지.

난 대수롭지 않게 입을 열었다.

"그 저주 말이야."

"저주?"

"그거 풀 수 있는 거래."

"누가 그런 말을."

"월신께서 직접 말씀하신 건데?"

"어떻게?"

아델의 손이 뻗어 나와 재빨리 날 붙들었다. 미심쩍은 시선을 보이면서도 이렇듯 달라붙는 걸 보면 그만큼이나 저주를 푸는 게 절실한 모양이다.

카마엘의 시선 역시도 내게 꽂혔다. 난 그에게 장난스럽게 윙크하고픈 충동을 참아 내며 말했다.

"몰라."

진짜 모른다. 아델의 얼굴이 급속도로 살벌해졌다.

"장난해?"

"별로 어려운 건 아니라는데, 왕실의 혈족 중 한 명만이라도 조건을 충족하면 된댔어. 근데……."

난 웬일로 내 말을 한 자 한 자 새길 듯이 귀를 기울이는 아델을 향해 속삭였다. 다분히 무시하는 투로.

"너는 어쨌든 못 할 거 같아."

"뭐라고."

날 잡아챈 손아귀에 힘이 들어가갔다. 눈빛 또한 당장에라도 내 멱살을 쥐고 싶은 듯이 험악해진다. 열 살 아이의 악력이 얼마나 세겠느냐마는, 얼얼함에 눈을 찡그리자 카마엘이 다가서서 그를 떼어 놓았다.

난 그에게 또박또박 일러 주었다.

"마음의 문제라고 하셨어. 근데 칼리스의 왕족들은 얼음의 심장을 가졌기에, 이제껏 저주를 풀지 못한 거지."

이건 뭐 말해도 괜찮겠지. 말하면 안 될 얘기는 슬프게도 내게 전혀 일러 주지 않으셨다. 내가 입이 가벼우니까. 그건 분명히 현명한 판단이었다.

"내가 그래서 생각을 해 봤는데, 역시 이건 그런 거야."

난 손가락을 척 치켜들었다.

"진정한 사랑."

개구리 왕자도 그렇고 미녀와 야수도 그렇고 사랑을 깨닫게 되면 저주가 짠, 하고 풀리잖아. 그 공식이 이곳에서도 적용되지 않을 리 없다고! 근거 없는 믿음이지만, 사랑에 풀리는 저주란 어디서나 무척 끌리는 이야기다.

"진정한 사랑을 깨달으면 저주가 풀리지 않을까?"

내 말을 들은 아델에게 차츰 한기가 서렸다. 내가 꺼낸 답이 마음에 들지 않는 모양이다. 그는 이를 악물고 내게 성큼 다가섰다. 어머, 무섭잖아? 아델에게서 짓씹는 듯한 음성이 흘러나왔다.

"너 나를 놀려?"

"놀리는 거 아니야. 왜 방법을 알아다 줘도 나한테 그래?"

"정말 그게…… 방법이라고?"

"응."

사랑의 힘은 만능이어라. 근데 정말 냉혈한 집안인가 보다. 오십 년 전 저주라니까 현재 왕의 혈족들로 치자면, 잘하면 증손주까지 보았을 테니 족히 수십 명은 될 텐데. 아무도 진정한 사랑을 깨닫지 못했다는 말이야?

"거짓말."

내가 빤히 바라보자 아델이 차가운 투로 뇌까렸다.

"왕족 중에 신분 낮은 남자와 사랑의 도피를 한 여자가 있어. 그건 사랑이 아니라고 주장할 거야?"

"어, 어떻게 되었는데?"

"둘 다 잡혀서 죽었지."

어우 살벌해라. 물론 내가 살던 세계에서도 집안 격차 때문에 맺어지지 못하는 건 종종 있는 일이었다.

하지만 사랑의 도피를 하다가 죽다니? 아무래도 왕실이니까 일반 집안하고는 경우가 다르겠지만 쫓아가서 죽인다는 그게 참…….

"음, 정정할게. 너그러움이 없어서 저주를 못 푸는 게 틀림없어."

"그건 가능성 있네."

아델은 화를 내 봐야 의미 없단 걸 깨달았는지 심드렁한 얼굴로 말했다.

"칼리스에서는 즉위식마다 피바람이 불었지. 혈족에 대한 숙청이 전통처럼 이어져 내려왔으니까. 지금 살아 있는 왕족도 몇 없어."

……왕정제란 무서운 거였구나. 성국에서 태어나서 다행이다. 난 안도의 한숨을 내쉬었다. 무슨 나라가 이렇게 살벌해? 그런 칼리스에서 자랐으니 아델의 성격이 이 모양인 것도 어쩔 수 없는 걸까. 안쓰러운 듯이 쳐다보자 불쾌한지 아델이 콧잔등을 찡그렸다. 그 모습이 귀여워서 난 배시시 웃었다.

처음 보았을 때보다 감정 표현이 많아진 것 같단 말이야. 마음을 연다기보다 마음을 드러내는 데 익숙해져 간다고 할까. 또래의 아이들과 천진난만하게 뛰어노는 삶은 한 번도 살아 보지 못한 것 같다.

그가 어떻게 자라왔을지 어렴풋이 짐작이 갔다. 약점 없이, 긴장을 늦추지 않고서 오로지 자신만을 믿으면서— 꼿꼿이 자신을 세우고 있었겠지. 그렇게 하지 않으면 자길 노리는 이들에게 뜯어 먹혔을 테니까. 그의 삶은 내 전생의 삶보다도, 더 힘겨웠을 것 같다.

전생에 비참한 최후를 맞았을망정, 난 할머니에게 그리고 몇 안 되는 친구들에게나마 사랑받았다. 엄마도 나를 사랑하지 않기에 외면한 건 아닐 거야. 그랬다면 나를 아예 데려오지 않았을 테니까. 엄마는 그저 그녀의 삶에서 나라는 짐이 너무 무거웠던 것이다. 지금 삶을 망쳐 버릴까 두려워, 어떻게 해야 할지 몰랐던 것뿐일 테지.

내가 받은 사랑이 있어, 난 괴롭힘을 당해도 무시를 당해도 견뎌 낼 수 있었다. 하지만 너는 마치 단 한 번도 사랑받아 본 적 없는 아이처럼 굴고 있구나. 내가 너에게 어떤 걸 줘야 할지 알겠어. 이 성국에 대해서 좋은 인상을 심어 주려는 건 결국 본질에는 닿지 못해. 네가 부정적일 수밖에 없는 건 네가 살아온 삶이 각박하기 때문이지. 그래서 좋은 면을 보아도 결국 도리질 치고 뾰족하게 가시를 내고 마는 거야. 달콤한 케이크를 먹으면서도 거기에 독이 들지 않았는지 의심하듯이.

난 아델을 물끄러미 들여다보았다. 왜냐하면, 네가 그렇게 살아왔으니까.

……그래도 일단 배는 채워야지.

"카마엘, 이 앞에 가서 샌드위치 좀 사다 줘."

내가 샌드위치 말고도 사 올 품목을 자세하게 불러 주자 카마엘은 그제야 침입자를 방지하는 결계를 꼼꼼하게 걸어 둔 채 집을 나섰다. 집주인한테 심부름시키는 게 미안하긴 한데 어쩔 수 없지. 그래도 순순히 나가 주어서 다행이다.

나와 아델, 둘만 남겨 둘 수 없다고 뻐기면 어쩔까 했는데. 성국 제일의 기사를 심부름꾼으로 부려 먹을 수 있는 건 역시 성녀의 특권이지! 나는 사소한 것에 의기양양해졌다.

카마엘은 만약을 대비하여 아델의 발목에 차인 발찌의 귀속인을 나로 바꾸고 갔다. 그런 고로 아델은 내게 멀어져서도 내게 덤벼서도 안 되었다. 그랬다간 온몸에 고통이 밀려올 테니까. 얼마나 아픈지는 모르겠지만, 전기고문 수준의 고통 아닐까. 그렇담 너무 가혹한 것 같기도 하고.

에이, 뭐 그런 일 없으면 되니까. 나는 뚱하니 앉아 있는 아델을 향해 상냥하게 물었다.

"아델, 많이 배고파?"

"그보단 메슥거려. 그 개밥 같은 걸 당장 토해 내고 싶은데요, 자애로운 성녀님."

아델은 또 뭐가 못마땅한지 비아냥거린다. 난 한숨을 폭 내쉬며 단정적으로 말했다.

"넌 평생 가도 정중해지는 건 그른 것 같아."

"알면 요구하지 마."

"자기 능력의 한계를 인정하다니, 의외인걸? 네 자존심은 어디로 간 거야?"

아델이 눈살을 찌푸리며 내뱉었다.

"내게 뭘 원해? 말 돌리지 말고 용건이나 말해."

"으응, 물론 할 말이 있기는 한데 속은 괜찮겠어? 내가 등이라도 쳐 줄까."

"됐어, 이미 반쯤 소화된 것 같으니까."

측은한 마음이 들어 가만히 손을 잡아 주자, 아델이 바짝 굳으며 싸늘하게 노려보더니 내 손을 쳐 냈다. 역시, 신체 접촉을 꺼리는 편인가. 경계심이 온몸에 본능으로 새겨져 있어서, 영토를 침범당한 짐승처럼 으르렁거리는 것이다.

근데 쟤는 저가 날 막 밀치고 붙잡지 않았었나? 자기가 날 막 만지는 건 되고 내가 만지는 건 안 된단 말이야? 주도권의 문제인 걸까. 의미 없는 고민을 거두어낸 난 곧 아델을 향해 환하게 웃어 보였다.

"그러면, 우리 놀자!"

*

잠시 후, 아델의 의사와 상관없이 우리는 탑처럼 쌓아 올려진 블록을 앞에 두고 앉아 있었다. 놀 거리를 찾아 카마엘의 집을 구석구석 탐색한 결과, 난 용도 불명의 나뭇조각들을 찾아냈다. 균일한 크기가 딱 블록 놀이, 젠가를 하기에 적합해 보였다. 가로로 긴 직사각형의 두툼한 나뭇조각 다섯 개를 쌓고 그 위에 180도 돌려 쌓으며 또 다섯 개를 한 줄씩 올렸다. 금세 꽤 높은 탑이 만들어졌다. 같이 놀자고 해 놓고서 혼자 신이 나서 탑을 쌓아 올리는 내 모습을 아델이 비뚜름하게 고개를 기울인 채 지켜보았다.

당연한 이야기지만, 내 목적은 블록으로 멋진 탑을 건설하는 데 있지 않았다. 난 균형에 신경 썼음에도 워낙 높게 쌓여 위태로워 보이는 탑 표면을 매만졌다.

좋아, 잘 쌓였군.

난 이내 블록 하나를 빼냈다.

"자, 이제 네 차례야."

젠가는 아이들의 교육을 위해서 좋은 놀이지. 때로는 술자리에서 내기 수단으로 이용되기도 한단다. 지루한 듯이 턱을 괴고 있던 아델은 내 뜬금없는 말에 눈을 가늘게 떴다.

어쨌든 나는 그를 사로잡고 있었고, 거만한 아델도 그 사실만은 잊지 않은 듯 내 말과 행동이 품은 뜻을 놓치지 않았다. 그리고 지금 나는 놀이에 동참할 것을 요구하고 있었다. 척 보기에도, 룰은 간단하다. 블록을 빼내는 것.

그는 잠시, 내 말에 따르기 싫은 특유의 자존심과 내 심기를 거슬려 봐야 좋을 게 없다는 이성 사이에서 갈등하는 듯했다.

아델은 결국 불만스러운 표정으로 블록에 손을 가져갔다.

"이 짓을 왜 하는 거지?"

깔끔하게 블록 하나가 제거되었다. 빠른 손놀림을 보아하니 쉽지 않은 승부가 될 것 같아, 난 경각심을 품었다.

중간 지점의 두 개의 블록이 사라졌음에도 탑은 미동도 없이 안정적으로 균형을 이루었다.

이제는 내 차례였다. 난 가벼운 손놀림으로 블록을 빼내며 속삭였다.

"내기를 하자는 거지. 교대로 블록을 빼내서 탑을 무너뜨리는 사람이 지는 거야."

"내기에 이기면 내가 얻는 게 뭔데."

난 그려 낸 듯이 생긋, 미소를 보였다.

"자유."

그의 눈동자가 커지는 것을 난 즐겁게 감상했다.

"……네가 이기면?"

"내 소원을 들어줘."

"상대가 잘못되었어."

아델이 차갑게 지적했다.

"네가 소원을 빌 상대는 네 신이야."

"아니야, 이건 네가 들어줘야만 하는 거야. 월신께서 들어주시기엔 너무 사소한 소원이거든."

그 사소한 소원을 들어줘야만 하는 상대가 되었다는 것에 아델이 인상을 썼다. 정말로 하늘을 찌르는 자존심이다.

"뭔지는 몰라도, 지금보다는 더 나쁠 게 없겠지."

충분히 전의가 불탄다는 듯한 음성이었다. 그 후로 바쁘게 공방전이 이어졌다. 사실 이전의 경험이 유효한 놀이는 아니었다. 방법도 아주 간단하니까.

얼마나 더 안정적으로 블록을 빼낼 수 있는지, 그게 문제다.

어느덧 빈틈없던 외벽이 허물어진 탑은 뼈대만 남은 초라한 몰골이었다. 블록을 하나 빼낼 때마다 부들거리는 모습이 바람이라도 불어 닥치면 쓰러져 버릴 듯싶다.

그럴 경우 좀 더 운이 좋은 쪽이 승자가 될 것이다. 아, 더 뺄 게 없어. 쪼그리고 앉아 신중하게 탑을 아래위로 들여다본 난 절망적인 한숨을 내쉬었다.

실은 뺄 게 몇 개 눈에 보이긴 했지만, 좀 위태로웠다. 까딱 잘못하면 그대로 무너져 내릴 것 같다.

"시간제한을 두는 게 어때. 이렇게 끌면 언제 끝나겠어?"

아델이 느긋하게 제의했다. 제 차례가 아니라고 여유가 넘치는 투였다. 아델은 바로 전 그의 순서에도 신중하게 블록을 빼냈을 뿐 긴장하지는 않았다. 거기에 걸린 게 그의 자유였음에도. 패배 따위는 머릿속에 떠오르지도 않는 양, 목표에 꿰뚫듯이 집중하는 그의 눈은 매와 같았다.

내 진실한 열 살 때를 떠올려 보자면, 여러모로 범상치 않은 아이였다. 그래, 조숙하다는 말 정도는 가당치 않았다. 이쯤이면 비범하다거나 천재적이라거나, 그렇게 평해야 하지 않을까. 입 밖으로 내지는 않겠지만! 내봐야 더 이상 높아질 길 없는 자존심만 높여 줄 게 분명해.

"지금 뽑을 거야."

난 불퉁하게 응답하며 탑에 손가락을 가져갔다. 그래, 이거야. 이걸 빼면—!

그때였다.

삐걱. 천둥처럼 들려오는 소리와 함께 문이 열렸다. 빛이 쏟아져 들어오며 은빛 머리카락이 산란하듯 흩날렸다. 이어 바람이 따라 들었다. 그건 흡사 돌풍처럼 느껴졌다. 위태로이 서 있던 탑의 균형이 한순간에 흐트러진다.

안 돼! 난 속으로 비명을 내질렀다. 그러나 정말로 번개같이, 무의식에 따라 뻗어 나간 내 손이 탑의 표면을 위에서 아래로 쓸어내렸다. 그 움직임이 먹혔는지 탑은 다시 균형을 찾았다. 쓰러지려는 탑을 붙잡아 세우면 안 된다는 법은 없었지!

난 안도의 한숨을 쉬며 그 틈에 빼낸 블록을 당당하게 치켜들었다.

"자, 이제 네 차례야!"

설마 이번에도 내 순서가 돌아오지는 않겠지? 조금쯤 불안감을 안고서.

그때 자기 집 안에 쌓인 정체불명의 탑과 나를 번갈아 보던 카마엘이 문을 탁 닫았다. 충격으로 공기가 출렁였다. 조금 전 아슬아슬하게 붕괴를 면한 탑에 가해진 자극은 바로 한계선을 넘어섰다.

이번에는 이전과 같은 행운이 따르지 않았다. 와르르 무너져 내린 탑을 보며 아델의 표정이 잠시 망연해졌던 것 같다. 그리고 파르라니 굳었다. 난 그가 무효라고 주장하며 태클을 걸기 전에 빠르게 선수를 쳤다.

"말해 두지만, 이건 정당한 승부였어."

매서운 눈빛이 내게 돌아오자 난 어깨를 으쓱해 보였다.

"탑이 무너진 걸 막지 못한 건 너라고. 카마엘이 문을 열었을 땐 나도 위험했단 말이야."

아델은 입술을 깨물며 나와 카마엘을 번갈아 보았다. 부인하고 싶지만 부인할 수 없는 분노를 드러내며 그가 짓씹듯이 발음했다.

"그래, 소원."

그게 뭐든, 빨리 말하라는 식의 독촉의 눈길이 와 닿자 난 능숙하게 모른 체했다. 지금은 그런 걸 말할 때가 아니야! 더 중요한 일이 눈앞에 있잖아.

"꺄, 샌드위치다!"

나는 카마엘에게, 정확히는 그의 손에 들린 종이봉투에 달려들었다. 카마엘은 안을 헤집는 내게 아랑곳하지 않고 음식물을 꺼내서 탁자에 얹어 놓았다.

척 보기에도 빵빵해 보이는 종이봉투에서 열 개에 육박하는 샌드위치가 튀어나왔다.

우와, 많이도 샀다. 이렇게 많이 살 필요는 없었는데.

"정말 수고했어. 근데 이거 우리가 다 먹을 수 있을까?"

"이유는 모르겠지만, 덤을 많이 주더군요."

'사양해도 듣지 않았습니다'라며 카마엘이 담담하게 말했다.

내가 갔어도 이보다 더 많이 받아오지는 못했을 것 같은데. 역시, 성국 제일의 기사님이란 샌드위치 종업원까지 선망하는 존재인가 봐.

"자, 골라."

아델에게 샌드위치 선택권을 준 난 우유병 하나를 재빨리 집어 들었다. 이렇게 몰래 나와서 먹는 음식은 또 그대로 묘미가 있다. 기도실 안은 성력이 충만하여 굶주림을 느끼지 못한다는 걸 알고 있으니, 에이레네가 식사하라며 날 찾지는 않을 터였다. 아델도 샌드위치를 골라 먹기 시작했다. 의자가 충분하지 못해서 그나 나나 바닥에 앉아 있었다. 뚱한 표정은 여전했지만, 그래도 사 온 음식을 먹긴 먹는 걸 보니 마음이 뿌듯해진다. 아주 사나운 고양이를 조금씩 길들이는 느낌이다.

"더 가지고 노실 겁니까?"

식사가 끝나갈 때쯤 이리저리 널브러져 있는 나뭇조각들을 바라보며 카마엘이 무심하게 물었다. 열 살 아이들만 남겨 둔 집답게 온 사방이 난장판이 되어 있는 광경을 바라보며 그가 무슨 생각을 하고 있는지는 추측하기 어려웠다. 좀 미안해지는걸. 그렇다고 그만둘 생각은 없지만 말이야!

"아니야, 이제는 다른 놀이를 할 거야. 카마엘도 같이 하자."

그의 집을 테러한 장본인인 난 가책 없이 웃으며 보챘다. 나를 제외한 두 명은 심히 내키지 않은 듯했지만, 어쨌든 여기선 내가 왕이니까.

*

그날 밤, 나는 고해성사를 하는 기분으로 위축된 채 기도실에 꿇어앉아 있었다.

신의 뜻을 그대로 따르는 성녀가 되기엔 난 너무 자의식이 뚜렷했다. 그래서 여쭈어보지도 않고 내 멋대로 이미 결정해 버렸다. 이 앞에 온 건 순전히, 내 결정을 받아들여 달라고 호소하기 위함이다. 머리 위에 환한 달빛이 드리우고 그 성스러운 빛이 수풀을 적시는 이슬처럼 나를 적셔오는 그 순간, 나는 다소곳하게 물었다.

"저, 보셨으니 알고 계시지요?"

따스한 손길이 이마에 얹어졌다. 어떤 형상을 취하여 강림하셨는지는 시야가 온통 환하기만 하여 알기 어려웠다. 난 고개를 들지 않은 채 죄를 지은 듯이 중얼거렸다.

"제가 무슨 말씀을 드리려고 하는지도요."

[알고 있단다.]

그 온화한 수긍 앞에 난 용기를 내어 말했다.

"저는 그 아이를 풀어 주려고 해요. 허락해 주실 수 있나요?"

웃음기 섞인 음성이 들려온다.

[이미 결정한 것 아니었니.]

"……실은 그래요. 하지만 저를 막으실 수 있잖아요."

그게 가능한 이가 있다면, 바로 이분. 나의 주, 나의 부모이신 달의 신님이다.

[나는 언제나 네 선택을 존중할 거란다.]

"그치만 그 애가 성국에 해가 될 수도 있는걸요."

성국에 어떻게 괴물이 나타났고, 아델이 왜 여기에 잠입했는지, 그가 찾는 물건이 무엇인지. 그 모든 의문이 하나도 풀리지 않았는데 내가 그 애를 풀어주는 건 어리석은 일일지도 모른다.

하지만 이른 아침, 부산하게 움직이는 사제들을 보면서 깨달은 게 있었다. 일주일 후 보름달이 뜨면, 그때에는—

정화의식이 있었다. 공교롭게도 일 년에 한 번, 치러지는 의식의 기간이 다가왔던 것이다. 온 신도들이 기도를 올리며 의식을 모으면 성국에 흐르는 신성력의 밀도가 엄청나게 짙어진다. 그리고 종래 성국 전체를 빛으로 휩싸며, 외부와의 교류로 인해 조금씩 스며든 삿된 힘의 잔재들을 불사를 것이다. 사제들의 신성력을 다소 소진하긴 하지만, 성국의 안전을 위해 꼭 필요한 절차였다.

그때에는 아델도 예외가 될 수는 없었다. 무거워진 신성력의 대기가 그를 짓누르며 낱낱이 스며들면, 몸속에 숨겨진 칼리스의 힘이 산화되어 아델을 죽이고 말 것이다. 그 사실을 깨닫고 나자 카마엘이 내 뜻대로 아델을 내버려 두는 이유가 짐작이 갔다. 내 뜻에 마음으로 동조하지 않는 건 안타까운 일이지만, 그는 성국의 성기사니까……라기보단 냉정한 요정이니까 뭐 당연한 거 아니겠어.

더군다나 그가 날 믿고 따르기엔 내 뜻도 명확지 않다.

"제가 옳은 일을 하는지 확신할 수가 없어요."

나는 유희를 즐기는 듯이 마음의 흐름에 따랐다. 하지만 밤이 되어 들뜬 기분이 가라앉고 이 신성한 장소에서 신님과의 만남을 앞두게 되자, 회의와 불안감이 싹텄다.

내 얄팍한 감정 때문에 아델을 살려야 할 이유를 가져다 붙이는 건 아닌지. 내가 순전히 한때의 기분으로 그런 중대사를 결정해도 되는 건지. 내가 추구하는 정의가 정말, 성국을 위한 것인지. 그러나 그럼에도 내가 내린 결정은 바위처럼 무겁고 단단해서 도무지 움직일 생각을 하지 않았다. 마음속 깊은 곳에서 그게 옳은 일이라고 외치는 내가 있었다.

그래, 간단한 이야기다. 난 아델이 죽거나 해를 입는 걸 지켜볼 수 없었다. 뿌리 깊게 박힌 나무가 꺾이기 전엔 굽히지 않듯 그게 절대적으로, 용납이 안 되었다.

신님은 내 머리 위에 고개를 숙이며 다정하게 일러 주셨다.

[물론 너는 인간이기에 실수할 수 있단다. 하지만 난 네가 결정한 일이 그릇되었다고 생각하지 않는다. 네 진심은, 언제나 내게 닿아 있지.]

그 다정한 위로가 마음을 녹여, 가슴이 시큰해졌다. 눈시울에 열이 올라 울먹이면서 난 물었다.

"……제가 너무 멋대로 구는 건 아닌가요?"

[행복해지고 싶다고 하지 않았니. 나는 항상 네가 네 오롯한 뜻을 실현하며 살기를 바란단다. 옳다고 믿는 바를 꺾지 않고.]

그 또한 나를 믿는 마음이겠지. 분명히 나는 악한 뜻을 품고 있지 않았지만, 확신이 없어 흔들리고 있었다. 혹여 이게 내가 사랑하는 성국에 해가 되지 않을까 하여. 하지만 미래를 볼 수 없는 한, 내가 잘하거나 잘못하고 있다고 누구도 말할 수 없으리라. 그러므로 신께선 내 머리를 쓰다듬으며 다만 이렇듯 축복을 내렸다.

[나는 온 마음으로 너의 뜻이 이루어지기를 바란단다.]

그 말이 들려온 순간, 난 엉엉 울음을 터뜨렸다. 흠뻑 젖은 뺨에서 눈물이 흘러내린다. 너무도 감사하고, 가슴이 벅차오른다.

세상에서 유일하게 전적으로 나를 믿어 주며 내 편이 되어주는 누군가가 있다는 건 말로 표현할 수 없을 만치 행복한 일이었다.

내 눈물을 닦아 주며 신께서 속삭였다.

[너는 어렸을 적부터 고집쟁이였지.]

신님과 나 모두가 그 어렸을 적이 언제를 의미하는지 알고 있었다. 그 와중에도 내가 불만스레 입을 내밀자, 웃음기 섞인 음성이 잇따랐다.

[울보가 되지는 말렴.]

그리고 온통 사위를 새하얗게 메우던 빛이 걷혔다. 눈물이 차올라 물기를 머금고 일그러진 시야는 이내 또렷해졌다. 눈을 깜빡이자 남아 있던 눈물이 빗방울처럼 툭, 하고 떨어졌다. 감동은 걷혔으되 여운이 남았다.

깊은 교감이 있었던 탓에 그 어느 때보다 마음이 충만했다. 비로소 확신을 얻은 기분이었다. 카마엘의 집을 떠나오기 전, 난 내가 무어라 말할까 우려하는지 잔뜩 표정을 굳힌 아델에게 농담처럼 속삭였던 말을 떠올렸다.

'내 소원은 네가 일주일간 나와 놀아 주는 거야.'

날 노려보던 어처구니없다는 눈빛이 생생하다.

그래, 그럴 만도 해. 넌 어쩌면 지금도 내가 무슨 꿍꿍이인지 의심하고 있을 거야. 성국에 붙잡힌 채로 내 변덕에 휘둘리며 하루하루를 견디는 건 네가 아무리 강인한 아이라고 해도, 불안한 일이겠지.

그러니까 딱 일주일만. 그 후로는 네게 틀림없이 자유를 줄 테니까. 나는 결심을 새기며 그날 밤 성소에서 빠져나왔고, 내 결심은 다음 날부터 구체적인 형태로 드러났다.

*

"소꿉놀이를 하자고?"

경멸에 찬 눈빛과 말투였다. 심지어 아델은 내가 꺼낸 제의를 모욕으로 느끼고 있는 듯했다. 난 어깨를 으쓱했다.

"아이참, 하루 만에 잊어버린 거야? 일주일간 나랑 놀아 주기로 했잖아."

"너."

일순 그의 안에서 무언가가 확 끓어오르는 듯했다. 아무리 내기를 빌미 삼아서라지만, 시종처럼 부려지는 게 익숙하지 않은 그다. 아델은 가까스로 감정을 추슬렀다.

"그런 유치한 놀이는 내가 다섯 살 때도 해 본 적 없어."

"어머, 가엾어라! 태어나서 열 살까지 살면서 소꿉놀이도 해 본 적이 없다니."

난 부러 긁으려는 의도로 측은한 눈빛을 자아내며 그의 손을 잡았다.

"난 그래도 에이레네가 놀아 줬는데 너도 친구가 없긴 하나 보구나."

내 손을 확 뿌리치며 아델이 싸늘하게 속삭였다.

"친구 같은 건 필요 없어. 내겐 부하만 있으면 되니까."

"어우, 이 비뚤어진 냄새! 하지만 넌 나랑 소꿉놀이해야 해. 내기에서 졌으니까. 설마 약속을 어길 셈은 아니겠지? 네가 그리 졸렬한 애는 아닐 거라고 믿어."

획 고개를 돌리는 아델을 향해 난 얄밉게 웃어 보였다.

"피할 수 없다면 즐기라고."

성녀인 내가 소꿉놀이씩이나 같이 해 주겠다는데 태도가 불순하기도 하지. 하지만 아델은 항상 그러했으므로 마음 쓰지 않았다. 이 놀이가 그를 불쾌하게 할 거라는 건 예상한 바이니까.

"자 그러면, 내가 아내를 할게. 넌 남편 역할을 하도록 해."

준비해 온 소꿉놀이 도구를 늘어놓으며 난 당당하게 말했다. 내가 이걸 가지고 카마엘의 집에 놀러 가서 함께 소꿉놀이하겠다고 했을 때, 에이레네의 표정은 뭐라 설명하기 어려웠다. 뭔가 애써 눌러 참는 듯도 하고, 말려야 하나 고민하는 듯한 얼굴. 그녀는 결국 내게 소꿉놀이 도구를 들려 주며, 한숨을 내쉬더니 왠지 모르게 응원도 해 주었다.

'재미있게 놀다 오세요!'

카마엘에게 닥친 불운을 몹시 안타까워하면서도 재미있어하는 기색이었다. 난 체념과 분노에 동시에 휩싸인 채 주저앉은 아델을 두고 저쪽에 서서 상황을 관망하는 카마엘에게로 고개를 돌렸다. 그리고 장난스레 물었다.

"으응, 카마엘도 심심할 테니까 같이 하자. 아이 할래?"

"……저도 해야 합니까."

카마엘에게서 회의적인 음성이 흘러나왔다. 아델을 떠맡는 것보다 이번 게 더 내키지 않은 눈치였다.

나와 부부 역할을 해야 하는 것도 모자라, 졸지에 자기보다 크고 강한, 게다가 자신을 괴롭힌 성기사를 아이로 맞아들여야 할 상황이었다. 아델이 결국 성난 채 외쳤다.

"멍청한 소리 하지 마! 차라리 날 빼고 그와 소꿉놀이를 하든가."

난 자못 냉정한 투로 물었다.

"그럼 네가 아이가 될래?"

내가 정말로 그에게 아이 역할을 맡겨 버릴 수 있단 걸 자각한 아델의 입이 딱 다물렸다. 난 퉁명스럽게 핀잔을 놓았다.

"나도 너보단 카마엘이 남편이 되는 게 좋아. 카마엘은 성국에서 가장 인기 있는 사람이라고. 나도 세 살 때, 커서 카마엘과 결혼하겠다는 꿈을 가지고 있었단 말이야."

그 말은 어쨌든 반쯤 진심이었다. 나는 그때 카마엘을 처음 보았고 눈이 휘둥그레져서 에이레네에게 그가 누군지 캐물었다. 그리고 성녀에게 신랑감을 택할 수 있는 권리가 있다면 그를 택하고 싶다고 생각했다.

잘생긴 남자 배우를 좋아하듯 꿈결 같고 감상적인 감정에 지나지 않았지만 말이다.

그때 카마엘의 표정이 미묘하게 변했다. 그는 놀랍도록 진지하게 말해왔다.

"성녀님이 원하신다면 가능한 일입니다."

난 화들짝 놀라 당황한 채 말을 골랐다. 어, 어어. 이런 소리를 할 줄은 몰랐는데. 솔직히 가슴이 살짝 두근거렸다. 날 설레게 하다니!

하지만 난 카마엘의 성격에 대해 잘 알았다. 무슨 의도인지는 짐작이 간다. 그는 성기사이고, 내 뜻을 이루어 주어야 한다는 의무감을 가지고 있었다. 더군다나 그가 결혼을 하지 않은 건 누군가를 좋아하지도 않고 그럴 필요성을 느끼지 못해서일뿐, 거창한 사유가 있어서가 아니다.

카마엘은 아마 신께서 아무나 점지해 주면 바로 결혼식을 올려 버릴 정도로, 결혼에 대해서 별생각이 없을 게 분명하다. 신님도 그걸 아시니까 터치하지 않는 거고.

그래도 날 좋게 생각하니까, 이런 말도 해 주는 거겠지?

그렇게 생각하자. 난 입가에 배실배실 새어 나오는 웃음을 추스르며 도도하게 답했다.

"그 말 잊지 않을게."

옆에서 아델이 못 볼 걸 본 것처럼 눈살을 찌푸리고 있었다. 그는 늘 그런 반응이지만, 이번에 유독 불쾌감이 드는 것 같다. 난 공정한 척 엄숙하게 말했다.

"하지만 오늘은 아델이 남편 역을 하는 걸로 하자. 그래, 카마엘은 손님이 되어 줘."

실은 처음부터 아기역을 언급한 데에는 얄팍한 계산이 깔려 있었다. 아기역보다는 손님역이 훨씬 낮게 느껴질 테니까. 처음 부터 손님역을 제의했다면 지금보다 더 내키지 않아 했겠지!

어느 경우든 카마엘은 이 놀이에 동참해야 할 게 분명했다.

나는 그 과정을 좀 더 부드럽게 넘기려고 노력할 만큼 배려심 넘치는 상관이었다.

우리 예쁜 카마엘은 곧 다분히 사무적인 태도로 자신의 배역 에 충실했다.

"오랜만입니다. 그간 강녕하셨는지."

내가 죽죽 긋고 '바깥'이라고 정의한 금을 넘어서자마자 카마 엘이 딱딱한 투로 인사했다.

"어서 오세요! 카마엘. 오랜만이에요. 여기 앉으세요."

카마엘은 잠깐 갈등하는가 싶더니, 의자도 없는 맨바닥에 그 대로 주저앉았다. 그리고 세상만사가 다 귀찮다는 듯이 눈을 내 리깔았다.

이제야 눈높이가 비슷해졌는걸!

아델은 진심으로 의아한 눈으로 나와 카마엘을 번갈아 봤다.

카마엘은 성국 제일의 기사로 달빛처럼 아름다운 외형과는 달리 분위기는 차갑고 거리감 있었다. 기본적으로 얼굴도 무표 정하고 태도도 워낙 반듯해서 사람 같지 않지.

한기를 풀풀 풍기는 자가 내 어리광은 다 받아 주는 게 이상 하게 느껴질 것이다.

하지만 카마엘은 그냥, 내가 성녀이니까 내 말에 따라 주는 거지 그 이상도 그 이하도 아니다. 귀찮고 무감한 그에게도 어딘지 거북스럽게 느껴지는 일일지라도, 어쨌거나 그도 은근히 단순해서…….

그가 그렇단 걸 난 진작부터 알고 있었지!

성녀님 가라사대 앎은 곧 힘이니라. 난 남편을 종 부리듯 부리는 괄괄한 아내 컨셉으로 일갈했다.

"여보, 손님이 오셨잖아요. 어서 가서 차를 내오세요."

"여보?"

"어어, 칼리스에서는 호칭이 다른 거야?"

"……글쎄, 그보다 왜 내가 차를 내와야 하는 거야. 안주인인 네가 해야 하는 일 아니야?"

아델은 불퉁하게 트집을 잡았다. 성격 하고는 참, 놀이에서도 납득하지 못하면 그대로 넘어갈 수 없나 보다.

"아이참, 성녀인 내가 차를 내올 수는 없잖아."

난 손에 물 한 방울 안 묻혀 본 귀한 집 아가씨처럼 말했다. 묘한 데서 현실적인 소꿉놀이였다. 내게 성녀라는 본직이 있는 이상, 안주인이라고는 할 수 없는 거 아니야? 평생 바깥일을 해야 하는 운명일 텐데!

난 이 놀이의 주인공은 나이므로 너는 전적으로 맞춰야 한다는 투로 말했다.

"내가 꿈꾸는 남편상은 내조 잘하고 말 잘 듣는 남자라고."

어어? 어쩐지 카마엘과 잘 들어맞는 것 같아. 진짜 카마엘과의 결혼을 고려해 봐야 하나?

또 딴 데로 생각이 빠져 진지하게 골몰하는 내게 아델이 또다시 반문했다.

"그 이전에 성녀인 네가 결혼은 할 수 있고?"

"응. 왜 안 될 거라고 생각해?"

원하는 사람이 있다면 연애를 하든 결혼해서 살든 네가 행복해지는 쪽으로 선택하라고, 월신께서 내게 말씀하신 적 있다. 대개 신관이나 사제가 결혼하지 않는 건 그들이 신께 헌신하는 삶을 살기로 마음먹었기 때문이었다. 신전에 속한다고 결혼을 막지는 않는다고.

물론 후손을 보면 성력이 후손에게로 물려지므로 본인의 성력은 쇠한다. 성국은 철저한 능력제라서 성력이 줄어들면 자리를 지키기 어렵다. 특별한 다른 능력 있는 게 아닌 이상 은퇴하게 되니, 부러 결혼하지 않은 사제들도 많다.

근데 아마 난 그런 제약이 없는 모양이야. '무얼 하고 살든 넌 성녀!'라는 도장이 꽝 찍혀 있나 봐.

아델은 더 따지지 않고, 얌전히 내가 탁자에 얹어 둔 빈 찻잔을 가져다가 카마엘 앞에 놓았다. 마지못해서 하는 기색이 역력한 그 성의 없는 태도. 지적했다간 약속이고 뭐고 엎어 버릴 것 같아서 일단 참았다.

"여보도 이리 와서 앉아요."

카마엘 앞에 마주 앉아서 옆자리를 툭툭 치자 아델이 털썩 주저앉았다.

"여전히 금슬이 좋으시군요."

카마엘은 거의 고저 없는 투로 대사를 읊었다.

"어머, 그렇게 보여요? 여보 뭐라고 말 좀 해 봐."

아델이 날 째릿 노려봤다. 나 같은 아내는 결단코 두고 싶지 않다는 저주스러운 눈빛이었다.

"……한쪽의 일방적인 희생이 있었던 덕이겠지요."

누가 내 남편이 될지는 몰라도 그럴 게 빤하다는 독기 서린 예언. 퍽 비판적인 말투였다.

"아이참, 이이는 내 고충을 너무 잘 알아주어요. 성녀로서 가정에 충실하기 쉽지 않은데, 그래도 이이가 지지해 주어 잘 해내고 있답니다."

질 수 없지! 난 그 희생을 치르는 게 엄연히 나라는 양 대꾸했다. 그리고 어디까지나 내 편인 카마엘이 말을 보탰다.

"성국의 성녀이시고 이렇듯 사랑스러운 분이시니, 누구라도 그 옆자리에 있으려면 당연히 그래야겠지요."

사랑스럽다니! 배역에 충실한 대사인 걸 알면서도 난 가슴이 벅차올랐다. 내가 뺨을 감싸며 감격한 듯이 카마엘을 바라보자 아델이 비아냥거렸다.

"손님과 불륜에 빠지는 아내역이야? 난 자그마치 성녀의 남편이니 이 모든 부정을 참아 넘겨야 하고?"

"아니!"

난 진지하게 인상을 쓰며 손가락을 치켜들었다.

"아이참, 생각해 봐. 질투도 하지 않는다면 그게 얼마나 매력 없는 남자겠어? 이왕이면 박력 넘치게 화를 버럭 내어주는 게 좋다고. 내 아내에게 접근하지 마! 이러면서."

"내 아내에게 접근하지 마."

아델은 놀리는 듯한 투로 중얼거렸다. 돌아보니 비뚜름한 미소가 그의 입가에 배어 있었다.

"도대체 어떤 멍청한 놈을 남편이라고 꿈꾸는 거야?"

"그럼 네가 생각하는 이상적인 남편상은 뭔데."

사사건건 태클이 걸려 흥이 떨어진 난 아델을 쏘아보았다.

"적어도 자기 아내에게 접근하는 놈을 사지 멀쩡하게 내버려두는 얼간이는 아니겠지."

마땅히 찢어 죽여야 한다는 투였다. ……엄마, 얘 왜 이리 무섭죠. 현대에 태어났으면, 큰일 날 뻔했다.

기가 질린 난 잠깐 망설이다가, 화제 전환을 시도했다.

"그럼 네가 생각하는 이상적인 아내는 뭔데."

"글쎄."

"이상형이라거나, 취향이 있을 거 아니야? 예를 들어 금발이면 좋겠다거나."

이 동네도 금발 애호가 만연해서, 금발이면 더 쳐주는 게 있다. 확실히 반짝거리는 금발이 눈으로 보기에 예쁘긴 하지. 내 머리는 금발이 아니지만, 난 그 점을 조금도 아쉽게 느끼지 않았다. 오히려 이 흑발이 내게 전생과 이어져 있다는 걸 말해 주는 것 같아서, 좋았다.

어떤 불행한 죽음을 맞았든 나는 그 전생에서 비롯된 사람이었으니까. 그걸 잊지 않고 기억해서, 지금의 행복을 더 소중히 여기고 싶었다.

"내 이상형? 그건 모르겠고 최소한……."

아델은 뜸을 들이다가 이내 대답을 발했다.

"내 어머니 같지 않은 여자."

말하는 투는 대수롭지 않았지만, 듣는 사람, 아니 듣는 나는 기분이 싸하게 식어 내렸다.

어, 어머니와 사이가 좋지 않은가? 형제와의 사이도 나쁘다니까, 부모님과도 그리 돈독하지 않겠지. 그건, 전생의 나 역시 그랬거든. 엄마를 따라간 그 집에서, 새아버지를 '아빠'라고 자연스럽게 부르는 그 아이들을 보았다. 내가 태어나서 단 한 번도 누군가를 아빠라고 불러 본 적 없다는 게 문득 떠올랐다. 그리고 잠시 허전함에 사로잡혔지.

난 무게를 떨치듯 가벼운 투로 말했다.

"에이, 그래도 살아 계신 게 어디야."

아델의 또렷한 시선이 내게 박혔다.

"그녀는 죽었어."

"……어, 어어. 그으렇구나."

난 당황하여 눈을 굴렸다. 뭐라고 말해야 할지 모르겠다. 위로해야 할까. 하지만 내가 그를 위로하면 그 대단한 자존심에 동정이라고 생각해서 기분 나빠하지는 않을까.

단란한 소꿉놀이 분위기를 죄 박살 내는 까탈스럽고 도도한 소년을 앞두고 난 고민에 빠져들었다.

어쨌든 더 놀이를 이어갈 수는 없을 듯싶었다. 의도한 건지는

모르겠지만, 내가 그럴 기분이 들지 않았다. 그래서 나는,

"카마엘, 전에 갔던 그 가게에서 케이크 좀 사다 줘. 달콤한 게 먹고 싶어졌어."

카마엘을 내보내기로 했다. 물론 카마엘에게는 죄가 없지만, 그가 있으면 아델은 강한 척, 약점 없는 척하며 자신을 드러내지 않을 테니까.

척 보기에도 아델은 날 어렵게 생각하지 않고 있었다. 성녀로서 적국 사람에게 만만히 여겨지고 있다는 것을 기뻐해야 하는 걸까 슬퍼해야 하는 걸까.

놀이에서 해방된 카마엘은 군말 없이 지갑을 챙겨 들고 집을 빠져나갔다. 카마엘도 평생 소꿉놀이 한 번 해 보지 못했을 눈치라, 난 그가 새로운 경험을 하게 주었다는 데에 홀로 만족했다. 본인은 바라지 않은 것일지라도.

"하고 싶은 말이 뭐야."

아델이 불쑥 입을 열자, 난 배시시 웃었다.

"어어, 눈치챘어?"

"할 말이 있으니 그를 내보냈겠지. 어차피 넌 내가 뭐라든 제멋대로 굴겠지만, 말해 두겠는데."

싸늘하게 얼어붙은 시선이었다. 그리고 난 아델의 차가움이 방어기제를 세우듯, 자신을 지키려는 목적임을 알고 있었다.

"어설픈 위로 따위는 필요 없어."

"안 어설픈 위로라면 괜찮다는 걸까나?"

"네가 하는 모든 일이 어설퍼."

난 불만스레 입술을 내밀었다.

"무슨 근거로 단정하는 거야?"

"내가 보아 온 그대로."

……괜스레 말다툼을 이어 가 봤자, 내 손해일 뿐이다.

난 상냥한 미소를 지어 보이며 아델에게 바짝 다가가 앉았다. 물을까 말까 고민하던 것을 그대로 가져다가 입을 열었다.

"대체 어머니 같은 여자가 왜 싫다는 거야?"

"그게 왜 궁금한데."

아델이 뚱한 표정으로 날 응시했다.

으아, 귀여워! 마구 머리를 쓰다듬어 주고 싶은 마음이 하늘까지 솟구쳤지만, 이 상황에선 아니다. 난 애써 참아 냈다.

"애정이 있으니 관심도 있는 거지."

"적국 사람에게 베풀 만큼 애정이 넘쳐 나나?"

"아이에겐 항상 관심과 애정을 주어야 한다는 게 내 신조거든."

"그건 성녀다운 말이네."

한쪽 다리를 일으켜 세운 아델이 무릎 위에 비스듬히 턱을 괴었다.

"뭐, 말 못 할 것도 없지."

가까이서 시선을 맞추자 그의 푸른 눈에 내가 고스란히 담겼다.

"나약한 여자였거든. 온실 속의 화초였어."

"……으응."

"그래서 폭풍우 몰아치는 땅에선 잡초와 경쟁하며 살아남을 수 없었던 거야. 금방 시들어 버렸지."

"슬픈 얘기구나. 하지만 약한 건 죄가 아닌걸."

어른이라고 모든 힘겨움을 견뎌 낼 수 있는 건 아니다. 어른들 중에도 약한 사람이 있기 마련인 걸 난 이미 전생을 통해 알고 있었다.

"칼리스에서는 죄야."

아델이 말했다. 타협 없는, 단호한 투였다.

"더군다나 네 살짜리 자기 아이를 내버려 두고 목을 맨 여자야. 무책임하고 어리석지. 동정할 가치도 없어."

너무도 충격적인 내용에, 차마 뭐라고 말하기 어려웠다. 범상치 않은 환경에서 자라났을 거라 유추했지만, 막장 드라마보다 더 비현실적이다. 또한 슬프고 참혹한 이야기였다.

놀라 입술을 달싹인 난 말을 꺼냈다.

"아버지는……."

아델의 입가에 비뚜름한 미소가 떠올랐다.

"그자가 그런 걸 신경 쓸 리 없잖아? 그녀가 눈앞에서 자해했다고 해도 그자는 눈 하나 깜짝하지 않았을걸."

"그럼 넌 누구 품에서 자랐니?"

"나 홀로."

아델이 어깨를 으쓱해 보였다.

"내 아버지는 지위가 높아. 감히 나를 무시할 수 있는 녀석은 없어. 거기다 뭐, 도움도 있었지. 내 어머니는 나약했지만, 다행히 어머니의 가문은 그렇지 않았어. 애초에 내 어머니는 외조부의 욕심 때문에 아버지와 결혼해야만 했던 거야. 그러니 그 욕심을 이루어 줄 나라는 존재를 그대로 버려 둘 리는 없잖아?"

"외, 외할아버지가 그래도 너를 보살펴 주셨구나."

전생의 내 할머니처럼. 하지만 내 할머니가 순수한 마음이었던데 반해 그의 외조부는 그런 것 같지는 않게 들리지만 말이야. 아델은 워낙 부정적이니, 진심을 곡해하고 있을지도 모르겠단 생각도 들었다.

"아아, 그 핑계로 이리저리 간섭하려고 해서 귀찮지만 말이야. 어쩔 수 없지."

"그래도 널 위하는 마음에서 그러시는 게 아닐까. 가족이잖아."

거의 그러기를 바라는 희망을 담아 뻔한 말로 난 그를 달랬다. 그러나 내가 가족이라는 단어를 입에 담는 순간, 아델의 눈빛이 섬뜩하도록 달라졌다.

"착각하지 마. 내게 가족은 없어. 나를 위한다는 명목으로 뭔가를 주는 이들은 다 어떤 목적을 품고 있는 거야. 그래, 그는 내게 투자하고 있는 거지. 나를 통해서 얻어 낼 게 있으니까."

친지 간의 애정이라곤 조금도 묻어나지 않은 투였다.

"뭐, 나쁜 거래는 아니야. 내게는 아직 그가 필요하거든."

남모를 비밀을 속삭이듯 아델이 예쁜 얼굴로 웃었다.

"그리고 그에게도 내가 필요하지. 고작 그런 관계야. 그 필요의 이유도 혈연이니 그를 말하는 거라면 그래, 가족이랄 수도 있겠네."

그는 비웃듯이 말을 맺었다. 난 무슨 말을 해야 할지 몰라서, 빤히 그를 쳐다보았다.

아델은 가족이 없다는 게 아무렇지도 않은 듯이 말하고 있다. 실제로 그럴지 몰라도……. 열 살짜리 아이가 가족이라는 단어를 우습게 생각하고 그걸 당연히 여기는 게, 설명할 수 없이 이상한 기분이었다. 슬프다기보다는 안타깝고, 속이 아렸했다.

할머니를 잃었을 때 나는 어땠지? 엄마의 손을 잡고 간 그 집에서 내가 불청객일 뿐이라는 걸 깨달았을 때……. 그래서 내가 완전히 혼자가 되었다는 사실을 실감했을 때, 난 어땠지? 이불을 뒤집어쓰고 울먹였던 난 그때 상실을 경험했다.

하지만 아델은 애초에 가져 본 적이 없어서, 상실할 것도 없는 것처럼 그리고 그게 당연하다는 듯이 말하고 있어서……. 그게, 가슴이 아픈 거다. 나는 목이 메어 불쑥 입을 열었다.

"나도 가족이 없어."

그리고 애써 환하게 미소 지었다.

"엄밀히 말하자면, 혈연적인 의미의 가족 말이야. 알다시피, 나는 꽃에서 태어났잖아. 그리고 신님은 실체가 없으니까."

냉담한 시선이 내게 와 닿았다.

"그래도 난 내게 가족이 있다고 생각해. 신님도 그렇고 에이 레네라거나, 카마엘은 가족이라기보단 응, 내 미래의 남편감이지만."

"무슨 말이 하고 싶은 거야?"

기가 차다는 표정에도 아랑곳하지 않고 난 배시시 웃으며 아델에게 바짝 다가가 붙었다.

"그러니까 내 말은, 네게 소중한 누군가가 생기고, 그 사람과 서로 가족이라고 생각하기만 하면 가족이 될 수 있다는 거야."

"그건 또 무슨 멍청한 소리야."

"언젠가 너에게도 진정한 가족이 생기지 않을까. 예를 들어 먼 훗날에 결혼을 하고 아이를 낳으면 말이야."

나로서는 그러길 원해서 하는 소리지만, 아델이 이해하긴 하려나. 아델은 역시나 곧이곧대로 받아들이지 못하는 비뚤어진 아이였다.

"무슨 소리를 하는지 알 것 같네. 너, 나를 동정해?"

아델의 낯에 사나운 기색이 어렸다. 동정이 아니라고 하기에는⋯⋯. 이 감정을 뭐라고 설명해야 할지 모르겠다. 난 혼잣말 하듯 중얼거렸다.

"안타까워하는 것도 동정이라면 동정일까."

"네 평화로운 삶이 가족이라는 걸 뭔가 대단한 것처럼 여기게 만들었나 본데, 난 그딴 건 필요 없어."

딱 잘라 말하는 투가 칼날 같았다. 아델은 놀랍도록 빠르게 감정을 추스른 채 무표정한 얼굴을 보였다. 난 그를 물끄러미 보다가 이어 물었다.

"그럼 네게 가장 중요한 게 뭔데?"

"강해지는 것. 그리고 뭐든 내 마음대로 할 수 있는 힘을 손에 쥐는 것."

으아, 얘는 참⋯⋯. 꿈이 중2병 같다고 해야 하나. 근데 현실성 있게 들려서 좀 무섭다. 일단 아무리 강해져도 뭐든 자기 마음대로 할 수 있는 건 아니란 사실은 차치하고서라도—

"그런 힘을 가지면 뭘 할 건데?"

"그때가 되면, 뭐든 가질 수 있겠지."

난 포기하지 않고 꿋꿋이 제의했다.

"으응, 그럼 그때가 되면 가족도 가져 보는 게 어때?"

"말했을 텐데, 필요 없다고."

짜증 내는 표정에서 난 혐오와 증오의 냄새를 맡았다.

"독신주의자? 여자가 싫어?"

"누가 그렇대? 자손을 남길 의무가 있으니 적당히 옆자리를 채울 만한 누가 있으면 그만이야. 그딴 데는 관심 없어."

아델이 과연 쿨한 척하는 건지 아닌지 난 시험해 보기로 했다.

"상대가 엄청난 추녀라거나 코 고는 소리가 엄청 커서 네가 잠을 못 이루더라도 괜찮다는 소리야?"

"왜 그런 식의 가정을 하는 건데?"

아델이 발칵 성을 냈다. 응, 반응을 보니 그건 싫은가 보네. 이런 애들이 더 까다롭더라. 설마 제게 맞는 여자가 알아서 굴러들어 올 거라고 믿는 거야? 그 점에 대해서는 충고해 줘야겠다고 생각했지만, 아델이 먼저 불퉁하게 중얼거렸다.

"뭔가 대단한 걸 물을 줄 알았더니 그자를 내보내고 묻는다는 게 고작……."

"고작이라니? 엄청나게 중요한 대화였다고! 우리는 이제 이

걸로 비밀스럽고 친밀한 대화를 공유한 사이가 된 거란 말이야. 너 누군가랑 이런 이야기한 적 있어?"

아델이 거의 시차 없이 고개를 저었다.

"왜 이런 이야기를 해야 하지? 전혀 쓸데없는 일인데. 진짜로 네가 나와 어떤 사이가 되는 것도 아니고. 내 신상을 캐려고 하는 거라면, 조금은 성과가 있었겠지만."

나와 그의 관계를 잊지 않았다는 날카로운 눈빛이었다.

하지만 칼리스인이 성국에 침범하기 어렵듯, 성국 사람이 칼리스로 침투하는 것도 어려웠다. 칼리스는 성국과 비할 수 없이 큰 나라이지만, 상위 계층에 대한 정보는 꽁꽁 감춰져 있다고 하니까.

수상한 자에게는 검증 절차로 신성모독을 시키고, 마법으로 머릿속을 읽어내고 진실만을 말하게 한다지? 성국 사람들한테 칼리스는 미지에 가까운 나라였다. 적국임에도 그러했으니, 사실상 그가 말해 준 것을 통해서 그의 정체에 대해 유추하는 건 어렵지 않을까 한다.

"그보다 넌 성녀씩이나 되면서, 왜 나한테 이렇게 시간을 쓰고 있는 거야?"

기껏 찾아왔는데 너 엄청 한가하냐고 질타하는 듯한 시선을 받는다면 누군들 좋아할까. 난 삐죽 입을 내밀었다.

"그야 네가 보고 싶으니까. 넌 너무 귀엽단 말이야."

귀엽다는 소리를 싫어할 게 뻔했으므로 난 유독 강조하여 말했다. 그런데 아델의 반응이 심상치 않다. 왜 그런 표현을 자신에게 가져다 붙이는지, 낯섦을 느끼다 못해 당황하는 눈치였다. 그는 자기에게 붙은 그 기괴한 형용사를 차마 발음하지 못하고 쏘듯이 물었다.

"누가 귀……. 그렇다는 거야?"

난 방긋 웃으며 아델의 얼굴을 붙잡았다. 그리고 탱탱한 양 볼을 쓰다듬으며 진지하게 물었다.

"이상하다, 이렇게 예쁘게 생겼는데 한 번도 들어 본 적 없는 말이야?"

탁 소리를 내며 그가 내 손을 내쳤다.

"……없어."

그 대답은, 그가 들려준 그 어떤 이야기보다도 슬펐다. 한창 예쁨을 받아야 할 나이인데 아델은 마땅히 받아야 할 만한 것들을 하나도 받지 못한 거다. 주변엔 그저 그를 떠받들어주거나 이용하려는 이들뿐이었겠지. 난 짐짓 관대하게, 경쟁자를 인정하는 듯이 어렵사리 말했다.

"그럼 내가 얘기해 줄게. 넌 귀엽고 예뻐, 어쩌면…… 나보다도 예쁜 것 같아."

아델은 조금도 기쁘지 않은 얼굴로 코웃음을 쳤다.

"넌 스스로가 예쁘다고 생각하는 거야?"

당연한 거 아니야? 성녀로 태어나서 제일 좋았던 게 바로 이 눈부신 미모였다고! 거울을 들여다보며 천 번쯤 절하며 감사를 표해도 부족할 지경이야. 고로 내 자긍심은 하늘을 찔렀다.

"눈이 제대로 붙어 있다면 인정해야 하지 않겠어? 이대로 내가 열세 살이 되고, 열여섯 살이 되고, 열아홉 살이 되었다고 생각해 봐. 얼마나 눈이 휘둥그레질 미인으로 성장하겠어?'

세뇌하려는 것처럼 바짝 고개를 붙이고 속삭이자 상상을 따라가는지 아델의 초점이 희미해졌다.

그는 별로 순순하다거나 적극적이진 않지만, 내 말을 들어주고 진지하게 생각하고 있었다. 조금씩 내게 휘둘리기 시작한 것 같다. 그건 마음을 열고 있기 때문일까.

희망적인 관측 속에서 곰곰이 생각하던 아델이 결국 부인할 수 없었는지 못마땅하게 중얼거렸다.

"이대로 자라난다면 말이겠지."

"이대로 자라난다면 그렇게 될 거라고 너도 역시 인정하는 거지?"

아델은 대답하기 싫다는 듯이 입을 꾹 다물었다. 비겁하게 묵비권을 행사하다니!

"이렇게 예쁘고 상냥한 성녀님이랑 막 친해지고 싶지 않아?"

"전혀."

칼 같은 부정에 민망해하기엔 난 너무 뻔뻔했다. 그리고 아델이 내게 면역이 되어 가듯 나도 그의 쌀쌀함에 면역이 되어 가고 있던 터.

"그런 것치곤 꼬박꼬박 대답을 해 주는걸."

"네가 눈앞에서 알짱거리면서 헛소리로 자꾸만 내 입을 열게 만드니까."

"실은 마음속 깊이 내게 끌리고 있다거나?"

놀리는 투로 말하자 확 얼굴을 찌푸린다. 키득이며 웃는 날 새초롬하게 바라본 아델이 이윽고 입을 떼었다.

"확실히 이상하긴 한데."

아델은 진지하게 자신의 현 상태를 고찰해 보는 것 같았다.

"잘 이해가 가진 않지만 너와 있으면 마음이―"

그러다 기대 어린 눈초리로 초롱초롱하게 눈을 빛내는 날 보더니 대단히 뒷말을 잇기 싫은 기색이 되었다.

나 때문에 하려던 말을 멈추긴 싫고 또 나 때문에 하려던 말을 계속하기도 싫은 찰나의 번뇌. 결국 그는 말해 냈다.

"……느슨해져."

손을 내밀라치면 맨날 털을 세우며 빳빳하게 굴던 고양이를 드디어 조금 쓰다듬게 된 느낌이 이런 걸까? 한없는 기쁨이 치달아 올랐다. 노력하면 되긴 되는구나.

난 기쁨을 티 내지 않고 부러 표정을 굳혔다.

"그래? 그거 이상하네."

그리고 신중하게 아델의 가슴께에 손을 얹었다.

"신화 속에나 등장할 법한 이 성녀님을 보면 가슴이 두근거린다거나, 심장이 떨린다거나, 너무 긴장이 되어서 말을 막 더듬는 게 정상인데!"

"뭐라는 거야."

웅……. 심장은 정상적으로 뛰고 있는 것 같군. 아직 나에게 반하지 않았나 봐.

면밀하게 판별하고 있는데 아델이 내 손을 떼어 내려고 손목을 감싸 쥐었다. 눈빛을 보아하니 특유의 독설로 쏘아붙이려나 보다.

"넌 일단 성녀치곤 너무……."

"네 비루한 상상 이상의 너무 멋지고 아름다우신 성녀님이겠지?"

난 강요하듯 재빨리 말을 가로막았다. 손목을 움켜쥔 채 아델이 핀잔을 주었다.

"그건 그야말로 네 상상이겠지."

"그렇지 않아. 모두가 인정하고 있는걸! 외부 사람들도 날 보면 천사같이 아름답고 상냥하신 성녀님이라고 칭송한단 말이지."

"그럼 성국에서 성녀를 보았는데 거기서 실망했다고 말하는 얼간이가 있을까. 내가 네 주위에서 유일하게 현실을 주지시켜주는 사람인 것 같은데."

"그래서 나에 대한 네 현실적인 평가라는 게 어떤데?"

"쓸데없이 말이 많고, 공상적이고, 어리광쟁이고, 제멋대로지."

좋은 말이 하나도 없잖아? 열 살 아이의 평가에 잔뜩 토라진 난 아델을 홱 뿌리치려고 했다. 그런데, 어어? 안 뿌리쳐지네! 무슨 애가 이리 손힘이 좋은 거야. 게다가 내가 자길 마음대로 만지면 막 내치면서 자긴 날 마음대로 잡고 있어!

속으로 불평을 늘어놓는데 아델이 느릿하게 말을 이었다.

"그런데……."

"그런데, 뭐."

내심 기대하며 난 나보다 약간 큰 그를 지그시 올려다보았다.

"너와 있으면, 나도 말이 많아져. 일종의 전염병 같은 건가."

"그게 뭐야? 전염병이라니, 모욕적이야! 다시 평가해!"

왈칵 성을 내자, 날 내려다보던 아델의 눈이 곱게 휘어졌다.

순식간에 그에게서 웃음이 터져 나왔다. 정말로 즐겁다는 것처럼 몸을 떨며 웃고 있는 그를 지켜보고 있자니, 성이 났던 마음이 스르르 가라앉았다.

아니, 가라앉는다기보단 홀린 듯이 정신이 멍했다.

"왜 그런 눈으로 보는데."

내 묘한 기색을 눈치채었는지 아델에게서 곧 웃음기가 가셨다. 흐트러짐 없이 단정해진 표정에 아쉬운 기분이 찾아들어서 난 눈을 깜빡이며 중얼거렸다.

"그렇게 소리 내어 웃는 거 처음 봐……."

아델은 내 솔직한 말이 심히 거슬리는 듯했다.

"나도 웃을 줄 알아."

"그럼 한 번 더 보여 줘!"

난 아델에게 기다렸다는 듯이 달려들었다. 얼굴을 붙잡아 내 쪽을 보게 하며 요구했다.

"응? 웃어 봐 정말 예뻤단 말이야. 사진 찍어서 간직하지 못하는 게 아쉬울 만큼."

"사진이 뭐야. 그보다 예쁘다는 소리 좀 그만해."

"왜, 사실인데? 넌 예쁘다니까! 아무튼 웃어 봐."

난 해사하게 웃으며 장난치듯 그의 뺨을 쭉 잡아당겼다. 아델이 얼굴을 팍 찌푸렸다.

"웃기지도 않은데 웃으라고? 난 광대가 아니야. 이거 놓지 못해?"

엎치락뒤치락하던 우리는 어느새 바닥 위로 쓰러져 데굴데굴 구르고 있었다. 아델은 힘을 주어 나를 제압하려고 애썼고 난 버둥대며 그에게서 빠져나가려고 했다. 이 녀석 힘이 좀 세잖아. 처음에는 내가 꼬집어 시작된 몸싸움인데 아델은 날 아예 꼼짝 못 하게 만들려고 했다.

그가 딱 내 위에 올라타 양 손목을 쥐어 제압하는 데 성공했을 때, 문이 벌컥 열렸다. 심부름을 마친 카마엘이 돌아왔던 것이다. 하필 애매한 자세를 취하고 있던 터라, 아델의 눈빛이 흔들렸다. 그 가운데 집안에서 벌어진 사태를 침착한 시선으로 분석한 카마엘이 천천히 허리춤에 있는 검으로 손을 가져갔다.

"카, 카마엘 그만둬!"

정말로 베어 버릴 기세에, 난 번개같이 신력을 끌어올려 아델을 내동댕이쳤다. 그의 몸이 바닥과 충돌하며 좀 아플 것 같은 소리가 울려 퍼졌지만, 그런 사소한 것에는 신경 쓸 겨를이 없었다. 반쯤 검을 뽑아 들었던 카마엘은 내가 다가오자 다시금 검을 갈무리했다. 어우, 애들 노는데 살벌하게 무슨 짓이야.

카마엘은 내 어깨를 붙들며 몸을 숙였다. 한쪽 무릎을 꿇은 채 눈을 마주한 그는 그답지 않게 엄중한 투로 충고했다.

"성녀님은 여자아이입니다. 그런 놀이는 모양새가 좋지 않습니다."

"어, 어어 알았어."

난 얼빠진 채 답하며 냅다 품에 안겨 주는 종이봉투를 끌어안았다. 거기까지는 꽤 거리가 되는데, 금방 사 왔구나.

입안에서 살살 녹는 치즈케이크의 맛을 떠올리니 침이 고인다. 신이 난 채 종이봉투를 풀어 헤치는데 한차례 바닥을 구른 아델이 이를 바득 갈며 중얼거렸다.

"진짜, 마음에 안 들어."

"이 치즈케이크는 마음에 들 거야."

난 확신조로 말했고, 화가 나 있던 아델은 예상대로 치즈케이크를 맛보고 마음이 스르르 풀리는 눈치였다. 그럴 만한 맛인 걸. 탐욕스럽게 간식을 모조리 섭취한 뒤 더 놀고 싶었지만, 너무 오래 머무른 듯하여 난 돌아가 보겠다고 말했다.

예의 그 의식 건이 있었기에 나도 마냥 놀 수만은 없었던 것이다. 그날을 위해서 계획을 짜려면, 정보도 좀 필요하고.

"내가 없다고 울면 안 돼?"

배시시 웃으며 손을 흔들자 아델이 무표정한 얼굴로 비아냥거렸다.

"네가 그런다고 내가 그럴 거라고 생각지 마."

카마엘이 오자마자 금세 얼굴을 굳혀 버리고 벽을 친 그였다.

하지만 이미 한 번 허물어진 벽이었다. 이전과는 미묘하게 말투며 태도가 달랐다. 역시 칼리스인도 녹여 버리는 이 성녀님이란! 쓸데없이 뿌듯한 마음을 안은 채 난 손을 흔들며, 당부의 말을 남겼다.

"카마엘, 음식은 사다가 먹이는 거 알지? 굶기지 마. 묶지도 말고. 잘 부탁해!"

"……예."

카마엘의 마지못한 목소리를 마지막으로 난 신전으로 돌아갔다.

이별, 그리고 약속

"어제 회의에서 슬슬 성녀님도 의식에 참여하시는 게 어떨까
하는 이야기가 나왔어요."

에이레네가 그렇게 운을 뗴었을 때, 난 마침 아침을 먹고 있
던 참이었다. 내가 노는 걸 굉장히, 엄청나게 좋아한다는 걸 알
고 있는 그녀였다. 이번에도 내가 내키지 않아 한다는 걸 눈치
챘을 테지.

하지만 이번에는 엄연히 이유가 있었다. 그것도 아주 중대
한. 그 전에 아델을 남몰래 성국에서 내보내야 한단 말이지. 의
식을 준비하려면 며칠 전부터 기운을 가다듬고 차림을 갖춰야
하니 좀처럼 시간이 안 날지도 몰랐다.

난 곤란한 얼굴로 고개를 저었다.

"싫어."

내가 듣기에도 아이처럼 떼쓰는 음성이었다. 난 아이니까 필요할 땐 아이가 되어도 돼. 에이레네도 이번만큼은 넘어가지 않았다. 그녀가 다정스러워진 목소리로 물었다.

"어째서요?"

"다 같이 모여서 몇 시간이고 의식을 집중해서 기도를 올려야 하잖아. 지루하단 말이야."

난 진지하게 응답했고, 에이레네의 입가에서 미소가 순식간에 사라졌다. 화를 내려나. 움찔하는데, 에이레네가 가슴이 찔릴 만치 슬픈 얼굴로 물었다.

"요즈음 성소에 오래 들어가 계시기에, 기도에 힘쓰시나 했더니 그 안에서 기도는 하지 않으시고 주무셨던 거예요?"

몹시 상심한 그녀의 표정을 보니 안 그래도 따끔따끔하던 가슴 속에 고슴도치가 굴러다니는 것 같다.

"아, 아니 그건 절대 아니야. 안 잤어."

"그러면 성소에서 홀로 오래 기도하는 건 되고, 의식에 참여하는 건 왜 안 되실까요?"

나긋나긋한 어조를 유지하면서 에이레네는 가만히 물어왔다. 제법 날카로운 지적이다. 난 부러 우울한 듯이 고개를 떨구며 핑계를 지어냈다.

"그렇게 많은 사람이 있으면 의식이 흐려진단 말이야. 집중이 안 돼서 힘들어. 신성력을 많이 쓰면 피곤하기도 하고."

"성녀님은 물론 어리시니까 몸에 무리가 가실 만하지요. 그래도 정말로 중요한 행사이니 이제 슬슬 참석하셔야 할 텐데."

"……."

"…성녀님이 참석하시는 것만으로도, 신성력이 저절로 모여 사제들의 부담이 줄어들 텐데 정말로 안 되시는가요?"

그녀의 한숨에 배인 탄식이 나를 관통하는 듯했다. 어쩌지? 나는 거절하려고 완고하게 결심했던 마음이 스르르 무너지는 것을 느꼈다. 어느새 내 입이 조종이라도 당하는 듯이 멋대로 응답하고 있었다.

"하, 할게."

환하게 미소 짓는 에이레네를 마주하며 이게 아닌데, 라는 생각을 했다. 하지만 이미 돌이킬 수 없게 된 일이었다. 그게 내가 며칠간 시달리게 된 전말이었다.

에이레네는 마음과 몸을 정결히 해야 한다며, 아침저녁마다 성수로 몸을 씻기고 내게 의식의 절차를 외우게 했다. 비슷비슷한 제례복 몇 개를 돌려 가며 입히고 몸에 맞추어 새로 가봉하기도 했다. 소매 길이며 머리에 쓰는 화환 하나하나 세심하게 체크하는데, 하는 사람도 고생이었겠지만 당하는 나도 고역이었다. 이럴 줄 알았으면 절대로 고개를 끄덕이지 않았을 거다.

내 불만을 알았는지 에이레네도 요즘 따라 유독 다정해졌다. 음식도 귀신같이 내가 좋아하는 것만을 내와서 뭐라 반항하기도 어려운걸. 그동안도 정말 잠시, 시간을 내어 카마엘의 집에 들르긴 했지만, 그야말로 잠시였다.

난 점심 무렵 잠깐 짬을 내어 카마엘의 집을 방문한 뒤, 아델에게 성녀로서의 고충에 대해 온갖 한탄을 쏟아 냈다.

지친 몸으로 방바닥에 드러누워 있는데, 문을 똑똑 두드리는 소리가 들렸다. 난 바로 깨달았다. 그녀가 카마엘의 집까지 찾아온 것이다. 문밖에서 에이레네의 목소리가 들려올 때는 정말 식은땀이 흘렀다.

"성녀님, 여기 계신가요? 제가 들어가 봐도 될까요?"

내가 칼리스인을 숨겨 주었다는 걸 안다면, 에이레네는 실망할까. 내 훈육담당은 에이레네였고 책임을 치러야 할 사람도 어쩌면 그녀일 것이다. 아델을 급히 옷장 속에 밀어 넣은 카마엘이 문을 열자 에이레네가 따사로운 얼굴로 성큼 집 안에 발을 들였다.

"에, 에이레네."

나 여기 있으니 빨리 돌아가자고 하려고 했는데, 집 안에 냉큼 발을 들인 에이레네가 흥미롭게 주변을 돌아보았다. 카마엘의 집에는 처음 와 보는지 호기심 어린 눈초리다.

"어떻게 살고 계실까 항상 궁금했었는데, 이렇게 찾아볼 기회가 생겨서 기쁘군요. 소박한 살림이네요."

"불편함은 없습니다."

"카마엘 님이 요즘 성녀님과 함께 즐거운 시간을 보내고 계신다고 들었어요."

예의 소꿉놀이 건을 언급하며 그녀의 얼굴에 흥미진진한 기색이 감돌았다. 하지만 카마엘이 워낙 무뚝뚝한 얼굴로 에, 하고 응대해 버렸기에 에이레네는 별로 할 말이 없어져 버렸다.

기회를 엿보고 있던 내가 재빨리 그녀의 손을 붙잡았다.

"가자. 나 데리러 온 거 아니었어?"

에이레네가 부드럽게 내 이마의 머리카락을 쓸어 넘기며 날 안아 들었다. 그토록 가녀린 팔뚝을 하고 있으면서도 날 새털처럼 가볍게 들어 품에 안는 게 신기했다.

에이레네가 상냥한 목소리로 말했다.

"성녀님, 휴가를 즐기고 계시는 카마엘 님을 이렇게 자꾸 찾아오시면 안 돼요. 쉬게 해 주셔야지요."

"카마엘은 내가 찾아오는 걸 좋아해."

나는 가책을 누르며 당당하게 대꾸했고, 당연한 얘기지만 카마엘은 반박하지 않았다.

뭐, 싫어하진 않을 거야. 아마, 그렇지 않을까?

"의식 준비를 한다고 들었는데, 성녀님께선 아직 어리시니 몸에 무리가 되는 건 아닙니까."

"언젠가는 하셔야 할 일인걸요. 무리가 되지 않게 하겠어요."

안타까운 듯이 말한 에이레네가 내게 온화한 시선을 주었다. 그 또한 성녀로서의 한걸음일 터. 나는 슬슬 의무를 짊어질 준비를 해야 한다. 그녀가 곧 상냥하게 작별을 고했다.

"이만 돌아가지요. 카마엘 님, 부디 휴가를 즐기시기를."

"예."

냉큼 답하는 카마엘을 보면서 내 죄책감은 또다시 가시처럼 가슴을 찔러 댔다. 아델을 돌봐야 하는 그가 편히 쉴 수 있을 리 없잖아? 음식도 사다 날라야 할 테고.

음식을 먹지 않는 그가 음식을 자주 사 간다면 그 점을 누군가 수상하게 여길지 모른다.

카마엘도 그 점을 고려했는지 매번 다른 음식점에서 음식을 사다 나른다고 했다. 카마엘의 집을 자주 방문한 내가 다 먹어 치운다고 말해도 상관없을 것이다.

그리고 난 성기사의 월급을 축내는 먹보 성녀로 소문나는 거지! 먹보 성녀라니! 나름 이미지 관리를 해 왔는데!

아델과 카마엘의 사이가 조금이라도 나아져서, 내 역할을 그가 약간이라도 대체해 줬으면 좋겠다. 꿈같은 바람을 품고 난 신전으로 끌려갔다.

기회를 틈타 슬쩍 들리려고는 생각했지만, 에이레네가 호락호락하게 시간을 내주지 않았다. 내가 아델과 나름대로 우정 비슷한 것을 쌓아 보려고 했던 일주일은 결국 쏜살같이 흘러갔다.

내가 다시 신전 밖으로 나올 수 있었던 때는 바로 의식을 앞둔 전날이었다.

*

난 의식을 앞두고 중간에 틈을 엿보아 아델을 빼내려고 발을 동동 굴렀다. 하지만 전날부터 에이레네가 종일 붙어 다니며 좀처럼 시간을 내주지 않아서 곤란해졌다. 난 초조한 기분 속에서 정 안 되면 그녀를 따돌리고 가야겠다고 생각했다.

이유? 이유는 그냥 답답해서 도망쳤다고 하면 되지. 나는 열 살이니까 그 정도의 변덕은 이해해 줄 거야. 에이레네가 내게

실망하는 건 좀 마음에 걸리지만, 내게도 양보할 수 없는 일이
거든.

정작 의식을 고작 반나절 앞두었을 때, 어떤 사건이 터졌다.
그 때문에 나는 에이레네로부터 자유로워질 수 있었다. 이 중대
한 사건에 대해서 모두가 입을 다무는 가운데, 내가 그걸 알게
되었던 건 묘하게 술렁이는 공기 때문이었다.

의식을 앞두었으니 몸을 단정히 하고 고요히 마음을 가다듬
어야 할 텐데, 이상스레 신전 안이 어수선했다. 다들 뭔가 수군
거리고 있었다. 몰래 빠져나가 아델에게 가려던 난 묘한 직감에
사로잡혔다. 뭔가 이상한데? 우선 상황을 파악해 보아야겠다.

"무슨 일이 생긴 거야?"

지나가는 어린 사제 한 명을 붙들고 물으니, 그 애가 도리질
치며 자기도 정확히는 모른다고, 대사제들이 모여서 회의를 하
고 있다고 말했다.

회의라고? 의식을 앞두고 회의를 할 정도면 심각한 사태가
터졌다는 이야기가 된다. 설마, 내가 아델을 숨겨 준 걸 들켰나?
카마엘이 입을 다물어서, 그가 칼리스와 내통했다는 오해라도
산 건가? 난 지레짐작하며 불안감에 휩싸였고 이내 그를 변호해
줘야겠다고 굳게 마음먹었다.

대사제들이 모여든 회의장으로 재빨리 달려간 난 문을 힘껏
열어젖혔다. 그 사이 온갖 변명과 설득의 말들을 머릿속에서 고
안해 내면서.

문이 열리는 소리에, 침중한 표정을 짓고 있던 대사제들이 급

히 내 쪽을 돌아보았다.

"성녀님?"

"무슨 일이라도 있는 거야? 왜 여기서들 이러고 있어."

집행 신관장을 비롯하여 다섯 명의 대사제가 일제히 내게 고개를 숙였다. 에이레네와 아리안느도 그 자리에 있었다. 대사제 아스타가 고개를 숙인 채 내게 사과의 말을 건네었다.

"……말씀드리지 못해서 송구합니다. 성녀님께 심려를 끼치고 싶지 않아서."

어린 내가 못 미덥기도 했겠지, 뭐. 난 너그럽게 물었다.

"무슨 일인데 그래. 다들 심각한 얼굴로."

그러면서 에이레네가 빼 준 의자에 다가가 앉았다.

"그것이……."

"성녀님께서도 당연히 아셔야 하지 않나요? 저는 처음부터 우리끼리만 속닥거리는 거 내키지 않았어요. 그냥 소상히 말씀드리는 게 좋겠어요."

성질 급한 아리안느가 머뭇거리는 속에서 답답하다는 듯이 나서자, 모두가 고개를 주억거렸다. 시선이 오가고 이내 에이레네가 그들을 대표해서 입을 열었다.

"지금 성국 밖에서, 칼리스인들이 거래를 요구하고 있습니다."

"칼리스인들이?"

어쩐지 가슴이 덜컹 내려앉는 듯했다.

"네, 그 무도한 자들이 전염병 치료를 위해 파견되었던 사제들과 성국인들을 인질로 잡고 거래를 하자고 합니다."

"무슨 거래?"

"어떤 내용이 될지는 말해 주지 않았습니다. 인질 중 하나를 풀어 주며 전해 오기로는, 대사제 세 명이 성국 밖으로 나와 거래에 응하라고 하더군요."

"성국 밖으로?"

"무슨 꿍꿍이일지. 때가 공교로워요. 하필 의식을 앞두고 이런 일이 터지다니……."

수심이 깊은 얼굴로 에이레네가 고개를 내저었다. 아리안느가 버럭 화를 냈다.

"이렇게 머리만 맞대고 있을 게 아니라 당연히 우리가 나가야 하는 거 아닙니까! 성국인들이 칼리스에 사로잡혀 있는데 모른 척할 수는 없는 거잖아요?"

"인질 중에 당신의 직속사제도 있으니 심정은 이해합니다만, 흥분을 가라앉히세요. 그들이 무슨 함정을 파 두었을지 알고요. 너무 위험합니다."

"나 아리안느, 성국인의 목숨을 도외시하고 겁쟁이처럼 성국에 숨어 있으려고 대사제가 된 건 아니에요!"

박력 넘치는걸? 기세 좋은 태도가 과연 아리안느다웠다.

"당신의 성력이 강하다는 건 알고 있습니다. 부디 진정하시지요. 저 역시 당장 나가서 칼리스인들과 맞대면하고 싶습니다. 하지만 만약 대사제들에게 변이 생기면, 이 성국은 누가 지키고요?"

"어떤 거래이든 대사제 셋만 나올 거라고는 그들도 기대하지 않았을 거예요. 병력을 데려가면 되지 않겠어요?"

설전이 오가는 동안 나는 다른 생각에 잠겨 있었다.

하필 의식을 앞두고? 미심쩍은 일이다. 시기가 영 그런데 우연의 일치일까? 난 곧 깨달음을 얻었다.

……아니, 그게 아니다. 공교롭게도 시기가 일치한 게 아니라 의식이 치러지기를 원치 않기에 인질을 잡은 거다.

왜냐하면…… 성국 안에 의식을 치른다면 죽어 버릴지도 모르는 칼리스인이 있으니까! 의식이 치러질 거란 사실이 성국 내외로 공표되었기에 칼리스에서도 알아낼 법하다. 대사제를 세명이나 요구한 것도, 의식이 치러지지 못하게 할 목적을 품고 있는 거겠지.

아델, 그래 아델도 그렇고 그 애가 가지고 있지 않은 그 정체 모를 물건. 그걸 가져간 이도 여전히 성국 안에 잠입해 있을지 모른다. 부정한 기운이 스며든 뒤 성국 안팎으로 경비가 대단히 삼엄해졌다고 들었다. 그가 이미 빠져나갔다면 칼리스의 이 움직임은 순전히 칼리스에서도 좋은 가문 출신인 아델 때문일 수도 있겠지. 그들은 아델을 구해 내려는 거야.

내가 골똘히 생각을 정리하고 있는 동안, 드디어 이곳에 모인 이들이 결론을 도출해 냈다.

"카마엘 님과 함께하면 되지 않겠어요? 카마엘 님이 계시면 그들도 선불리 행동하지 못할 거예요."

"그건 틀림없이 그렇습니다. 이전의 성전에서 카마엘 님이 펼친 무용은 그들도 기억하고 있을 테니까요."

"그러면 카마엘 님께 바로 말씀드리도록—"

"잠깐, 그 이전에 성녀님의 의견을 들어보는 게 좋겠어요."

에이레네가 재빨리 지적하고 나서자 부담스럽도록 시선이 쏟아졌다. 난 입술을 달싹였다. 실은 이 일의 해결 방법을 내가 알고 있었다. 나는 인질로서 거래할 만한 그 한 사람이 이 성국에 있고, 그가 어디 있는지 알고 있었다.

그렇다고 해서, 아델을 내어줄 수는 없다. 나는 이미 아델을 어떤 식으로든 이용하지 않기로 마음을 정했고, 그 마음은 지금 이 순간에도 흔들리지 않는다. 그렇게 하기에는 많은 경우의 수가 따랐다. 만약 내가 아델을 내어준다고 해도, 내 추측이 틀린 것이라면? 아델이 인질로서의 교환가치가 없는 존재라면…… 그리고 그들이 결국 인질들을 해친다면 아델은 어떻게 되지? 그 모든 위험을 감수하며 아델의 존재를 드러낼 수는 없었다. 그는 이미 내게 그런 존재였다.

이야기를 모두 들은 나는 굳은 얼굴로 고개를 끄덕였다.

"확실히 카마엘과 함께 그들과 협상하러 나가 보는 게 좋겠어. 하지만 그 대사제 중 한 명은."

내 입에서 막힘없이 결론이 떨어졌다.

"내가 될 거야."

"성녀님!"

"안 됩니다, 성녀님이 어찌!"

난 경악한 얼굴의 그들을 찬찬히 돌아보며 말했다.

"나 역시 대사제라고 할 수 있잖아. 그리고 성국 인근이라면 내 신성력은 여기 있는 누구보다도 강하니까. 모두가 무사하게 돌아오려면 그게 최선이야."

"성녀님은 이 성국에서 가장 중요한 분이십니다. 혹시 무슨 일이라도 생기면―"

"카마엘과 꼭 붙어 있지 뭐. 나는 성국에 숨어만 있으라고 성녀로 태어난 게 아니야. 그리고 말해 두겠지만, 이건 명령이야."

명령이라고 말하면서 가슴이 콩닥콩닥 뛰었다. 세상에 내가 이런 데서 명령이라는 걸 하다니!

하지만 내가 워낙 확고한 투로 말했기에 모두가 말을 잃고 서로의 얼굴을 쳐다만 보았다. 나가서 그들과 맞대면하자고 강력하게 주장한 아리안느도 내게 반발하지 못했다. 내 마음을 바꾸어 보려고 설득할 수는 있어도, 이중 누구도 내 명령을 거역할 수는 없을 터였다. 그것이 성국에서의 성녀다.

에이레네가 흔들리는 눈으로 바라보는 것을 외면하며 난 말했다.

"내게 한 시간만 주겠어? 카마엘과는 내가 개인적으로 이야기해 볼게."

칼리스와 협상하러 가기 이전에, 내겐 해야 할 일이 남아 있었다.

*

만류하는 대사제들에게 따라오지 말라고 엄포를 놓은 뒤, 난 곧바로 회의실을 나와 카마엘의 집으로 이동했다. 노크할 겨를도 없이 활짝 문을 열어젖히자, 반듯이 의자에 앉아 있던 카마엘이 반사적으로 몸을 일으켰다.

"오셨습니까."

"아델은?"

자고 있었나 보네. 말소리가 들리자 아델이 눈을 비비며 부스스 자리에서 일어났다. 난 달려가서 냉큼 그의 손을 붙잡았다.

"뭐, 뭐야."

그간 그를 방치해 둔 내가 갑자기 나타나서 손을 붙잡으니 아델은 당황한 눈치였다. 곧장 카마엘에게 구속구를 풀어 주라고 명한 난 아델과 시선을 마주했다. 내 심상치 않은 표정에서 무언가 일이 있음을 감지했는지 아델이 긴장한 표정을 드러냈다.

"칼리스에서 성국 사람들을 인질로 잡고 거래를 요구했어."

"그래서?"

벽을 치듯 한 단절감. 아델의 눈이 차갑게 가라앉았다.

그들이 원하는 게 너야? 네 안전을 위해서 그런 거야? 직설적으로 묻고 싶었지만, 나는 어쩐지 말문을 삼키게 되었다.

"그 거래에 응하지 않으면 인질로 잡힌 사람들이 어떻게 될지 몰라. 그래서 내가 협상을 위해 성국 밖으로 나가 봐야 해."

아델의 눈동자가 커졌다. 그리고 카마엘 역시 놀랐는지 질문이 바로 떨어졌다.

"성녀님, 그게 무슨 말씀이십니까. 대사제들은 어떻게 하고 성녀님이 직접 그들과 마주하시겠다는 것인지."

"내가 자청한 사안이야. 카마엘이 날 지켜 주면 되잖아."

단호하게 말을 맺자, 카마엘의 무표정한 얼굴에도 흔들리는 기색이 일었다. 아델은 놀랍도록 침착했다. 뭔가 생각에 잠긴 듯하던 그가 나직이 물었다.

"그 이야기를 내게 하는 목적이 뭐야."

"혹시 내가 죽기라도 하면, 널 풀어 줄 사람은 아무도 없잖아? 그러니까 가자."

난 아델의 손을 잡아 이끌었다. 잠시 뻗대면서 버텨 보던 아델이 의심에 찬 눈으로 물었다.

"날 풀어 주겠다는 소리야?"

"그래, 어서. 지금밖에 시간이 없어."

"어째서? 네가 그렇게까지 할 이유는……."

"너는 없다고 생각하겠지만, 내게는 있어."

그것도 모르는 이 멍청아. 평생, 이 성녀님의 은혜에 감사하면서 살아라! 맘껏 구박하고 싶었지만, 으스댈 시간이 없었기에 난 다시 한번 아델의 손을 휙 잡아당겼다. 결국 아델은 입을 다문 채 날 따라 발을 움직였다.

난 호소하듯 카마엘을 올려다보았다.

"카마엘이 날 좀 도와주겠어?"

"명이시라면 따릅니다."

딱딱한 투로 답하기는 했으나 분명히 납득할 수 없는 부분이 있었으리라.

하지만 사태의 시급함을 감지했는지 카마엘은 꼬치꼬치 따지고 들지 않았다. 내가 어떤 억지를 부리든 믿어 주겠다는 것처럼. 이 순간 그게 참 고마웠다.

나는 아델과 카마엘을 이끌고 바로 목적지로 이동했다. 신성력을 통한 이동이었다. 눈에 띄어선 안 되니까. 우리가 도착한 곳은, 일전에 방문한 적이 있었던 장소였다.

─의료원.

왜 이곳에 왔냐고? 그야 최근에 어떻게 아델을 탈출시킬까 골몰한 끝에 알아내었거든. 의료원 안쪽에 유사시에 신속하게 성국 밖으로 나가 구조 활동을 펼칠 수 있게 외부로 이어지는 통로가 있다는 걸.

물론 그 통로는 대사제의 허가를 받아야만 쓸 수 있는, 신성력으로 열리는 통로다. 나라면 그걸 열 수 있었다.

전염병 치료를 위해 다수가 외부로 파견 나갔다가 인질로 붙잡혔으므로, 의료원은 거의 텅 비어 있었다. 성국 안에선 도난 사건도 일어나지 않으니 문을 잠가 둘 이유도 없다.

난 성큼 내부에 발을 들이고 앞장서서 나아갔다. 카마엘도 내가 어디로 향하는지 대강 짐작한 듯 몇 걸음 뒤에서 충실히 따랐다.

의료원 안쪽에 건설된, 복잡한 신성어가 새겨진 게이트 앞에 서자 아델이 그제야 다시 입을 열었다.

"정말로 날 내보내 주겠다는 소리야?"

"응, 그래."

"어째서?"

진심으로 의아한 기색에 난 입술을 쭉 내밀었다.

"날 뭐라고 생각한 거야? 널 가지고 놀고 있다고? 난 원래부터 널 보내 주려고 했었어."

말하면서 난 게이트를 어루만지며 이론대로 이곳저곳에 신성력을 불어넣었다. 내가 맞게 하는 건지 묻자 카마엘이 고개를 끄덕였다.

내가 지금 하고 있는 일이 비뚤어진 아델에겐 몰이해의 영역에 속해 있는 듯했다. 그에게 이유 없는 선의란 존재하지 않는 것일 테니.

무지가 곧 짜증으로 화했는지 아델이 싸늘하게 중얼거렸다.

"칼리스에서 인질을 잡은 거라면 성국에서도 인질을 잡을 수 있지. 그렇게 하기에 적당한 존재가 나라는 거. 아무리 멍청한 너라도 내게서 캐낸 이야기로 유추하지 못했을 리 없을 텐데."

그래, 너는 칼리스의 귀족이지. 그리고 아마도 보통 귀족은 아닐 거야. 나도 그 정도는 안다고.

난 작업을 멈추지 않으며 퉁명스럽게, 그러나 농담처럼 들리게끔 말했다.

"아이를 인질로 잡는 쪽이 더 비열해 보이잖아. 세상에 칼리스보다 성국 쪽이 비열해 보이다니! 그건 성녀로서 도저히 용납할 수 없는 일이야!"

아델은 잠자코 나를 응시했다. 속내를 꿰뚫어 보려는 듯도 하고, 과연 믿어도 될 만한지 재어 보려는 듯도 한, 그 두 가지 의도 모두가 담긴 시선이었다.

분명한 하나는 그는 지금 내가 자신을 놓아주려는 걸 전혀 납득하지 못하고 있다는 거였다.

"……고작 그 이유로 날 보내 주려는 거라면, 너처럼 멍청한 여자아이는 처음 보았다고 말해 주지."

"단언하는데 네가 멍청하다고 평가한 여자아이는 내가 처음이 아닐 거야."

난 장난스레 툴툴대었지만, 카마엘은 다소 진지한 반응을 보였다.

"그를 놓아주시더라도, 그의 무례는 벌하셔야 하지 않겠습니까."

그러면서 아델을 쓱 보는 시선이 심상치 않다.

나 모르는 데서 몰래 때릴 만큼 카마엘이 꼼수 부리는 성격이 아니어서 망정이지, 안 그랬다면…… 본격적으로 아동학대의 장이 열렸을지도 모르겠다.

아델도 카마엘을 상대로는 위축되는지 입술을 꾹 오므렸는데, 그 앙증맞은 표정이 무척 귀여워서 시선을 빼앗겼다.

인상을 찌푸린 아델이 다시 입을 열었다.

"내 무례를 벌하기 이전에, 그쪽 행동부터 생각해 보지. 왜 성녀가 적군을 풀어 주는 짓을 하고 있는데 막아서지 않지? 성녀라지만 저건 어린애잖아."

너도 어린애야! 같은 열 살인 주제에 말하는 거 하곤. 카마엘이 망설임 없이 답했다.

"성녀님이 하시는 일은 항상 옳다."

……독실한 신도의 전형적인 태도다. 이렇게나 믿어 주는 게 감격스러우면서도 어쩐지 부담스러웠다.

그러나 카마엘의 말은 거기서 끝나지 않았다.

"다행으로 알아야 할 거야. 내가 네 무례를 책하지 않음은 모두 성녀님 뜻이니."

서슬 퍼런 기세로 말하며 그의 손이 검집을 훑었다. 성국의 무수히 많은 적들을 베었던 검이었다. 그리고 그 성국의 적은 칼리스였다.

무거운 기분에 잠겨 있는데 갑자기 게이트에서 묘한 파동이 일었다. 이제껏 계속 게이트 주변을 맴돌던 성력이 중앙으로 모이고 있었다.

곧 우웅거리는 소리와 함께 하얀 빛이 터져 나왔다. 주변을 환하게 물들인 빛살이 은은한 밝기로 줄어들었을 때, 흐릿하게 일렁이는 게이트 너머로 언뜻 풍경 같은 게 비치었다.

"성공한 건가?"

"예, 그렇습니다."

난 힐끗 아델 쪽을 돌아보았다. 아델은 게이트 너머를 의심 어린 눈으로 응시하다, 이내 내게 시선을 주었다.

난 환한 미소를 띤 채 그를 향해 다가섰다.

"있지, 이제 헤어질 시간이야. 그러니 한 번 솔직해져 보지그래."

"뭐를."

난 다가서서 그의 손을 맞잡았다. 그리고 악수하듯 아래위로 흔든 뒤 넌지시 물었다.

"나랑 노는 거 솔직히 즐겁지 않았어?"

"전혀."

이별의 순간에도 칼같이 인정머리가 없구나. 물론 아델의 태도는 일관적이었다. 난 시무룩한 표정을 자아내며 고개를 숙였다.

"난 재미있었는데."

아델이 답하지 않자, 난 슬쩍 고개를 들었다. 자연스레 눈을 마주치게 되었다.

그리고 난 보았다. 호수 표면처럼 잔떨림 이는 푸른 눈동자.

아이다운 순수를 잃어버려 차갑기만 했던, 그러나 지금 이 순간 흔들리고 있는 그 눈동자를. 끝에선 결국 너도—

아델은 동요를 추스르듯 시선을 내리깔았다. 나는 잡고 있던 손을 놓고, 대신 그를 와락 끌어안았다.

단 한 번, 네게 선물을 줄게. 네가 평생, 결코 받아 보지 못했을 이유 없는 호의라는 선물. 다시 볼 수 있을지 모르겠지만, 부디 행복하게 자라나길.

칼리스인에게 저주일 게 분명한 축복을 내릴 수는 없더라도 난 마음속으로 그의 미래를 위해서 기도했다. 그리고 끌어안은 손에 힘을 가하며 내가 주려고 노력했던 온기가 마지막 순간까지도 아델의 가슴에 꼭꼭 스며들길 빌었다.

"뭐 하는 짓이야."

마음이 전해졌기 때문일까? 그렇게 말하면서도, 아델은 나를 밀어내지 않았다. 이별을 앞두고 조금은 관대해진 걸지도 모른다. 그도 이 지긋지긋한 성국을 벗어나게 되어 기쁘긴 할 테지.

하지만 난 그걸 아델이 어떤 의미로든 마음을 열었다는 청신호로 받아들이기로 했다. 아이참, 난 정말로 긍정적이라니까.

난 그의 이마에 가만히 입을 맞추었다. 그리고 곧바로 미약하게 당황한 기색을 비치는, 가엾고 사랑스러운 이 아이를 놓아주며 마지막으로 이름을 불렀다.

"아델."

"어."

"아델."

"왜?"

"넌 칼리스의 귀족이겠지?"

내 물음에 아델은 눈썹을 치켜들었다. 길게 뻗은 금빛 속눈썹 사이로 구슬 같은 푸른 눈동자가 잔잔한 빛을 머금은 채 나를 바라보았다. 시내 속에서 발견한 윤이 도는 자그마한 수정처럼.

발견당한 건 나일까, 그일까?

이 성국에서 나는 아델을 아델은 나를 만났고 나는 이 열 살짜리들의 우연하고도 작은 만남이 어떤 흔적으로든 영원히 서로에게 남게 되리라는 걸 알았다.

그는 성국 밖에서 내게 날아든 작은 새였다. 그게 특별한 기억이지 않을 수는 없으리라.

"내 부탁을 들어주겠어?"

"말해 봐."

반문하지 않고, 냉큼 답부터 하는 것 역시 달라진 점이겠지. 그도 이별을 아쉬워하는 듯하여 난 활짝 웃는 얼굴로 읊조렸다.

"내가 부탁하고 싶은 건 단 하나야."

"……."

"이 선량한 사람들이 가득한 아름답고 풍요로운 나라에 해가 되는 일을 하지 말아 줘. 다른 사람들은 몰라도, 너만큼은."

풀어 주는 데에 대한 당위가 아니라, 네 선택으로. 너 스스로 그렇게 하기를.

이를테면, 난 그에게 일종의 선업을 부탁하는 것이다. 그가 지켜 주길 바라면서.

일전에 의료원에서 사제가 내게 말하지 않나. 사람은 받은 것을 담아 두고 보답하려고 한다고.

아델은 가라앉은 눈을 들며 비아냥거렸다.

"……넌 그걸 소원으로 말할 수 있었어. 그 시시껄렁한 놀이 대신에."

하지만 내기에서 이긴 대가로 그런 걸 요구하는 건 좀 아니잖아? 그런 장난질에 걸 만큼 가벼운 이야기가 아니었다고. 난 그렇게 말하는 대신,

"그렇담 넌 그걸 들어주지 않았을 거잖아?"

라며 활짝 웃었다.

"마치 이런 식으로라면……. 내가 네 말을 들어줄 것처럼 이야기하는구나."

"나는 부탁을 하는 거야. 선택은 네가 하는 거고."

새침하게 말한 난 아델에게서 달아나듯이 훌쩍 물러섰다. 말은 이렇게 했지만, 사람은 제가 받은 기대를 종종 외면하지 못한다. 난 아델에게 기대를 품고 있고, 그걸 드러내고 있었다.

다음 순간, 내가 깨달은 건 정말로 난 축복받은 성녀일지도 모른다는 것이었다.

"네가 말한 것, 들어주지."

아델이 그리 말했을 때, 너무도 의외라 난 눈을 휘둥그레 떴다. 기대는 하고 있었더라도, 정말로 미약한 기대였다. 그가 내게 응해 줄지 아닐지는 반반으로 예상했다.

아델은 무표정한 얼굴로 덧붙였다.

"평생 이 성국을, 그리고 너를 해치지 않겠어."

그리고 해사한 얼굴로 나를 향해 자신만만하게 웃어 보였다.

"그게 네가 날 풀어 주는 대가야. 당연히 난, 그만한 가치가 있는 몸이니."

거만하디거만한 말이었다. 하지만 난 그가 처음으로 내보인 가능성에 기뻐서, 핀잔을 던지는 대신 방긋거리며 아델을 쳐다보았다.

옳은 일을 하는 아이는 지지해 주어야 하는 법이다. 비록 그가 그의 말을 지킬지는, 아직은 알 수 없는 일이겠지만.

그때 게이트가 눈에 띄게 일렁거렸고, 난 내가 작별 인사에 너무 오랜 시간을 끌었다는 걸 깨달았다.

불안정해지는 게이트에 급히 신력을 불어넣으며 난 아델을 향해 웃는 얼굴로 속삭였다.

"이제 가야 할 시간이야."

아델은 날 빤히 바라보다가 곧 발을 움직이기 시작했다. 왜 이렇게 긴장되는 걸까. 그가 성큼성큼 걸음을 옮겨 게이트 안으로 몸을 집어넣기까지, 세상이 정지한 것처럼 그 시간이 한없이 길게 느껴졌다.

유속이 느린 흐름 속에서 아델은 게이트에 들어서기 전, 마지막으로 나를 돌아봤다. 유독 빛나는 눈동자가 나를 담았다. 마지막으로 그의 눈동자에 비친 난 말로 표현할 수 없는, 복잡한 표정을 짓고 있었다. 아쉬움과 안도와 그 모든 감정의 반짝이는 편린.

뭔가 말을 남길 듯이 아델이 입술을 달싹였다. 그러나 그는 어떤 소리도 남기지 않았다. 그와 나는 찰나처럼 서로를 시선 속에, 그리고 기억 속에 담았다.

이상하게 가슴이 아리다. 아델이 드디어 마지막 걸음을 떼었다. 이내 그가 사라졌다. 내 눈앞에서— 그리고 어쩌면 내 삶에서 영영.

나는 허전한 기분에 사로잡힌 채 게이트를 닫았다. 불어넣은 신력을 회수하자 빛을 잃을 잃은 게이트는 석상처럼 단단한 본래의 모습으로 돌아왔다.

완벽한 단절. 아델을 떠나보낸 것이다.

이쪽을 쳐다보는 카마엘의 시선을 의식한 나는 어깨를 펴며 의기양양하게 말했다.

"거봐, 내가 말했지! 칼리스인이라도 변화시킬 수 있다고!"

"그가 자신이 말한 바를 지킨다면 말입니다."

얄밉게 토를 단 카마엘은 내가 입술을 내밀자 급히 덧붙였다.

"물론, 그렇게 될 거라 믿습니다."

성국 제일의 성기사조차 내 비위를 맞추게 되어 버리다니. 나는 실은 성녀가 아니라 폭군인 걸까?

묘한 회의감에 사로잡힌 채 카마엘에게로 다가갔다. 내가 그의 앞에 서자 카마엘이 손을 뻗어 날 안아 들었다.

공주님 안기다 만세! 이게 바로 열 살 아이가 누릴 수 있는 특권이지. 다 커서 이러는 게 눈총을 살 때까지 난 내 특권을 누릴 생각이었다.

난 진지하게 손가락을 치켜세우며 말했다.

"자, 그러면 이제 칼리스와 협상하러 가 볼까?"

우리는 곧바로 신전으로 이동했다.

*

카마엘을 데리고 다시 나타난 내게 어딜 다녀왔냐고 묻는 이는 없었다. 상황이 꽤 급박했던 탓이다.

집행신관장 아레스가 엄숙한 얼굴로 말했다.

"칼리스에서 곧 사절을 보내올 겁니다. 그를 따라 성국 밖의 협상 장소로 이동하면 됩니다."

방심할 상대가 아니었기에, 내게도 조금 긴장감이 일었다. 카마엘은 곧 완벽하게 무장을 갖추고 나타났다.

전신에 은빛 갑옷을 두르고 검을 찬 카마엘은 정말로 달의 기사다웠다. 넋을 빼고 그를 바라보는 내 귀에는 거의 아무런 말도 들어오지 않았다.

세상에, 이런 카마엘이 날 지켜 준단 말이야? 정말 멋진 기사님이잖아!

난 내가 행운아라는 걸 새삼스레 실감하고 있었다. 이런 은빛 사신이라면 혼란한 전장에서도 시선을 빼앗길 만하다.

아리안느가 날 못 미더운 듯이 쳐다보았다.

"정말로 함께 가실 건가요? 성녀님."

"응, 당연하지."

난 태연자약하게 대꾸했다. 나도 아리안느가 못 미더운 건 마찬가지란 말이야!

갑자기 화가 치민 그녀가 칼리스인을 공격해서 협상 테이블을 뒤집어엎을까 봐 좀 걱정이 된다. 내가 말릴 수 있을까?

워낙 다혈질인 아리안느라 이번 협상에 참여하는 걸 다들 만류했지만, 결국 그녀의 고집을 아무도 이기지 못했다.

그런 면에서 성국은 개개인의 의견을 참 잘 존중해 준단 말이지. 그러니 성녀인 내가 직접 나서겠다고 한 것도 결국 존중해 주었던 것이다.

그건 일종의 믿음이었다. 같은 성국인으로서 하나의 울타리를 형성하고 있는 이가, 결코 성국에 해되는 선택을 할 리 없다는 믿음.

모두가 월신의 그늘에서 한 가족이었으니까.

*

약속한 시각이 되어, 사절이 도착할 무렵 우리는 뜻밖의 소식을 듣게 되었다. 사절이 나타나긴 나타났으나, 혼자가 아니었던 것이다.

앞장선 사절의 뒤를 따라 일렬로 걸어오는 사람들이 시야에 잡히자, 잠시 소란이 일었다.

'병력을 끌고 오는 것 아닙니까!'

외곽 경비병들이 육안으로 그들의 정체를 확인하자마자 바로 보고를 올리자 의심은 불식되었다.

정말, 예상외의 상황이었다.

"칼리스가 인질들을 데리고 왔다고? 어째서?"

믿기지 않는다는 투로 아리안느가 중얼거렸다. 그녀뿐만 아니라 모두에게 불신이 배어 있었다. 대사제 한 명이 물었다.

"그들에게 이상은 없나?"

"누구에게도 이상 징후가 보이지 않습니다. 오래 붙잡혀 있지 않았던 터라 건강에도 지장은 없습니다."

"그것참 다행이로군."

집행신관장이 턱을 쓰다듬으며 중얼거렸다.

"알 수 없는 일이야. 그들이 아무 대가도 요구하지 않고 인질을 풀어 주다니. 이런 경우는 이제껏 단 한 번도 없었는데…….

목격된 바 없는 행동 양상이로군. 무슨 꿍꿍이지?"

"모두가 살아 돌아온 건 기쁩니다만, 돌아온 이들의 면면을 살펴야겠습니다. 어떤 수작도 부리지 않았을 거라고는 생각 못 하겠군요."

"그래, 철저히 조사해야겠지."

모두가 진중하게 대화를 나누는 와중에 내가 슬쩍 물었다.

"그 사절은?"

"잠시 붙잡아 놓았습니다. 아마 곧 돌려보내야지 않겠습니까."

"그럼, 내가 잠시 그를 만나 볼게."

"예? 성녀님!"

말리는 말들이 뒤를 이었으나, 결국 난 내 의견을 관철하는 데 성공했다.

사절은 혼자다. 여기는 성국이었고, 그 어떤 칼리스인이라고 해도 공기조차 내 의지를 따르는 성국에서 내게 해를 끼치진 못한다. 모두가 그걸 알고 있었다.

*

"성녀님이시로군요."

사절은 젊은 청년이었다. 부드러우면서도 지적인 인상. 어딘지 속 모를 구석이 있다. 그를 살피며 난 내게 내재한 편견을 깨달았다.

칼리스인처럼 안 생겼어! 칼리스인이라고 하면 어쩐지 비열하거나 흉포한 이미지가 있는데, 눈앞의 이 사절은 꽤 미남이었다.

아델도 그렇고 칼리스에는 미남이 많은 걸까? 열 살짜리 소녀가 품을 만한 의문이었지만, 성녀다운 인상을 주기 위해 난 의문을 삼켰다.

날 묘한 눈으로 관찰하는 그를 향해서 난 손짓했다. 이리 좀 와 봐. 그가 눈치 빠르게 가까이 와서 허리를 굽히자 난 까치발을 들고 소곤거렸다.

"있잖아, 혹시 칼리스 쪽으로 한 아이가 돌아가지 않았어?"

"……그랬지요."

"무사히 돌아갔어?"

성녀가 그냥 깨발랄한 어린 소녀에 불과하다는 사소한 정보만 얻어갔다고 해서 기껏 돌아온 아델을 박대하진 않았겠지.

아델이 얻어 갔을 만한 정보는 많지 않고, 칼리스에 도움이 된다고 보기도 어렵다.

"지금쯤 쉬고 계실 겁니다."

그리 말하며 젊은 청년이 입꼬리를 끌어올렸다. 그 깍듯한 공대에서 난 아델이 그보다 훨씬 높은 신분의 소년이라는 걸 깨달았다.

목숨을 걸고 여기 올 정도면 높은 신분은 아닐 테지만, 사절보다 높다면 아델이 거들먹거릴 만하구나.

난 아델에 대해서 이것저것 더 캐묻고 싶었다. 하지만 상황이 여의치 않았다. 이쪽을 지켜보는 시선들이 날 당장에라도 그에게서 떼어 놓고 싶은 눈치다.

듣고 싶은 이야기는 들었으니, 뭐. 난 아쉬움을 누르며 도도한 표정으로 말했다.

"그럼 됐어. 너도 돌아가 봐."

"……아무런 희생 없이, 무사히 사태를 종결하게 되어 기쁩니다."

이상스러운 뉘앙스로, 청년은 그리 말하며 나를 향해 꾸벅 고개를 숙였다. 타고 온 말에 다시 올라탄 채 흙먼지를 날리며 성국을 벗어나는 그의 뒷모습을 보면서 난 이상한 예감에 사로잡혔다.

아까 영영 끝일지도 모르겠다고 생각했던 것과 정확히 상반되는 예감이었다.

어쩌면 이걸로 끝이 아니라 나는 언젠가 또다시 아델과…….

그 예감이 실현되었던 건, 몇 년이 흐른 후였다.

외전

소유욕

　털썩. 발이 바닥에 닿음과 동시에 등 뒤로 빛이 흐릿하게 번졌다. 몸 주위의 성력이 소년의 몸에서 흘러나온 마력에 반응해 허공에서 흩어진다. 어둠이 빛을 물리치듯이.

　따각 따각. 곧 말을 달려 그의 앞에 다가선 남자가 있었다.

　"전하."

　예를 갖추어 허리를 숙인 남자가 어린 소년에게 몸을 굽혀 모포를 둘러 주었다. 불경하게도 전신을 훑어본 그가 흥미로운 듯 묻는다.

　"무사히 빠져나오셨군요?"

　어떻게 내가 여기 있는지 알았느냐고 새삼 묻지 않았다. 뭐든 쉽게 알아차리는 자니까.

　하고 싶은 말이 튀어 올라 혀끝에 걸렸다. 소년은 거치적거리는 것을 내뱉듯 말했다.

"저걸 가져야겠다."

그의 손끝이 하얗게 빛나는 성벽을 정확히 지목한다. 말한 순간 숨이 막혔다. 턱 끝까지 차오르는 욕망이 버거웠다.

무언가를 이토록 원해 본 적이 없었다. 절박하다고 표현하기엔 사납다. 이글거리는 불꽃 같은 것이 가슴 한가운데 박힌 보석처럼 뜨겁게 타오른다.

소년은 그것을 누가 언제 박아 넣었는지 알았다. 성녀가 자신을 풀어 주겠노라고 말한 이별의 순간에.

아니, 모호해진다. 그 전인가. 서서히 깊게 스며들어 작은 알갱이가 진주를 이루듯 그리되었던가.

"무엇을 말씀하시는 겁니까."

느긋하게 되묻는 남자의 눈빛이 묘하게 빛난다.

"알잖아."

"저는 많은 것을 압니다. 하지만 많은 것을 모르기도 합니다."

"성녀."

에스델 세라피아. 성녀의 이름 정도는 안다.

"흐음."

노골적으로 소리를 낸 남자가 고개를 갸웃거렸다. 소년은 단호하게 내뱉었다.

"가지고 싶어졌다. 곁에 둬야겠어."

손가락이 꿈틀거리며 힘껏 주먹 쥐어진다. 이토록 강렬한데 당장 가질 수 없다니. 불길이 이는 것처럼 뱃속이 타들어 간다.

그토록 뜨거운 불길은 처음이다.

평생 무언가를 가지기 위해 살았다. 그러나 그 위함에 마음이 깃들었던 적은 없다.

새끼 사자가 맹수로 자라나려면 우선, 살아남아야 하는 법. 가져야 살아남고, 살아남아야 가진다. 그것은 필요이지 갈망은 아니다.

최초로 품은 갈망은 너무도 거셌다. 삭풍처럼 몰아쳐서 그의 단단한 안을 갈가리 찢어 놓을 것 같은 위협감을 불렀다. 하지만 결론은 간단하다. 가져야겠다.

남자가 미소를 지은 채 그를 쳐다봤다.

"위험한 걸 원하시는군요. 당신은 칼리스의 왕자입니다. 달빛은 당신을 태우진 않지만, 심장에 깊숙이 파고드는 비수가 될 수 있지요."

소년은 코웃음 쳤다.

"비수가 되기엔 나약하고 물러. 손에 칼을 쥐어 줘도 날 찌르지 못할 거야."

"비단으로도 목을 조를 수는 있는 법입니다."

"그래서, 포기하라는 소리야?"

사나운 눈길이 떨어지자, 남자는 유연하게 고개를 숙였다.

"그저, 어떤 것을 원하는지 아셔야 했기에."

"알고 있어."

얼마나 고되고 혹독한 길이 될지 어떻게 모를 수 있겠나. 왕자인 그에게 예비된 것조차 가지기 위해서는 수도 없이 목숨을 걸어야 했는데.

그에겐 적이 많다. 혈육도 예외는 아니다. 어미는 그를 버렸고, 아비는 그를 자식이란 단어로 두었을 뿐이다. 수많은 형제는 한자리를 놓고 다투는 적이다.

칼리스의 왕족으로 태어난 이상, 그는 목숨을 걸고 싸워야 하는 숙명을 짊어졌다. 오로지 단 한 명에게만 허락되는 자리, 칼리스의 왕위를 향하여.

'내가 너를 칼리스의 왕자로 낳았구나!'

목숨을 끊기 전 어미는 깊이 탄식을 토했다. 왕자란 단어가 마치 노예나 괴물 같은 끔찍한 운명을 암시하는 것처럼.

그것은 후회이고 죄책감이었다.

소년은 가느다란 밧줄을 움켜쥔 채 절벽을 기어 올라가는 삶을 살았다. 지나치게 원대한 바람은 그에게 짐이 될 터.

그러나 포기라는 단어는 약자의 것. 어렵기에 포기할 만큼 나약했다면 그는 여태 살아남지 못했으리라.

"내가 원하는 것이 나를 왕위에 이르게 할 테지."

"동력으로 삼으시겠다는 겁니까. 그걸로 끝난다면 다행일 테지요. 허나 왜 하필 성녀입니까."

흥미로운 듯이 물어 온다. '왜.' 소년은 그 단어를 곱씹었다.

장난스럽게 반짝이는 금빛 눈동자를 기억한다. 그를 바라보던 시선의 색까지도. 간질간질할 만치 따뜻한 것.

'아델!'

이제는 아무도 부르지 않는 애칭으로 그를 부르는 목소리가 달콤했다. 친구가 되어 줄 것처럼 굴었다.

너무도 뻔했다. 그러나 그 뻔함이 먹혔다는 사실을 소년은 끝내 인정해야만 했다.

'아무것도 바라지 않는 척 그런 걸 말하다니.'

소년은 눈살을 찡그렸다. '성국에 해가 되는 일을 하지 않는 것.' 추상적이고 거창하다. 또한 소년이 왕의 명에 따라야 하는 이상, 원한다고 해서 지킬 수 있다고도 할 수 없다.

계산된 술수라고 보기엔 아무리 성녀라 기적을 부른다고 해도 자신하지 못할 일이다. 성녀는 그의 마음을 움직이려 했다. 마냥 자신의 마음을 사려고 노력하는 게 뻔히 보였다. 그 때문에 소년은 내내 성녀에게 차갑게 대했다.

반쯤은 일부러 그런 것이기도 했지만, 누군가에게 다정해 본 적 없는 성격이기에 그편이 자연스러웠다.

'그러나 인정하자. 내가 편안했다는 것을.'

짜증과 분노와 무력감으로 얼룩진 시간이 반 이상이긴 했지만, 그는 성녀의 곁에서 편안함을 느꼈다. 때때로 즐겁기도 했다. 그것은 그가 칼리스의 왕자라는 것도, 눈앞에 있는 성녀가 그의 적이란 것도 잊게 만드는 기이한 감정이었다.

감정에 휘둘린 것도 우습지만, 결국 성녀의 뜻대로 되었다. 성녀는 그의 마음을 녹이고 움직였다. 이제껏 누구도 움직여 본 적 없는 마음을.

최초라는 이름으로 건들기엔 좋지 않은 상대였다. 성녀가 자신에게 손을 뻗은 건 실수였다. 일생일대의 실수.

아직은 모를 테지만……. 언젠가는 알게 되리라. 성녀는 그 때, 후회하지 않을 수 있을까?

소년은 웃었다. 그러나 그 맑은 웃음은 거짓말처럼 곧 차가운 미소로 변모했다. 진심 어린 웃음조차도 내보이는 걸 허락받지 못하고 살아온 그였으니.

"성국의 인질들은 어떻게 할까요?"

"풀어 줘."

"부왕께는……."

"목표는 달성했지 않나? 인질을 맞교환했다고 하면 돼."

단호한 말투였다. 그 말 그대로 소년은 이미 목표를 달성했다. 부왕은 때때로 그의 후계자들에게 어려운 과제를 던져 줬다. 그건 칼리스가 후계를 정하는 방식이었다. 성공한다면 당연히 보상이 있다.

그러나 이건 어려운 게 문제가 아니라 극도로 위험한 임무였다. 임무에 대해 알아본 소년은 부왕이 자신을 죽이려는 건 아닌지 의심했다.

하지만 저주로 미쳐 가는 부왕이라도 그의 외조부를 염두에 두긴 할 텐데?

애초에 부왕은 모든 자식에게 공정하다. 누구나 그에겐 의미 없는 자식이었으니 소년을 콕 집어 죽이려 한다는 건 사리에 맞지 않다. 왕은 실제로 그가 누군지조차도 잘 모를 것이다.

"검은 잘 처리했겠지?"

"예, 상행에 잠입한 자로부터 전달받아 본국으로 송환했습니다. 왕께 보고되었을 겁니다."

'마검이라니.'

칼리스에서는 예로부터 많은 마법 실험을 해 왔다. 왕가의 보물창고에 있는 마검 역시도 그 산물이었다.

월신의 저주를 풀어 보려다가 저주의 일부를 무기물에 심어 본 결과물이라고 들었다.

보물창고를 드나들던 귀족이 마검에 홀려 무기를 들고 달아났을 때, 부왕은 소년에게 마검을 회수하라고 명했다. '반드시.'

그 '반드시'라는 전제 속에 그자가 어떤 이유에선지 성국으로 도망쳤고, 소년이 성국으로 잠입하는 위험을 무릅써야 한다는 사실까지 고려된 건지는 알 수 없었다.

소년이 명을 받았을 때는 그자가 마검을 훔친 지 하루도 지나지 않은 시각이었다.

그가 성국으로 도망갔다는 사실을 알게 되고, 소년은 이 사실을 보고하여야 할까 고민했다. 자신의 입으로 두 손 들고 못 하겠다고 말하기 전에는 임무는 제 것이다.

하지만 시도해 볼 만도 했다. 칼리스는 성국을 상대로 많은 준비를 했다. 그 준비엔 성국의 결계를 소리 없이 넘나드는 방법까지 포함되어 있었다.

꼭 스스로 위험을 감수하고 시도할 의무는 없다. 목숨을 걸어야 하는 일, 이번의 실패는 다른 임무를 하달받는 걸로 처리하면 충분하다.

그러나 소년은 자신만만했고, 상행을 틈타 마력을 차단하는 상자에 몸을 숨긴 채 성국으로 잠입하는 데 성공했다. '그자'가 어디로 숨어들었는지 이미 정보가 있었다. 그러나 그곳에 도달했을 때, 사내는 자리에 이미 없었다. 회수한 마검은 빈껍데기였다.

소년이 회수하라 명받은 것은 마검, 그래서 그것을 우선 상행에 잠입한 이에게 보냈다. 거기서 몸을 뺐다면 좋았을 것을. 저주가 옮아간 사내를 쫓은 게 화근이었다.

'하마터면 죽을 뻔했지.'

성국 내에선 마법을 쓸 수 없다. 부러 몸속의 마력을 죽이는 약도 먹었다. 잠시 상태를 보려고 했던 것뿐인데 소년을 알아본 사내는 광증이 일었는지 그를 죽이려 했다.

'성녀가 나를 구해 주었다.'

정확히 괴물을 죽인 것은 성기사 카마엘이지만, 소년은 간단하게 받아들이기 쉬운 쪽으로 공을 돌리기로 했다.

'다음에도 이토록 평화로운 상황에서 만날 수 있을지.'

그거야말로 불가능한 바람. 아마도 그들의 만남은 격풍 속에서 이루어질 것이다.

"가자."

아델이라 불린 소년은 마지막으로 달빛처럼 희게 물든 성벽을 쳐다보고 등을 돌렸다.

저곳은 그의 기억 속에서 유난히 반짝이는 부분으로 남으리라. 성국이 그에게 그렇게 남는다는 것은 우스운 일이지만.

그는 이 싸움에서 자신이 승리할 것을 알았다. 예지가 아니다. 그는 승리해 왔고, 앞으로도 승리할 것이다. 그것 외에 예견할 수 있는 결과는 없다.

그의 등 뒤로 펼쳐진 것은 암흑.

칼리스의 왕자, 아드라하트 블라스페미아 칼리스는 언제든 낭떠러지로 굴러떨어질 수 있었다.

하지만 그는 단 한 번도 삐끗하지 않고 빛을 향해 나아갔다. 그 빛 속엔 그가 가지게 될 수많은 것들이 있었다. 거기에 성녀가 있다 해도 문제는 없을 터.

'그건 그럴 만한 가치가 있지.'

훗날 성녀를 손에 넣었을 때, 자신이 어떤 기분을 느낄지 진실로 궁금했다.

그때에는 완벽하게 반대의 상황에서 마주하게 될 것이다. 소년은 해사한 얼굴 가득 미소를 떠올렸다.

"에스델 세라피아."

그가 아는 성녀의 이름을 읊조리면서.

2부

열세 살의 성녀님

세상 밖으로의 여행

다사다난, 야파 왕국으로!

며칠 전 생일을 맞이한 난 한숨을 푹 내쉬었다. 내가 벌써 열세 살이라니!

벌써 늙어 가네 어쩌네 할 생각은 없었지만, 점점 어리광을 부릴 나이에서 멀어져가는 것 같아서 무척 아쉬웠다. 내 인생의 황금기가 끝을 맞이하고 있는 느낌이다.

이제는 좀 철이 들어가는 것처럼 보여야 할 텐데, 난 철 같은 거 들기 싫었으니까!

철이 든다는 건 결국 품위 있고 고상한 성녀님이 된다는 걸 의미했고, 그게 가능하냐를 떠나서 그렇게 되면 내 삶은 무척 재미없어질 것이다. 스트레스도 많이 받겠지!

일단 지금처럼 몰래 밤늦게 돌아다니거나 카마엘의 집에 놀러 가는 짓은 하지 못하게 될 거다.

이대로 세월이 가지 않았으면 좋을 텐데. 피터팬 증후군에 걸린 양 우울해하며 나이 먹기 싫다고 투덜거리는 내게 에이레네가 웃으며 말했다.

"어머, 성녀님. 성녀님은 아직 어리신걸요."

"그러면 아직은 이대로 지내도 되겠지?"

달리 노력할 필요는 없겠지? 의도를 품고 한 말이었다.

아차, 하는 기색이 스쳤지만 에이레네는 어색하게 고개를 끄덕였다.

"너무 금방 변하려고 하면 힘드실 거예요."

"월신님께 나 몸을 이대로 고정해 달라고 할까?"

진심을 담은 질문에 에이레네의 표정이 굳어졌다. 그녀는 황급히 이유를 붙였다.

"어머, 그건 안 돼요. 앞으로 무척 아름답게 성장하실 텐데, 그렇게 되면 제가 아쉬운걸요."

하긴 몇 년 새 부쩍 자란 난 키도 컸고 제법 여자아이다워졌다. 이전의 내가 인형처럼 예쁘긴 하되 그저 동글동글 어렸다면, 이제는 좀 소녀다운 태가 나기 시작했다.

내가 만약 학교를 다녔다면, 인기인이 되었을 거다. 후후.

스스로의 성장을 보며 자신을 키우는 뿌듯함을 느낀다는 건 이상한가. 하지만 이대로면 마의 16세를 무사히 넘길 수도 있을 것 같다. 만세!

절세미녀로 살아 본 적 없지만, 상상만 해도 그 기분이 나쁠 것 같지는 않다.

그러고 보니 과거에 내가 자라나면서 눈부시게 아름다워질 거라고, 누군가에게 말한 적이 있었지. 정말 눈이 휘둥그레질 만한 미인이 되어가는 것 같아.

"그보다 말씀드릴 게 있어요."

에이레네가 조심스레 말을 꺼내자 난 생글생글 웃는 얼굴로 답했다.

"말해 봐."

그리고 이어서 에이레네가 들려준 이야기는 정말로, 흥미로웠다.

"나 갈래!"

"저어, 성녀님. 분명히 말씀드리지만, 위험할 수 있어요. 곧 회의에 오를 이야기라 미리 생각할 시간을 드리려고 말씀드리는 거지만—"

"내가 간다면 카마엘도 같이 가게 되는 거지?"

"네, 그렇지요."

에이레네가 고개를 끄덕이자 난 손가락을 딱 치켜들었다.

"카마엘만 같이 간다면, 무슨 걱정이겠어? 성국 제일의 기사와 함께인데 말이야. 누구도 나를 해치지 못할 텐데."

"하지만 귀하신 몸, 어떤 위험도 감수하게 할 수 없다는 의견이 많은걸요. 저도 그렇게 생각하고요. 대사제 중 한 명이 사절로 가는 것과는 다른 이야기예요."

"이제 나도 성력을 잘 다룰 수 있잖아."

이제는 어떤 대사제와 견주어도, 꿀리지 않을 자신이 있다.

내 그릇이 아직 완성되지 않아서 자유자재로 다루지 못했을 뿐, 성력은 애초에 내가 호흡하듯 날 때부터 몸에 두르고 있는 힘이었으니까.

"그래도, 저는 걱정이 되어요. 성녀님은 아직 어리시고요."

부모 같은 얼굴이었다. 에이레네는 날 자기 딸처럼, 그것도 외동딸처럼 애지중지 돌보아왔다. 그녀의 마음 씀씀이는 항상 가슴을 따뜻하게 했다.

나는 괜한 걱정 말라고 핀잔 주는 대신, 생긋 웃으며 달래었다.

"걱정해줘서 고마워. 하지만 난 성녀잖아. 내가 할 수 있는 일은 하고 싶어. 성국에서 보호만 받고 사는 게 내 역할은 아니잖아?"

실은 순전히 여행을 나가고 싶어서 하는 말이라 가슴이 좀 따끔해졌다.

하지만 대사제들이 고심할 정도면 내가 직접 나설 이유가 있는 중요한 문제라는 건 안다.

내가 성녀로서 무언가를 할 수 있다면, 해야 한다는 것도.

그러니까 에이레네가 들려준 이야기는 이런 것이었다.

성국 옆에 자리한 야파 왕국은 오랜 중립국으로, 성국과 칼리스와의 관계에 있어서 예로부터 어느 편도 들지 않았다.

그들은 어찌 보면 얍삽하리만치 철저하게 중립을 지켜오며 몇 번의 전쟁 속에서도 전화를 피할 수 있었다.

상업으로 번영하여 부유한 왕국. 왕부터가 좀 장삿속에 밝다고 들었다. 나도 국제 정세에 대해서 좀 배웠거든.

그런데 그런 야파 왕국도 요새는 좀 위기감을 느끼는 모양이었다.

근 몇 년간, 조짐이 심상치 않았다고 한다. 성국에 노골적으로 적대적인 행각을 보이진 않았지만, 칼리스는 꾸준히 군사를 키우고 물자를 사들였다.

칼리스는 이따금 국경선을 넘나들며 타국을 정탐하거나 인근에 군세를 밀집시켜 무력시위를 벌이곤 했다. 그 타국에는 중립을 표방하는 야파 왕국도 포함되어 있었다.

칼리스는 군사력을 팽창하여 정복의 야욕을 드러내고 있었고, 인근 국가들은 곧 촉발될 것 같은 전쟁에 불안감을 느꼈다. 거기에 야파도 예외는 아니었던 것이다.

야파 왕국은, 칼리스의 침략에 대처하기 위해 인근 국가들과 의논해 볼 필요성을 느꼈다. 그리하여 각국 지도층을 불러모아 회담을 열기로 했다. 그중 하나가 성국이었고, 그러니까 나였다.

야파는 작은 왕국이었고 성국과도 인접해 있었다.

내가 직접 가더라도 큰 위험 부담은 없을 것이라 생각한 대사제들은 고민에 빠졌다.

만약 조금 떨어진 다른 국가로 가는 것이었다면 아예 고려하지도 않고 거절했을 것이다.

애초에 중립국이란 건 어디도 편들지 않는다는 뜻. 이제껏 철저히 중립을 유지해 온 야파가 칼리스와 공모할 가능성은 적다.

하지만 성녀인 내가 성국의 보호 밖으로 나간다는 건, 그 자체가 위험을 내포하고 있었다. 내 입으로 이런 말 하기 그렇지만 성녀라는 건 단순히 상징성을 띤 존재가 아니거든. 나는 월신이 지상에 내린 기적이며 살아 있는 보물이었다. 성국으로선 내게 미칠 작은 위험도 간과할 수 없단 거다. 물론 그렇다고 해서 내가 평생 성국에서 숨죽이고 살아야 한다는 뜻은 아니겠지.

"하긴 타국의 문물을 접하는 것도 성녀님께 도움이 되겠지요. 타국의 지도층과 만날, 드문 기회도 될 거예요."

에이레네가 고민 끝에 고개를 끄덕였다. 그리고 대사제들에게 잘 말해 보겠다고 했다.

항상 내 의견을 존중해 주는 그녀이기에 고마울 따름이었다.

평생을 성국 사람만 보고 살아온 나는 내가 태어난 이곳 세계 사람들이 궁금했다. 이번이 그걸 알 좋은 기회였다. 정말로 큰 위험을 감수해야 한다면 가겠다고 하지도 않았겠지만, 뭐 그랬다면 회의에 부칠 것도 없이 다들 반대부터 했겠지.

선택권을 준다는 건 그만큼 여유가 있어서 아닌가? 난 그렇게 생각해. 뭐, 안 되면 말고. 맘 편히 생각하면서도 기대감에 사로잡힌 난 제법 초조해졌다. 회의에서 안 된다고 하면 명령을 내리긴 그렇고, 울고불고 난리를 쳐 볼까? 어디…….

그러나 내가 골몰할 필요도 없었다. 그로부터 반나절 후에 에이레네가 우려 반 기쁨 반이 섞인 얼굴로 나의 야파 왕국 행이 결정되었다고 말해 왔다. 난 환한 미소로 그녀에게 화답해 주었다.

＊

"성녀님, 부디 일행과 멀리 떨어지지 마세요. 절대로 혼자 돌아다니시면 안 돼요. 카마엘 님과 꼭 함께하셔야 해요!"

떠나는 날, 에이레네는 나를 붙들고 종일 당부하고 또 당부했다.

나도 그 정도는 안다. 하지만 이제까지 성국에서의 행각에 비춰 볼 때 에이레네는 내가 몹시 못 미더운 모양이었다.

거기에 대해선 지은 죄가 있어서 뭐라 말하기 어려웠기에, 난 잠자코 고개를 주억거렸다. 잔뜩 신나 있던 차라, 그녀의 충고를 한 귀로 흘려 넘기면서.

함께 갈 수 있었다면 에이레네의 걱정도 덜했을 것이나, 그녀는 성국 내에서 하는 일이 많았다. 대체하기 어려운 소중한 인력이라고!

게다가 외부에 파견되기엔 전투적으로 신성력을 운용하는 데 별로 경험이 없는 그녀였다. 그런 분야에선 다른 대사제들과 비교했을 때 높은 수준도 아니다.

대사제 중에서 군이 뽑는다면, 호위 면에서 함께하기에 적당한 이가 아니란 소리. 하지만 나도 에이레네랑 가고 싶었다고! 아리안느가 아니라.

그래, 나와 함께 여행가기로 결정된 대사제 중 한 명은 아리안느였다. 그걸 처음 들었을 때 왠지 좀 불길했다.

에이레네야 전투적인 능력은 좀 떨어진다지만, 얌전하기라도 하잖아. 아리안느가 함께 가면 나보다 더 문제를 일으키지 않을까?

외모만큼은 정열적인 미녀, 아리안느는 소싯적에 그녀에게 집적거리는 사내들을 여럿 때려눕혔다고 들었다.

성국 내에서야 워낙 그녀의 악명이 자자하여 그런 일이 없다곤 하지만, 어쨌든 사절로 가기엔 영 아닌 것 같은데. 협상이나 거래를 잘할 것 같지도 않고.

이렇게 말한다고 해서 내가 아리안느를 싫어하는 건 아니다. 지도자란 자고로 사람을 공정하게 평가할 줄 알아야 하는 법이지, 암암.

물론 그런 점을 십분 고려하여 그녀나 나를 통제할 만한, 융통성 있고 말솜씨 좋으며 현명하다고 인정받는 대사제 이카루스도 함께할 예정이었다.

그는 항상 잔잔한 미소를 머금고 있는 부드러운 인상의 소유자였다. 그의 앞에선 아리안느도 함부로 행동할 수 없다고 한다. 자주 본 적은 없지만, 나는 이카루스도 꽤 좋아하는 편이었다. 그는 내가 전생에 갖지 못했던 다정하면서도 엄한 오빠 상이었던 것이다.

인간의 몸에서 태어난 게 아니라 친형제는 없었지만, 대사제들 한 명 한 명이 내게 가족이 되어 주었기에 부족함을 느끼지 못했다.

새삼 내가 누리는 행복을 실감하게 된다. 여행을 잘 다녀오면 더 행복할 거 같아!

"무사히 다녀올게. 에이레네도 잘 있어!"

나는 에이레네에게 작별을 고했다. 짐을 싸면서 한숨을 내쉬던 에이레네는 부디 건강히 다녀오시라고 말했다. 아이를 처음으로 여행 보내는 부모처럼 걱정스러운 얼굴로.

난 그녀에게 활짝 웃는 얼굴로 화답해 주었다. 홀가분하게 떠날 채비를 마친 터였다.

채비라고 해 봐야 별거 없다. 짐은 에이레네가 다 쌌고, 열세 살 여자아이가 화장품이 따로 필요할 리도 없다. 새로 지어서 챙긴 옷도 부피가 작으니까.

마차에 짐을 싣는 사이 나는 쪼르르 성기사단이 대기하고 있는 쪽으로 달려갔다.

인접국을 방문하는데 거창한 행렬을 이끌고 간다면, 이목을 모아 더 위험해질 수 있다.

비밀리에 여행하기 위해서 정예 중의 정예만 뽑아서 호위병력을 구성했다고 들었다. 성기사 세 명을 포함한 십여 명 정도의 간소한 행렬이었다.

어차피 난 공간도약이 가능하니까 위험하면 혼자 성국으로 내빼면 된다. 그럴 생각은 없지만 말이다. 사실 사절단 중에서 가장 강한 건 나라고!

카마엘보다도? 하고 질문한다면 음, 그건 뭐라고 답해야 할지 모르겠다. 그가 쓰는 건 검이고 내가 쓰는 건 신성 마법인걸! 카마엘의 강함을 나랑 비교하긴 힘들단 말이지.

어쨌든 내가 카마엘보다 강하긴 할 건데, 그건 단순히 힘의 문제가 아니다. 내가 그가 섬겨야 할 성녀이며 상관이기 때문이지.

"카마엘 자장가 부를 수 있어?"

난 얼른 다가가 카마엘에게 붙었다. 카마엘은 작게 묵례하며 나를 똑바로 응시했다.

항상 거리낌 없이 날 쳐다보는 그 눈길에 꿰뚫리는 듯하다. 카마엘은 성기사들과 함께 있을 때도 언제나 혼자였다.

성녀인 나는 월신님의 위압감을 항상 대면하고 살기에 잘 느끼지 못하는 것 같지만, 카마엘은 그리 친근한 타입은 아니었다. 인기가 많다곤 해도 막상 그를 마주 대하면 어쩐지 어려움을 느끼는 이들이 많은 것 같았다.

내가 보기엔 예쁘고 든든한 기사님이기만 한데! 나야 마구 친해지고 싶다고 느끼지만, 다른 이들은 그렇지 않나 보다.

그런 카마엘을 유혹하려고 한 이들은 얼마나 담대한 걸까? 열 살 이후로 나는 카마엘과 꽤 돈독한 관계를 유지하고 있었다. 카마엘이 내가 성장한 후에 원한다면 나와 결혼하겠다고 한 말을 조금 흑심 있게 염두에 두면서.

정말로 그럴 생각은 없……는 건 아니다. 솔직히 그랬다. 카마엘은 아름다웠고, 그가 때때로 날 선명한 보랏빛 눈동자로 직시할 때면 가슴이 설 다. 그건 자연스러운 게 아닐까?

나한테 카마엘을 사랑하느냐고 묻는다면, 나는 그를 좋아한다. 정말로. 근데 그게 사랑이냐고 할 만한 감정이냐면, 아닌 것 같다.

몸이 아직 덜되어서 그런가. 그렇게 깊이 있는 감정이라고 보긴 부족했다. 아무래도 열세 살은 진실한 사랑을 느끼기엔 어린 나이인가 봐.

실제로 내가 몇 살이든 육체의 영향을 무시하긴 어려운 거겠지!

물론, 열 살 이후로 그와 가까이하고 있다고 해서 카마엘이 내게 유달리 친절하게 군다거나 하는 것도 아니었다. 그는 언제나 무뚝뚝하고 조용해서, 날 성의껏 응대하긴 하지만 그뿐이었다.

카마엘이 날 귀찮아하는 건 아닐까 했는데, 그에겐 귀찮음을 느낄 만한 감성도 존재하지 않는 것 같다.

난 악독한 상관답게 그 점을 참 잘 이용하고 있었다. 즉, 카마엘을 마음껏 괴롭히며 어리광을 피웠다.

"가능합니다."

카마엘은 분명하게 답했다. 그에게 익숙해진 나는 카마엘의 대답이 품은 뜻을 정확하게 감지하곤 했다. 자장가를 부를 수는 있다는 말인가.

"에이레네가 매일 내게 자장가를 불러 주곤 했는데, 그녀와 함께 가지 못해서 걱정이야. 자장가를 못 들으면 잠을 못 잘 것 같아. 카마엘이 대신 불러 주겠어?"

물론 이건 뻥이다. 내가 진짜 어린애도 아니고, 설마 그런 것 때문에 잠을 못 이룰까.

"……명하신다면."

카마엘은 이번에도 딱 잘라 대답했다. 하지만 난 그의 대답이 약간 늦게 나왔다는 걸 눈치채었다. 이건 별로 내키지 않는다는 소리겠지?

난 생긋 웃으며 그의 목에 매달렸다.

"그럼 카마엘만 믿겠어. 함께 가게 돼서 기뻐."

이건 진심.

"나가선 혼자 돌아다니시면 안 됩니다."

카마엘은 뭐라고 답할까 고심하는 듯하더니 사무적인 대답을 꺼내 놓았다.

실제로 그는 성국 밖으로 여행하는 것에 대해 별다른 감상을 느끼지 못하는 것 같다.

"응, 응."

난 방글거리며 고개를 끄덕였다. 사고 칠 생각은 없다. 정말로. 칼리스가 손길을 뻗쳐 올까 봐 조금 걱정이 되긴 했지만, 평화로운 여행길이 되길 빌고 있다. 아무도 다치지 않고, 다른 나라와 순탄히 교류를 마치고 돌아오게 되길.

바람을 가득 안고 나는 가만히 미소 지었다.

*

그로부터 얼마 지나지 않아, 나는 마차에 앉아 잔뜩 들뜬 채 수다를 떨고 있었다.

"와, 우리 마차 정말 좋은 거 같아. 있잖아. 난 여행길에 타는 마차라고 하면 엄청 덜커덩거려서 엉덩이가 아프고 막 속이 울렁거리는 그런 걸 생각했었어."

"우리 성국이 성녀님을 그런 부실한 마차에 태울 만큼 가난하지는 않아요."

아리안느가 피식 웃으며 대답하자, 이카루스가 지그시 그녀를 바라보았다. 공손하게 들어주라는 뜻이지?

어쨌든, 아리안느는 내가 성녀라고 해서 무조건 '네네'하는 성격은 아니었다.

그렇다고 내게 딱히 불손하게 구는 건 아니건만 나를 극진히 섬기는 다른 대사제들의 눈에는 영 차지 않은 모양이다.

"귀하신 성녀님을 그런 마차로 모실 수는 없지요."

이카루스가 부드럽게 웃으며 첨언했다.

"에이 그야 알지. 그래도 그게 여행의 묘미 아니겠어? 있지, 숲 같은 곳에서 멈춰 서서 천막 같은 데서 자면서 고기도 구워 먹고 그러면 좋을 텐데. 책에서 봤는데 한번 경험해 보고 싶어!"

야영 온 기분이 날 테지. 난 가정환경이 불우했던 탓에 전생에서도 그렇거니와 태어나서 한 번도 야영이란 걸 해 본 적 없었다. 희망에 들떠서 중얼거리자 이카루스가 후후 웃었다.

"아쉽게도 야파 왕국 방향으로는 가도가 잘 닦여 있고, 마을에 계속 들를 예정이라 그럴 일은 없을 겁니다. 하지만 혹시 불의의 사태가 일어날지 모르니 기대해 보셔도 될 것 같습니다."

"이카루스, 마치 무슨 일이 터지기를 바란다는 투군요?"

"여행의 묘미란 그런 것이 아니겠습니까."

아리안느의 못마땅한 듯한 트집에 이카루스가 내가 한 말 그대로 평온하게 답했다.

이후로 화기애애하게 대화를 나누는 시간이 이어졌다. 주로 내가 희망찬 소리를 밝게 떠들고, 이카루스가 응답하고 아리안느가 끼어드는 식으로.

사실 그때까지만 해도, 모두가 그 대화에 대해서 별로 깊게 생각하지 않았었다.

나름대로 방비는 하고 있었지만, 고작 일주일가량 되는 짧은 여정이다.

설마 무슨 일이 생기겠어? 그런 마음이 은연중에 모두에게 자리하고 있었던 것 같다.

그런 안일함을 비웃듯 얼마 후 전혀 예상치 못한 사건이 발생했다.

"다리가 무너지다니요?"

문득 멈춰 선 마차 밖으로 나간 이카루스가 곤혹스럽게 반문하는 소리가 들렸다. 미간이 가볍게 모이고 눈썹이 치켜올라간 진중한 얼굴이 머릿속에 그려질 듯하다.

그런데 저 소리는, 곤란한 일이 생긴 것 같네.

성국과 야파 왕국은 지리적으로 가깝지만 그렇다고 해서 영토가 딱 붙어 있진 않았다.

이 세계의 국경선은 애매한 구석이 있고, 성국은 기본적으로 성벽 내를 뜻한다.

그리고 성국과 야파 왕국을 명확히 구분하는 국경에는 거대

228

한 다리가 놓여 있었다.

가파른 절벽 위에 놓인 다리 아래로는 세찬 계곡물이 굽이치며 흘렀다. 그 다리 외에는 달리 계곡을 건너갈 길이 없었다.

근처에 간간이 줄다리가 놓여 있긴 하지만 행렬이 지나긴 어렵다고 했다. 배도 잘 다니지 못한다니, 뭐.

그 다리는 고대의 신성이 깃들어 있어서 아주 견고하다고 들었는데 어쩌다 그렇게 된 거지?

난 밖에서 울려 퍼지는 대화를 들으며 고개를 갸웃거렸다. 앞서 정찰 나갔던 사제 한 명이 보고해 오고 있었다.

"다리에 깃든 신성력이 약화된 걸 근래야 발견했다고 합니다. 수백 년간 건재한 것이라 별로 신경 쓰지 않았는데 바로 어제 대규모의 마차 행렬이 지나면서 과부하가 온 모양입니다. 다리의 일부가 무너져서 짐 마차 한 대가 계곡으로 추락했고, 다행히 사상자는 없었지만, 그 후로 통행이 전면 금지되고 있다고 합니다."

"고치는 데 얼마나 걸리지요? 아니, 고칠 순 있습니까."

근심 서린 목소리가 어쩐지 멋있었다. 난 상황에 맞지 않게 감탄하며 귀를 기울였다.

이카루스는 나직한 말투도 그렇거니와 목소리도 부드럽고 녹아드는 듯해서 듣는 맛이 있다. 귀에 착 감긴 달까. 발라드 가수를 했으면 어울렸을 텐데 아쉬운걸.

그러고 보니 성국에도 성가대가 있었지! 성가를 지휘하는 것도 대사제의 역할이라던데 그러면 이카루스도 노래를 부를 수 있지 않을까?

가창력이 필수는 아니지만 대사제의 기본 소양 정도는 되니까 말이야.

카마엘에게 자장가를 부르게 하려던 것도 모자라. 난 이카루스에게 노래를 시킬 계획으로 기대를 부풀렸다.

내가 망상에 빠진 중에도 대화는 이어졌다.

"신성력의 약화 원인을 알 수 없어서, 지금 방법을 모색 중이라고 합니다. 막 성국으로 보고를 보내려는 찰나에 제가 도착했으니까요."

"공교롭게도 일이 이렇게 되다니……."

"인원을 나누어서 줄다리로 건너면 되지 않겠습니까?"

"성녀님을 그런 방식으로 모시는 건 내키지 않는군요. 여하간 수고하셨습니다."

으아, 저 깍듯하고 정중한 말투. 정말로 부드러운 카리스마다. 난 왠지 홀린 기분이 되었다.

그러나 곧 마차 안으로 돌아온 이카루스의 분위기가 무거워서, 가볍게 심취해 있던 난 금세 현실로 빠져나왔다.

"시작부터 조짐이 심상치 않군요. 성국으로 다시 돌아가야 하지 않겠습니까?"

아까까지만 해도 무슨 사태가 벌어지든 여유로울 것만 같던 이카루스는 정작 일이 터지자 굳은 얼굴이었다.

그는 돌아오자마자 우선 내게 의견부터 물었다. 묻긴 물었는데, 단호하리만치 돌아가고 싶은 기세다. 그 모습이 무언가를 깊이 염려하는 듯이 보여 난 고개를 갸웃거렸다.

글쎄, 내 보기엔 대단치 않은 일 같은데. 하필 이 시기에 다리가 그렇게 되었단 건 좀 공교로운 일이지만, 여행 중에는 항상 예기치 못한 사고가 터지기 마련이지.

나와 같은 생각을 했는지 아리안느가 반대했다.

"이미 야파 왕국에 전갈을 보내 두었는데, 이제 와서 무너진 다리 때문에 방문을 철회한다고 하면 성국의 입장이 우스워져요. 꼭 지레 놀라서 꼬리를 빼는 것 같잖아요?"

"성국의 체면보다는 성녀님의 안전이 우선입니다."

"세상에 이카루스! 아직 성녀님의 안전이 위협당하는 어떤 일도 일어나지 않았어요. 게다가 여기엔 카마엘 님이 계시다고요!"

아리안느가 어처구니없다는 듯이 말했다. 성국 제일의 성기사 카마엘이 있는데, 어떤 위협이 닥쳐올 수 있겠느냐는 말은 일견 일리가 있었다.

이카루스는 그럼에도 아리안느의 말에 호응하지 않았다. 대사제로서 그의 직감은 무시할 만한 게 못되었다. 더군다나 신중한 그이고 아직 어린 나를 수행하는 일이다.

이 일행을 총괄하는 이카루스의 입장에서는 사소한 일도 간과하지 못하는 건 당연하겠지.

그의 어깨에 실린 무게를 알기에 이카루스가 과민하다고 말하는 것보단 조금 더 이야기를 해 봐서 설득하는 게 나을 것 같다. 난 아리안느와는 다르다고!

어쨌든 나 역시 이대로 돌아가고 싶지는 않으니까. 내 첫 성국 밖으로의 여행인걸.

"이카루스, 있지."

"말씀하십시오, 성녀님."

"줄다리를 건너는 게 위험할 것 같아서 하는 말이야?"

"네, 그렇습니다. 다리를 이용하는 것 이외의 방식으로 계곡을 건너려면 어떻게든 인원을 분산해야만 하니까 말입니다."

"그러면, 그 다리 우리가 고칠 수는 없는 거야? 고대의 신성이 깃들어 있다고 했잖아. 그게 약화되어 다리가 고장 난 거라면 ······."

약화된 신성이라면 다시 강화하면 되지 않나? 단순한 발상이었다. 이카루스가 바로 고개를 저었다.

"다른 속성의 신성이기에 충돌할 가능성이 높습니다. 하물며 건축물임에야. 태양의 사제를 저희 달의 권속들이 치료할 수 없단 걸 알고 계시지요? 그 다리에 깃든 신성은 태양의 속성을 띠고 있습니다. 섣불리 손을 대었다간 그 오래된 다리를 유지하던 신성이 완전히 훼손되어 수리할 수 없는 상태가 될지도 모릅니다."

다른 신에 대해서 듣는 자체가 적었기에 퍽 낯선 소리였다. 태양? 그래, 태양신도 있었지.

"근처에 태양의 사제는 없나?"

"······성국 인근이니까요. 다리를 고칠 만한 권능을 지닌 사제가 파견될 때까지는 시간이 걸릴 겁니다."

잠시 고민하던 난 손바닥을 마주치며 활짝 웃었다.

"내가 그 다리를 좀 볼까?"

내가 다리를 고칠 수 있다는 확신을 가졌던 건 아니다. 그냥 예감이었다. 내가 뭘 할 수 있지 않을까 하는 그런 막연한 예감.

근거 없는 자신감이라고 해도 좋아. 원래 애들은 자신감이 있어야 하는 법이거든!

성녀님이 다리를 한번 보자는데 안 된다고 굳이 막아설 이유는 없잖아?

고로 아무도 태클을 걸지 않는 가운데 우리는 가던 길 그대로 다리로 향하게 되었다. 이카루스는 스스로를 납득시키듯이 말했다.

"다른 신의 기운을 접해 보는 것도 좋은 경험이 될 겁니다. 야파 왕국에 가면 태양신의 사제들을 만나 볼 수 있을 테니까요."

그러고 보니 난 평생 달의 권속밖에 만나 본 적이 없다. 성국에는 다른 신의 권속이 드나들 수 없기 때문일까?

의문이 깃든 시선을 받자 이카루스가 부드러운 투로 답변했다.

"성국에 깃든 달의 신성은 유례없을 정도로 강력합니다. 신께서 오로지 하나의 도시를 수호하시니까요. 태양신의 사제들이 찾기는 어렵지요."

"성국이 그렇게 신성력의 밀도가 높아? 다른 신의 권속들이 성국에 오면 어떻게 되는데?"

"다른 신의 사제들은 성국이 눈에 보일쯤이면 압박감을 느끼기 시작할 겁니다. 가까워질수록 숨이 막히고, 몸의 기운이 스스로를 보호하려고 일어서겠지요. 성국에 들어서기라도 했다간 진력이 다 빠져서 기절할지도 모릅니다."

이카루스가 찬찬히 설명을 더했다.

"물론 대사제라면 몸이 무겁고 불편하긴 하겠습니다만, 성국을 방문하는 데 크게 지장이 있지는 않을 겁니다. 하지만 대사제는 자국의 수호를 위해서 국경선을 잘 넘지도 않거니와 그들을 잃음은 막대한 손실입니다. 또한 다른 신의 영역에 그만한 신성을 품은 자가 발을 들임은 대단한 무례라……. 성녀님이 다른 신의 권속을 이제껏 한 번도 본 적이 없는 이유는 그러합니다."

역시 이카루스, 친절하고 명쾌한 설명이야! 난 초롱초롱한 눈으로 그를 우러러보았다.

내가 다른 신의 권속은 몰라도 칼리스인은 만나 봤다고 한다면 기절초풍하겠지? 물론 까발릴 생각은 없지만 말이야.

아리안느가 슬쩍 끼어들어서 비꼬았다.

"이거 교육 내용에 다 들어 있는 건데, 성녀님 솔직히 주무셨지요?"

"아리안느!"

이번엔 목소리가 좀 컸다. 이카루스가 정색을 하고 쳐다보자 아리안느가 칫, 소리를 냈다.

그래, 그래, 이카루스 잘하고 있어! 이참에 아리안느의 기를 좀 꺾어 줘. 솔직히 졸았던 건 사실이기에 찔리는 구석이 있다.

예리한걸?

"이카루스, 꼬장꼬장하기는. 농담한 거라고요, 농담."

"언행을 삼가십시오. 어찌 감히 성녀님께 그런 농을 건단 말입니까."

찔끔할 만치 박력 있는 얼굴이었다. 그러나 정작 아리안느는 대사제 중 한 사람답게 위축되지 않는 듯했다.

그녀는 어깨를 으쓱했다. 이카루스가 강경히 나오자 난감해하는 것 같다. 한숨을 내쉰 이카루스가 누그러진 투로 말했다.

"아직 어리시다고 하나 공경하고 섬겨야 할 성녀님이십니다. 성국 내에서라면 문제가 되지 않지만, 그런 행동을 야파 왕국에서 비친다면 누가 될 것입니다."

어어, 그 발언 좀 문제가 있는데! 성국 내에서도 문제가 되어야지! 자그마치 성녀님인데!

……라지만 성국은 엄밀히 말해서 신분제 국가가 아니다. 대사제도 은퇴하면 레스토랑 주인 하는데 뭘. 나야 성녀님이니까 좀 더 쳐주는 거고.

"알았어, 알았다고요. 내가 설마 밖에 나가서까지 그러겠어?"

"행동이란 습관이 되면, 무의식적으로 튀어나오기 마련입니다. 이제부터라도 주의하시는 게 좋겠습니다."

말 한마디 잘못했다가 줄줄이 타박을 듣는 아리안느의 표정이 불만스럽게 삐죽거렸다.

어쨌든, 경전을 그대로 읊는 것처럼 깐깐하게 나오는 이카루스에게 말로 대적할 수는 없다.

아리안느는 포기한 듯 순순히 대꾸했다.

"그러지요. 성녀님, 죄송해요. 앞으로는 조심하겠습니다."

"으, 응."

앞으로 조심해! 새침하게 말하고 싶었지만, 아리안느 앞에서 그럴 깡은 없었다. 왠지 무섭단 말이야 얘.

아리안느의 몇 안 되는 장점 중 하나는 그녀가 단순하디단순하여 쓸데없이 앙심을 품지 않는다는 거였다.

질책을 듣고도 별로 신경 쓰지 않는 듯 태평한 얼굴이다.

생각해 보면 달의 사제들은 신성을 닮아서 차분하고 조용조용한 성격이 많았다. 대사제씩이나 되면서 참 아리안느도 별종이란 말이야.

"근데 야파 왕국으로 갈 마음이 생겼나 봐요? 조금 전까진 가지 말자시더니."

"그건, 다리를 보고 결정해야겠지요."

그러면서 이카루스가 모호하게 웃었다. 말은 안 했지만, 뭔가 기대하고 있는 눈초린데. 왜 날 그렇게 보지?

혹시 내가 다리를 고칠 수 있다고 믿는 건가. 엄청나게 확고한 믿음은 아닐 테지만 말이야.

이카루스의 믿음에 근거가 없지는 않을 거였다.

단지 성녀가 대사제와 구별되게 엄청나게 대단하거나 강력해서 모든 일을 척척 해결하는 신적인 존재는 또 아니거든.

그러니까, 그는 대체 내가 뭘 할 수 있다고 믿는 걸까?

곰곰이 생각하는 와중에 드디어 마차가 도착했다.

문이 열리고 먼저 내려선 이카루스가 날 안아서 사뿐히 내려 주었다.

바닥에 발 딛고 선 채 고개를 들자 예의 그 다리가 보였다. 난 신기한 눈으로 다리를 바라보았다.

태양의 찬란함을 머금은 듯 금빛 은은한 대리석으로 이루어진 건축물이었다.

폭이 전생에 보았던 대교만큼이나 넓은데 이음새가 없이 통짜였다. 인간의 손으로 과연 이런 걸 지을 수 있을까 의구심이 든다.

내 세계였으면 세계 10대 불가사의 중 한 자리 정돈 차지했겠지!

몇 걸음 더 가까이 가자 거기에 담긴 신성을 증명하듯 낯선 기운이 피부에 와 닿았다.

적대적이거나 거부감이 느껴지진 않으나, 내 몸에 깃든 신성과 분명히 다른 그 힘.

봄바람처럼 다사롭고, 불길만큼이나 뜨거우며 들불처럼 타오르는, 태양신의 신성.

"와."

난 감탄했다. 잔잔하고 고요한, 그리고 때로는 서리 맺힌 유리창의 달빛처럼 매서운 달의 신성과는 뚜렷이 구분되는 느낌이었다. 피부에 닿아 오는 그 다름이 내게 감동을 전해 주었다.

그러나 어딘지 모르게, 바람에 이리저리 흩날리는 들꽃처럼 위태로웠다. 꺼지지 않는 불꽃처럼 생생히 그 본연의 신성으로 우뚝 서야 할진대, 그렇지 못했다.

거대한 다리에 깃든 금빛이 일정한 밝기를 유지하지 못하고 반딧불처럼 껌뻑였다. 크리스마스트리처럼 원래 깜빡거리는 건 아니겠지?

"한 번쯤 생각해 보셨으면 좋겠습니다. 제가 아는 바로는, 이 경우 사용하실 수 있는 방법이 있을 겁니다."

이카루스의 목소리가 귓전에 스몄다. 난 어깨를 떨었다. 기이한 힘이 느껴졌다.

그가 속삭이는 듯도 했지만, 나의 신이 내 귀에 대고 일러주는 듯도 했다. 넌 할 수 있다고, 그러니 망설이지 말고 행하라고.

이카루스는 달의 권속이니 그가 말하는 바가 신의 뜻과 일치한다면, 그 음성에 신의 전언이 깃들겠지.

나의 신께서는 나를 위하시니 내가 하지 못할 일을 할 수 있다고 말할 리 없을 터.

자신감이 솟았다. 거대하고도 낯선 힘을 앞두고 주저하던 마음이 깨끗이 사라졌다.

난 곧바로 다리로 다가섰다. 그리고 신성이 가장 강하게 느껴지는 부분에 바짝 붙어서 손을 올렸다.

이질적인 성력이 손바닥을 간지럽혔다. 적대적이지는 않다. 그러나 분명히 내 것과는 다르다.

난 헤집듯이 그 성력의 중심을 파고들었다. 무의식을 통한 접촉이었다.

안개처럼 흐릿한 막을 지나자 환하게 이글거리는 태양의 모습이 시야에 들어왔다. 하지만 작았다. 내 머리처럼 작은 구였다.

태양에 가까워지자 사막의 열을 받은 양 온몸이 뜨거워졌다. 이질적인 힘이 나를 밀어내고 있었다.

아마 평범한 달의 권속이었다면, 어쩔 줄 모르고 물러나 버렸을 것이다. 하지만 난 성녀였다.

월신의 대리자이며 권능의 구현자.

난 열기를 이기고 구에 손을 가져갔다. 닿는 느낌이 기묘하다. 형체가 있는 무언가에 닿았다기보단 솜사탕처럼 사르륵한 느낌이 손에 휘감겼다.

이제야 균열이 느껴졌다. 어디에 문제가 있는지 알았다.

영속하여 굳건히 다리를 지켜야 할 이 완전하고 아름다운 구에, 미묘하게 실금이 나 있었다.

검고, 비릿한 냄새를 풍기는 음산한 기운이 침투한 자취.

그게 무언지 바로 떠오르지 않았다. 하지만 내가 그 힘을 지워 낼 수 있단 걸 알고 있었다.

그건 내 식대로 표현하자면 '호환'이다. 신력을 자기 것처럼 자유자재로 다뤄, 다른 신의 신성에도 거스름 없이 닿는 것.

내가 태양신의 신성을 직접 움직이거나 할 수는 없지만, 약간의 도움을 주거나 간접적으로 어떻게 할 수는 있다.

그게 가능한 건 내가 성녀이기 때문이다. 물고기가 날 때부터 헤엄칠 줄 알듯, 물속에서 숨 쉴 줄 알듯 타고난 본능으로 난 태양의 신성에 얼룩처럼 깃든 삿된 힘의 흔적을 지워 내었다.

그리고 성력을 흘려 내어 부드럽게 감싸자, 구는 완전히 원래의 흠결 없는 모습을 되찾았다. 다리를 지탱하던 그 힘 그대로, 수복된 것이다.

모든 작업을 마치고 난 깊이 담겨 있던 정신을 빼내었다.

순식간에 시야가 확 돌아왔다. 직접 안구를 쪼는 건 아니나 무의식의 공간은 너무도 환했다. 거기서 벗어나니 눈앞이 어두워진 듯했다.

"어때?"

난 뒤를 돌아보며 방긋 웃었다. 모두가 경외의 시선으로 날 바라보고 있었다. 역시 이 성녀님의 능력이란.

내심 자화자찬하면서도 난 겸손한 척 뽐내지 않았다. 성녀라면 이런 사소한 걸 가지고 스스로 내세워서는 안 되는 법이거든!

"이런 기적이⋯⋯."

"과연 성녀님이십니다!"

경탄의 눈빛이 왠지 모르게 낯부끄러웠다. 난 뺨을 긁었다. 이카루스가 내게로 다가왔다. 그가 걱정스러운 얼굴로 물었다.

"무리가 되지는 않으셨습니까?"

"응, 무리가 될 게 뭐 있겠어? 아주 거뜬했다구."

"해내실 수 있을 거라고 믿었습니다."

잔잔하게 빛나는 눈으로 그가 말했다. 그가 주는 믿음에 가슴이 간질간질했다.

터무니없는 믿음을 그 마음대로 품고 내게 강요한 것이 아니기에. 그 올곧은 말이 무척 기분 좋았다.

"다리를 지탱하는 힘이 복구되었으니 무너진 부분만 보수해서 다리를 복구하면 될 겁니다."

어느새 다가온 카마엘이 말했다. 난 그를 향해서 칭찬해 달라는 듯이 팔을 벌렸다.

아직은 어린아이니까, 조금은 어리광을 받아 주어도 괜찮잖아?

카마엘은 잘 길든 말처럼 충실하게 나를 받아 안아 들었다.

아리안느가 옆에서 입을 삐죽였다. 어리광을 너무 받아 주지 말라고 말하고픈 눈치다.

카마엘은 날 데려다가 얼른 마차에 태워 주었다. 다리를 건너면 야파 왕국이니, 야파인들이 저쪽에 있는데 그들의 눈에 띄어서 좋을 건 없다고 했다.

왜냐고 물으니, 성녀님은 너무도 귀하신 분이니 아무에게나 모습을 드러내선 안 된다고 한다.

어차피 내 생김새야 대충 다 알려졌고, 새삼 더 위험해질 것도 없는데. 난 고개를 갸웃거렸다.

아주 단순하게 생각하자면, 난 보물창고에 숨겨 놓은 보물이다.

그래, 보물은 아무에게나 쉽게 보여서는 안 되는 법이지, 암암. 눈에 보이는 쪽이 더 탐욕을 부르기도 하고.

마차에 오르자 아리안느가 속닥거렸다.

"태양신의 권속들이 알면 그리 좋아하지 않을 거예요. 그들의 힘이 닿은 기물을 우리 쪽에서 손대었으니. 그들도 야파 왕국에 오기로 하지 않았을까요."

"그러나 월신의 영육이며 그 권능의 구현이자 첫째 가지이신 성녀님께서 하신 일입니다. 태양신의 신성과 동격인 분이 하신 일이니, 감히 그들이 뭐라 할 바는 못 됩니다."

"하긴 법황이라면 모를까, 대사제가 감히 성녀님께 뭐라 할 수는 없겠죠. 그리고 법황이 야파 왕국에 올 가능성은 낮을 것 같군요. 우리와 그네들은 사정이 다르니까."

"어떻게 다른데?"

내가 끼어들자 이카루스가 설명했다.

"신성 교국은 대단히 완고하고 신분 고하가 뚜렷한 나라입니다. 예와 식을 중시하며, 또한 성국과 달리 규모가 큰 나라이기에 법황이 신의 대리자이자 왕으로서 나라를 다스리지요. 법황이 거의 모든 권한을 쥐고 있기에 그가 자리를 비우면 국정의 제반 사항을 결정할 만한 책임자가 부재하는 거나 마찬가지입니다. 그러기에 야파 왕국에서 요청한들 오지 않을 가능성이 높습니다."

제정일치 사회라는 거구나. 나야 성국에서 그렇게까지 큰 임무를 떠맡고 있진 않으니까. 그냥 마스코트 같은 취급이다. 잃으면 안 되고, 소중하게 여겨지는 건 비슷하겠지.

하지만 나와 달리 막중한 책임을 맡은 법황이 직접 오는 건 부담이 될 터.

아리안느가 깔깔대며 말했다.

"법황은 맨땅을 밟지 않고 오로지 특별히 제작된 붉은 카펫 위만을 걷는다고 하지요. 그 때문에 그를 따르는 사제들이 카펫을 짊어지고 다닌다고 들었어요. 우리 성녀님은 카마엘 님이 업고 다니는 쪽이 더 좋으시지요?"

아주 어린애 취급한다. 흥! 그런데 역시 생각해 보니 카펫보단 카마엘이 좋은 것 같아. 난 사소한 오류를 고쳐 주었다.

"안고 다니는 쪽이 좋아."

"이거 참, 카마엘 님도 큰일입니다. 성녀님이 크면 점점 더 무거워지실 텐데."

이카루스가 온화하게 웃었다. 내가 나이를 먹고도 그에게 안겨 다닐까 봐 걱정하는 게 아니라 내 무게 때문에 그가 힘들어할 것을 걱정하는 투다.

그럼 안 힘들면 그래도 된다는 거야? 난 잠시 갈등에 빠졌다. 물어보면 안 될 것도 없잖아?

"성국 제일의 성기사라면 다 큰 내 무게쯤은 감당할 수 있지 않을까?"

물론 카마엘의 의견 따윈 고려하지 않았다. 이카루스의 낯빛에 곤란한 기색이 스쳤다.

아리안느가 다행히 화제를 돌려 주었다.

"그런데 남들 모르게 야파 왕국에 다다르길 원하지 않았어요, 이카루스?"

그가 날 부추긴 것에 대해서 의아해하는 눈치였다.

"물론 그러합니다만, 그건 안전을 기하기 위함일 뿐. 한편으로는 성녀님이 세상에 나오셨으니, 그 힘을 한 번쯤 떨치는 것이 필요하지 않을까 생각했습니다. 야파 왕국에서 일을 마치고 오는 길이었다면 더 좋았겠지만, 적당한 기회였습니다."

이카루스의 눈빛이 신중해졌다.

"우리에게는 나날이 강성해지는 적이 있습니다. 월신의 권능이 건재하단 것을 그들에게 보여 줄 필요가 있습니다. 오늘 여기서 있었던 일은 후에라도 어떻게든 소문이 퍼지겠지요."

나날이 강성해지는 적, 나는 그 말이 뜻하는 상대가 누구인지 바로 알았다.

칼리스. 껄끄럽게만 느껴지는 이름이었다. 삼 년 전 마지막 접촉 이후 칼리스와 성국 사이엔 어떤 분쟁도 일어나지 않았다.

그들은 기꺼이 인질을 풀어 주었고, 그 인질들에게선 아무런 이상도 감지되지 않았다.

그 후로 불순한 기운이 성국 내로 숨어들어 오는 일도 더 없었다. 마치 성국에 완전히 손을 뗀 것처럼.

마냥 좋게 생각하기엔 무슨 꿍꿍이일지 불길하기만 하다.

이별하던 날, 아델이 제가 뭐라도 되는 것처럼 성국을 침범하지 않겠다고 했다. 하지만 어린애 하나의 말을 곧이곧대로 믿을 수는 없었다.

아델의 행적과 그가 한 일에 대해선 여전히 베일에 싸여 있었으니까.

아델의 불친절한 설명으로 내막을 추리하는 건 불가능에 가까웠다.

카마엘이 알아본 모양이지만 성과는 영 없었던 모양이다.

그럼에도 아델을 풀어 준 건, 오로지 내 결정이었지. 그건 후회하지 않아. 하지만 간지럼 고문은 괜찮지 않았을까? 난 뒤늦게 살짝 후회했다.

칼리스는 항상 문제였다. 이게 내 출신 세계식 표현으로 하자면 '악의 축'이라는 거겠지!

근 몇 년간 곧 전쟁을 일으킬 것처럼 타국에 위협적인 모습을 비추는 그들은 항상 주변국에 긴장감을 야기했다.

저주의 영향인지 왕의 상태가 좋지 않다는데, 광증이 일었댔나? 내부에서는 숙청이며 뭐며 사정이 혼란한 것 같은데, 성국의 정보망으로는 칼리스의 내부사정을 캐낼 방법이 없다고 한다.

사실 뭐 그건 어느 나라나 비슷했다.

강성해지는 적, 칼리스. 혹시 그들이 이 다리에다가 무슨 수작을 부린 걸까.

난 불현듯 태양신의 신성을 훼손했던, 그 얼룩 같은 검은 힘을 떠올렸다. 그 힘은 내가 삼 년 전에 보았던 괴물에게서 느껴졌던 기운과 유사한 것도 같았다.

기억이 잘못되었는지도 모른다. 삼 년이면 꽤 오래된 일이거든. 그냥 기분 탓일 뿐 그게 마법의 영향이라면 꼭 칼리스가 벌인 일이라고 볼 수만은 없잖아.

확신이 없었기에, 난 그 사실을 이따가 슬쩍 카마엘에게만 일러 주기로 했다.

왠지 오빠 두 명이 있는데 한 명한테만 비밀을 털어놓고 한 명한테는 숨기는 것 같아서 죄책감이 든다. 미안, 이카루스!

하지만 이카루스는 날 과보호하는걸. 그가 경각심을 느껴서 귀환 결정을 내리면 난 결국 야파 왕국을 방문하지 못하게 된다.

그건 지나치게 몸을 사리는 것처럼 보여서, 타국에서나 칼리스에서나 날 무력하고 보호해야 할 성녀님으로 생각할 테지. 오늘 내가 보인 이적은 그대로 묻혀 버릴 거고.

어쨌든 내가 약점으로 비치는 건, 좋은 일은 아닐 테다.

사랑받는 존재가 되기보단 두려워하는 존재가 되라는 마키아벨리의 말도 있지 않았어? 물론 이게 그거랑 뭔 상관인지는 모르겠지만.

아무튼 개똥 논리 비슷하게 결론지은 난 이카루스가 뭔가 이상한 점은 없었느냐고 물었을 때, 잘 모르겠다고 해 버렸다. 그냥 균형을 잃은 것 같기에 매만져서 잡아 줬다고 했지.

무의식을 통한 신성에 대한 접촉은 정말로 고의식 세계의 문제였기에 대사제인 그로서도 이해하기 힘들 터였다.

이카루스는 고개를 끄덕였다. 그 후로 그는 더 이상 질문을 꺼내지 않았고 몇 시간 후 우리는 무탈하게 다리를 건너 야파 왕국에 진입하게 되었다.

야파 왕국에 들어서자마자 곧바로 파견된 왕국 측 병사들이 우리를 호위했다.

이건 왠지 국빈 느낌? 중앙에서 파견 나왔다는 게라티 후작이라는 자가 내게 축복을 청했지만, 아리안느 선에서 잘라 버렸다.

성녀님의 축복은 아무한테나 내리는 게 아니라나, 뭐라나. 한 번 내리기 시작하면 다른 귀족들도 줄줄이 찾아와 귀찮게 굴 거라고 했다.

그러면서 나더러 마차에서 나오지 말라고 신신당부하는 게, 꼭 신비화 작업에 들어가는 것 같다. 그래, 이미지 마케팅은 중요한 법이지!

야파 왕국에 들어서도 마음이 왠지 놓이지 않았다. 칼리스가 다리에 수작을 부렸을 가능성이 있었고, 내가 그 가능성을 직감적으로 체감하고 있었기 때문이다.

카마엘에겐 슬쩍 일러 주자 그는 무슨 생각하는지 모를 얼굴로 주의하겠다고 말했다. 그와 함께하는 게 이토록 든든할지 몰랐다.

성국 제일의 성기사. 전장의 은빛 사신. 빛과 어둠이 교차하는 듯한 두 개의 호칭으로 불리는 나의 카마엘.

하지만 그가 절대 무적의 기사는 아니다. 그랬다면 칼리스와 전쟁을 벌였을 때, 성국은 완벽하게 승리를 거두고 칼리스의 군세를 끝장냈을 거다.

그러지 못했기에, 아직도 성국은 칼리스의 위험에서 시달리고 있는 거고.

만약 그 다리에 손댄 게 그들이라면, 칼리스는 대체 무슨 생각인 걸까? 왜 나를 노리는 거야. 이 귀엽고 깜찍한 성녀님을. 극악무도한 놈들!

……뭐, 그럴 수도 있지. 이 야파 왕국에서 벌어지는 회담이 결국 칼리스에 대항하기 위한 거니까. 칼리스가 보기엔 아니꼬울 수밖에 없지 않겠어?

애초에 성국과 칼리스는 기조가 안 맞았다. 성국은 평화를 추구하는 박애주의적인 나라다. 칼리스가 정복에의 야욕을 버리지 않는 한 언제고 부딪힐 수밖에 없는 것이다.

아델을 통해서 칼리스와 화해할 가능성을 꿈꾸지 않은 건 아니지만, 그동안 내가 한 게 뭐 있냐면, ……없다.

난 회의에도 가끔가다가 끼워 줄 뿐인 열세 살 어린애라고! 노골적으로 군사적인 움직임을 보이며 타 국가들을 압박하는 칼리스와의 관계 개선을 도모하자고 하기엔 내 발언권이 적었다.

내 의견이 자연스럽게 받아들여지게 하려면 나도 성국을 위해서 뭔가를 해야 했다. 즉, 내 발언권을 서서히 키워가야 한다는 거지. 상징적인 성녀님을 넘어서 성국을 다스리려면.

평생 놀고먹고 살긴 이미 그른 듯하다. 아델과의 만남이 내게 변화를 주긴 주었던 모양이야.

권력엔 욕심이 없지만, 난 내가 원하는 것을 위해선 앞으로 뭘 짊어져야 할지 알아 버렸거든.

나쁘게는 생각지 않는다. 전생에서의 내 삶은 힘겨웠지만, 각자의 삶은 제각기 힘겨움을 안고 있는 법이다. 어려움 없이 평탄한 삶이기만 하다면 과연 행복을 느낄 수 있을까.

왜냐하면, 행복은 덜 행복한 순간이 있어야 체감할 수 있는 거거든.

이 야파 왕국으로 오기로 한 것도, 그런 생각 때문이었지. ……그랬겠지?

절대 내가 해외여행을 즐기고 싶다거나 놀고 싶어서 온 건 아니라고! 뭐, 호기심이 어느 정도 영향은 있었지만…….

"법황은 어떤 사람이야?"

나는 불쑥 물었다. 나보다 더한 책무를 어린 시절부터 짊어지고 있는 그라면 어떤 생각으로 살아갈지, 어떤 사람일지 궁금하기도 해.

"글쎄요, 알려진 게 많지 않아서. 성녀님보다 서너 살 많은 소년이라고 들었습니다."

오, 그거참 의외다. 법황이라는 단어 자체가 뭔가 늙수그레한 할아버지 느낌을 주는데.

하긴 성녀님도 고아하고 성숙한 여인 같은 느낌이지. 나는 열세 살일 뿐이지만.

"그는 나처럼, 꽃에서 태어나고 그런 거 아니지?"

"예, 아닙니다. 법황은 전대의 법황이 서거하면, 계시에 의해 태양신의 축복을 받은 가문에서 태어난 이로 선정됩니다. 성녀님은, 아주 특별한 분이시지요."

그래, 역시 그랬군. 그 때문에 난 한때 내가 혼자 종이 다른 건 아닐까 의심했었지! 반신半神이라거나 뭐 그런 거.

근데 뭐 때 되면 배고프고 졸리고 그런 건 다 똑같다. 신체 능력이 기본적으로 스탯이 좋달까 하는 느낌은 있지만. 워낙 건강하기도 하고.

"법황에 대해서 궁금하십니까?"

응, 그렇지. 왜 새삼 궁금해졌느냐고 물으면 설명하기 복잡하지만. 나는 그리 말하는 대신 손가락을 척 세웠다.

"음, 법황이 오지 않았을까? 그가 생각나는 걸 보면, 있지. 이건 예지일지도 몰라!"

이카루스가 웃었다.

"그럴 수도 있겠지요."

가능성은 높이 안 두고 있단 말이지? 근데 난 입 밖에 내놓은 순간부터, 왠지 법황을 만날 것 같단 느낌이 강하게 든단 말이지.

나보다 서너 살 많은 소년이라……. 지지 않을 테다!

난 쓸데없이 전의를 불태웠다.

*

그날 저녁, 우리는 야파 왕국 안의 어떤 마을에 당도했다.

아무리 작은 왕국이고 순탄하게 왔다고 해도 하루 만에 야파 왕국의 수도까지 가는 건 무리거든. 도착까진 며칠 더 걸릴 거라고 한다.

"누추한 곳이지만, 부디 평안히 쉬셨으면 합니다. 은빛 달의 가호가 있기를."

끝끝내 축복에 대한 미련을 버리지 못했는지, 게라티 후작은 내게 항시 극진한 태도를 고수했다.

"그는 월신의 신도더군요."

그의 태도에 마음이 감화되었는지, 이카루스가 말했다.

수도까지 무사히 도착한다면 그에겐 축복을 내려 줘도 되지 않겠어? 게라티 후작은 우리를 수행했으니까.

마차 창밖으로 보이는 마을은 그리 크지 않았지만, 아담하고 예뻤다.

마을의 집들은 지붕이 하나같이 맞춘 듯한 푸른색이었는데, 알록달록한 것보단 통일된 아기자기함이 있었다.

이렇게 동화같이 어여쁜 것도 좋아 보이는걸. 성국은 온통 희지. 그래서 정갈하고 성스러운 느낌을 주지만, 단조롭기도 하다. 작은 나라라 별로 길 헷갈릴 염려는 없어서 다행이었다.

난 성국의 한쪽 구역을 동화마을로 꾸밀 계획을 세웠다. 핑크색 지붕은 어떨까? 그래, 내가 우리 성국을 관광대국으로…….

성국은 지금도 부자지만 자고로 돈은 끌어모을수록 유용한 법이지. 성녀님이 하기엔 너무 속물적인 생각인가!

내게 배정된 침실은 성국에서 쓰던 것보다 조금 덜하게 좋았다. 사람은 자고로 객관적이어야 하는 법이거든.

높은 천장에 드리워진 샹들리에는 반짝반짝했다. 흰색 레이스와 금실 자수가 섬세하게 수놓인 커튼이며 침대보가 유독 눈에 들어온다. 가구나 벽지나 하나같이 고급이라 정말 대우받고 있단 게 실감이 났다.

대사제들이 먼저 들어가서 방 안을 세밀히 살핀 후, 나는 그 방에 혼자 머물게 되었다.

카마엘이 옆방을 쓰면서 밤엔 내 방문 앞을 지킬 터.

하지만 성국에선 에이레네가 날 곧잘 살펴 주곤 했기에 이렇게 혼자 침실을 쓰는 기분은 퍽 낯설었다. 어느새 정말로 아이가 되어 버린 걸까.

"엄청 심심하겠다."

난 중얼거리며 방 한쪽에 있는 창문을 내다보았다. 왠지 저 앞에 서 있으면 총알이 날아들 것 같은데. 외국에서 온 중요한 손님에게 이런 창문, 좀 위험하지 않겠어?

근데 창문 없이 햇살도 들지 않는 골방에 성녀님을 가둬 둘 순 없으니 생각보다 복잡한 문제다.

뭐, 여긴 총이 없고 웬만한 건 성력으로 튕겨 낼 수 있다. 난 창문으로 다가가 확 열어젖혔다.

잘 가꾸어진 정원이 한눈에 들어온다. 여기 3층이었지? 위에서 내려다보는 조경이 일품이었다.

난 턱을 괸 채 오가는 사람들과 반듯한 화단, 피어 있는 색색의 꽃들을 구경했다.

어둑어둑해져 가는 시간에 구애받지 않을 만큼 내 시력은 좋았다.

구도가 교묘해서 아래에서 날 보긴 어렵겠지만, 내가 보는 건 문제없다.

그런데 문득, 시선이 느껴졌다. 저 화단 속 어딘가에서.

누가 날 쳐다본다고 시선에 무게가 실리는 것도 아니고 다 느낄 수 있는 것도 아니다. 일종의 초감각이며 예감. 어떤 의미일지는…….

난 주변을 두리번거렸고, 곧 시선은 사라졌다. 어딘지 모르게 찜찜해진 난 창문을 닫아 버렸다.

덜컹. 창문을 굳게 걸어 잠그고 나니 안심이 되었다. 척 보기에도 바깥에선 열 수 없는 구조였으니 침입자를 허용할 것 같진 않다.

설마 이 어린 나이부터 내 미모를 탐내는 이들이……. 아니겠지?

난 괜한 걱정 속에서 고개를 끄덕거렸다. 아참, 비싼 얼굴인 척하랬는데 내보여 버렸다. 하지만 뭐, 그 정도 행운이야 한 명쯤에겐 주어져도 되지 않겠어?

난 침대 위에 몸을 묻고 줄곧 마차를 타느라 노곤해진 몸을 쉬었다. 여타 아이들과 달리 난 퍽 얌전한 축에 속했다.

종일 침대에 누워서 뒹굴라고 해도 가능할 것 같았다. 물론, 성녀에게 게으름은 허용되는 미덕이 아니었지만.

─똑똑.

얼마 지나지 않아 문 두드리는 소리가 들렸다. 들어오라고 말하니 아리안느가 얼굴을 보였다.

"성녀님, 식사하셔야지요."

그녀를 따라 도착한 곳은 같은 층에 준비된 식당이었다.

드넓은 식탁 가득 만찬이 차려진 가운데, 카마엘과 이카루스가 먼저 자리해 있었다.

"침실은 마음에 드시는지요?"

이카루스가 부드럽게 물어오자 난 얼른 긍정했다.

"응, 침대도 편안하고 조경도 멋졌어. 바깥쪽에 사람들이 좀 오가는 것 같던데."

"게라티 후작이 성녀님을 위해 성대하게 준비를 했다고 합니다. 그 때문에 분주한 것일 테지요."

정원 쪽을 의식하며 운을 띄웠는데, 별로 이상한 건 없는 모양이다.

"여기가 후작의 저택이야?"

"예, 식사 후 저택을 돌아보시고 싶으시다면 저희 중 한 명과 함께하시지요."

"알았어."

푸짐한 만찬이었다. 아리안느와 이카루스가 검수를 마치고 나서야 난 식사를 시작할 수 있었다.

고소한 감자가 으깨져 들어간 샐러드라던가 육즙이 풍부한 스테이크, 따끈따끈하고 속이 촉촉한 치즈 파이 등등.

난 열흘 굶은 것처럼 빠른 속도로 음식을 해치웠다. 여행 중에는 그리 맛있는 걸 먹지 못했다고!

"천천히 드세요."

잔소리할 에이레네도 없겠다, 내가 아리안느의 권유를 귓등으로 들어 넘기며 식사를 마쳐가는 참이었다.

"식사는 입에 맞으십니까?"

언제 왔는지 게라티 후작이 식당으로 들어왔다. 그와의 대화는 대사제들 선에서 원천 봉쇄당하고 있었다. 그 때문에 이카루스가 대신해서 입을 열었다.

"마음에 드신다고 합니다."

"다행입니다. 성의껏 준비한 것인데 고귀하신 성녀님 입맛에 맞으셨다니."

그의 얼굴에 넉넉한 미소가 서렸다. 게라티 후작에 대한 인상이 점점 좋아지고 있었다. 일단 맛있는 밥을 주는 사람은 좋은 사람인 법이다.

이카루스가 자리를 권하자 그가 성큼 다가와 앉았다. 볼일이 있다고 어딜 갔었던 것 같은데, 배고프지 않을까?

그러나 누군가가 식사를 권하기도 전에 그가 먼저 입을 열었다.

"왕도에서 전갈이 왔는데, 알려 들어야 할 사항 같아서 말입니다."

"말씀해 보십시오."

손짓으로 시중을 들던 하녀들을 내보낸 게라티 후작이 신중한 얼굴로 말했다.

"신성교국의 법황께옵서 어제 중, 왕도로 입성하셨다고 합니다. 왕도에 들기 전까지 신분을 줄곧 숨기고 계셨던 터라 이제야 전갈이 전해졌지요."

"법황께서요?"

아리안느는 놀란 눈으로 내 쪽을 쳐다보았다. 난 히죽 웃음을 낼 뻔했다. 역시 내 예감은 정확하단 말이야!

그럼 예감에 따르자면, 아까 창문 너머에서 날 쳐다본 그 시선도 뭔가 의미 있는 것이었을까?

나는 딴 데로 빠지려는 생각을 재빨리 추슬렀다.

법황, 법황이라⋯⋯. 그도 칼리스의 움직임을 심상치 않게 본 걸까. 그 무거운 엉덩이를 떼고 친히 행차하다니.

물론 나도 이렇게 친히 왔지만, 솔직히 나와 그가 같진 않으니.

"혹시 미리 언질을 받으신 적 있습니까? 따로 연락이 오갔다던가요."

성국이나 신성교국이나 신의 가호를 받는 나라이니 뭔가 소통을 했을 거라고 생각하나 보다. 하지만 우리 쪽에선 전혀 들은 바가 없었다.

"아니요. 처음 듣는 일이로군요. 두 신성의 대표자께서 한자리에 모이다니⋯⋯. 전례 없는 일입니다."

이카루스가 나직이 중얼거렸다. 전례가 없을 만도 한 게 성국은 철저히 회의를 통해서 다스려지는 나라였다.

대사제 중 가장 발언권 센 한 명이 있는 건 사실이지만, 그가 군주는 아니다.

그러니까 법황처럼, 유일한 단 한 명이 성국엔 이제까지 존재하지 않았었다.

다시 말해, 나는 그야말로 유일무이한 존재.

"들으신 바가 없는 모양이군요. 이것 참, 혹시 두 분을 한 자리에 모시는 게 불편한 일이 되진 않을는지요. 그 왜, 신성은 다른 신성과 충돌하지 않습니까. 그렇게 들었습니다만."

말하는 걸 들으니 초대는 해 놨지만, 정말 법황이 올지는 몰랐던 것 같다. 혹은 내가 올지 몰랐거나. 둘이 한자리에 모이는 걸 별로 생각해 본 적이 없는 눈치였다.

나야 뭐 태양신의 신성이 담겨 있는 다리도 수리했겠다 별문제는 없을 것 같지만. 우리 일행이나 신성교국 측에서 불편하게 느낄 수 있잖아?

근거리에서 강력한 다른 신성을 느끼는 게 좀 그럴 수 있겠지. 난 이카루스를 쳐다보았고, 그가 입 열기도 전에 다른 쪽에서 답이 들려왔다.

"문제는 없을 겁니다."

사람 같지 않게 아름다우며 냉한 기운이 흐르는 그가 입을 열자, 게라티 후작이 입을 쩍 벌렸다.

조각이 말하는 걸 목격한 듯한 얼굴이었다. 그가 잠시 후에야 말을 이었다.

"그, 그렇군요. 확실합니까."

"예."

왜 문제가 없는지 전혀 설명할 필요 없단 것 같다. 카마엘의 단정에선 더 물음을 허용하지 않는 듯한 압박감이 느껴졌다.

난 내심 혀를 찼다. 게라티 후작은 물어볼 듯 말듯 입술을 달싹이다가 결국 포기한 듯했다.

그는 '그러면 그렇게 보고를 올리겠으니, 내일 출발할 때까지 평안히 쉬시기를.'라면서 인사를 남기고 방을 빠져나갔다.

곧 하녀가 내온 디저트를 맛보면서 난 게라티 후작이 묻지 못했던 걸 물었다.

"문제가 없을 거라고 확신한 이유가 뭐야?"

"두 신성의 힘이 팽팽할 테니, 한 자리에 놓이면 도리어 균형이 맞춰질 것입니다."

균형이 맞춰진다면 두 개의 힘 각자의 영역에 위치한 신도들은 영향을 받지 않는다는 소리인가.

난 그렇게 납득하고 달콤한 푸딩을 입안에서 녹였다. 우유로 만들어진 푸딩 조각이 촉촉하게 혀에 감긴다.

우와, 맛있어! 법황을 만나는 것도 기대가 되지만, 앞으로 또 어떤 것들을 경험하게 될지 기대가 되었다. 다만 내가 바라는 경험은 다분히 미각적인 것에 쏠려 있었다.

카마엘은 정말 안됐어. 이 맛있는 것들을 두고 보고만 있다니!

실제로 카마엘은 식탁에 앉은 내내 약간의 물만 마셨다. 수행하는 도승처럼 몸을 정결히 하는 의식이라면 순간일 텐데, 카마엘은 늘 그랬다.

그는 도대체 무슨 에너지로 움직이는 걸까? 난 카마엘의 신체에 대해서 새삼 놀라움과 의문을 느꼈다.

디저트를 다 먹어갈 때쯤 이카루스가 넌지시 권했다.

"먼저 들어가 보시지요. 카마엘 님이 모실 겁니다."

이카루스와 아리안느는 법황과의 만남에 좀 더 대비를 해야 한다고 느낀 것 같았다.

'절대 신성교국의 사람들에게 얕보일 수 없어!' 뭐 이런 긴장한 기색이었는데, 묘한 경쟁심이 느껴졌다.

법황을 마주하게 될 내게도 비슷한 경쟁심이 찾아들 법도 했지만, 질 수 없단 생각도 잠시였다.

법황은 나보다 서너 살 많댔잖아? 내가 그보다 좀 미성숙한 듯이 보여도 괜찮을 거다. 아이라는 점을 방패 삼기엔 좋은 나이 차였다.

나는 열세 살, 한국 나이로 열네 살이다. 막 초딩을 벗어나 중학생이 된 나이지. 법황이라는 걔는 고딩일 거라고!

……뭐, 그래도 아주 꿀리면 안 되겠지? 마음의 준비를 하며 난 카마엘의 뒤를 종종 따라갔다.

잠시나마 자리를 비웠기에 그가 먼저 내 침실을 둘러볼 터였다. 항상 안전을 기해야 하니까.

그러나 카마엘은 문을 열고 침실에 들어서자마자 우뚝 멈춰 섰다.

뭐야? 난 눈을 동그랗게 뜨고 그의 뒤통수를 응시했다. 뭔가 잘못된 게 있나? 카마엘은 언제 그랬냐는 것처럼 곧 주저 없이 방 안으로 들어섰다.

"잠시만."

그가 침대 베개 위에서 뭔가를 주워 들었다. 조그맣게 접힌 쪽지였다.

하녀가 두고 간 건가? 순진하게 생각한 것도 찰나였다. 하녀가 나한테 팬레터를 쓰고 갈 것도 아니고 쪽지를 남겨 둘 일 없다는 데 생각이 미쳤다. 단단히 경을 칠 일이다.

"뭐라고 쓰여 있어?"

난 쪼르르 달려가 그가 펴 든 쪽지를 들여다보려고 했다. 하지만 높이가 높아서 잘 들여다보이지 않았다.

먼저 쪽지를 읽어 본 카마엘이 망설이다가 손을 내렸다. 내게 보여 줘도 되나 잠깐 갈등한 눈치다.

"자정에 정원으로 나올 것?"

난 유려한 글씨로 쓰인 그 편지를 곱씹어 보았다. 이상한 기분이다. 방을 착각한 거 아니야? 다짜고짜 정원으로 나오라니.

나는 나한테 이런 쪽지를 보낼 만한 이들을 꼽아 보려고 했다. 당연한 일이지만, 한 명도 없었다. 나한테 성국 밖에 친구가 있는 것도 아니고…….

슬픈 사실이지만 성국 안에도 없다.

"익숙한 필체야?"

"아니요. 그런데……."

"무슨 문제라도 있어?"

"이 방으로 오는 길목엔 식당이 있습니다."

"그래서?"

"위치상, 제 이목을 피해서 이 방으로 숨어들 수는 없단 이야기입니다."

그건 과신이 아니라, 사실이었다. 성국 제일의 성기사의 안목을 피해서 내 방까지 이를 수 있는 자는 없다. 그리고 카마엘은 방심과는 거리가 먼 성격이었다.

아까 방을 다 점검했으니 미리 숨어 있을 수도 없었을 테고, 그랬다고 한들 나갈 때 카마엘의 이목에 걸렸겠지.

식사하는 동안 내 방에 침입자가 들었단 건 분명하다. 그런데 어떻게?

난 문득, 아까 시선이 느껴졌던 창가에 눈길이 갔다.

"창문으로 들어온 걸까?"

하지만 여기는 삼 층이다. 이 저택은 층고가 상당히 높았다. 사실상 5층 정도의 높이란 말이지.

아무리 저택의 외벽에 장식이며 조각이며 발 디딜 틈이 있다지만, 그 높이를 기어올라서 창문으로 들어왔다고?

"아까 분명히 창문을 잠가 놨는데?"

살펴보려는 날 제지하고 카마엘이 창문 쪽으로 걸어갔다. 창문을 훑어본 그가 이곳저곳을 매만져 보았다.

"잠겨 있군요."

난 급작스레 불길해졌다. 뭐, 뭐야. 이건 밀실 살인의 전조인가? 혹시 여기서 자면 다음 날 시체로 발견되고 그런 거야? 아니면 귀신 나오는 방?

아무리 봐도 창문은 안에서 잠기면 밖에서 열 수 없는 구조였다.

"여기서 자면 안 되는 거 아닐까."

카마엘이 깔끔하게 결론을 내렸다.

"아니요. 저택의 구조상 이 방이 가장 안전한 편에 속합니다. 성녀님이 다른 방으로 옮겨 가는 걸 의도한 걸지도 모릅니다. 제가 계속 이 방에 있겠습니다."

그 말에 난 한시름 놓았다.

"카마엘은 쉬지 않아도 괜찮겠어?"

"저는 상관없습니다. 제 방에 있어도 자지 않을 테니까요."

"저, 근데 그 쪽지는……."

"무시하는 게 좋겠습니다."

나는 묘한 기분에 잠겼다. 그 쪽지, 내가 글씨체를 딱히 잘 알아보는 편은 아니지만, 어디서 본 것 같은 기분이 든단 말이지.

기억력을 떠나서 내겐 어느 정도 예지라던가, 초감각이 있다. 그런 기분이 든다는 건, 나와 과거의 어딘가에서 닿아 있다는 소리다.

"다른 사제들에게는……."

"제가 말하겠습니다."

"아니, 아니야. 말하지 말아 봐."

평소라면 말해야 할 일이겠지만 묘하단 말이야. 법황이 올 것을 예측했을 때와 비슷하면서도 다른 예감이 든단 말이지.

그 쪽지. 나를 해치려고 했다면, 그런 식으로 쪽지를 보내오지 않았을 텐데. 내가 대사제들에게 바로 말하고 정원에 그들을 매복시켜 놓을 수도 있잖아?

타국, 낯선 저택에서의 초대라. 어쩐지 응해 봐야겠단 생각이 든다. 내 육감이 말하는 대로.

"카마엘, 나 자정에 정원으로 나가 봐야겠어."

그 시선의 주인이 누군지 궁금하기도 하고.

"위험할 수 있습니다."

카마엘은 딱 잘라 안 된다고 말하는 대신, 먼저 그렇게 말했다. 그거야 나도 안다. 하지만…….

"카마엘이 몰래 날 뒤따라오면 되잖아. 할 수 있지?"

당연한 듯이 말하면서 난 활짝 웃었다. 카마엘은 자그마치 성국 제일의 성기사잖아. 어떤 시시껄렁한 녀석이 날 불러냈는진 몰라도 들키지 않게 따라올 수 있잖겠어?

정원은 그리 넓지 않다. 혹여 누군가가 나를 해치려 든다면, 카마엘은 바로 모습을 드러내고 날 지켜 줄 수 있을 거다.

"굳이 그러셔야 하는 이유가 있습니까."

"느낌이 오거든. 이건 아마 예지가 아닐까?"

나도 호기심인지 예지인지 모르겠지만 말이야. 괜히 성녀가 아닌지 내 감은 꽤 잘 들어맞고 있었다.

호기심은 고양이를 죽인다지만, 나는 고양이가 아니고 내 감은 항상 의미가 있다.

카마엘은 결국 고개를 끄덕였고, 나는 또 다른 고민에 잠겨야만 했다. 이 방을 나가려면 대사제들의 방문 앞을 지나야 한다. 문제는 그거였다. 어떻게 걸리지 않고 지나지…….

답은 상당히 간단하게 났다. 자정이 가까워질 무렵, 카마엘은 조심스럽게 날 둘러업고 걸음을 옮겼다.

이카루스면 모를까 전투 사제인 아리안느라면 내 작은 발소리도 눈치챌 수 있다. 그 때문에 그도 꽤 신중을 기하고 있었다.

카마엘은 기척을 죽이고 미끄러지는 듯이 움직였다.

이야! 난 감탄사를 낼 뻔했다. 역시 카마엘은 대단해!

꼭 그림자가 흘러가는 듯한 움직임이다. 이 잘난 성기사님을 밤도둑처럼 야밤에 몰래 움직이게 하는 게 좀 그렇긴 해.

누구의 눈에도 띄지 않고 재빨리 위험지대를 빠져나온 카마엘은 정원으로 통하는 문 앞에서 날 조심스레 바닥에 내려주었다.

그의 목을 감싸 안고 있던 난 내려서자마자 생글거리며 그의 뺨에 입을 맞추었다.

"고마워, 이제 날 따라와 줘."

그에게 주는 상이 아니라 내게 주는 상인 것 같지만, 카마엘도 싫진 않을 거라고!

카마엘은 잠자코 고개를 끄덕였고, 난 천천히 문을 열었다. 서늘해진 바깥 공기가 쏟아져 들어왔다. 풀 향기가 코끝에 스민다.

아리안느가 중간에 내 잠자리를 살피러 왔기에 난 잠옷으로 갈아입은 채였다. 나오면서 위에 망토 하나만 걸쳤다.

그것만으로도 체온은 유지되었으나 하필 치렁치렁한 잠옷이라 정원을 걷기엔 좀 거추장스러웠다.

살며시 옷자락을 들어 올리며 난 어둠에 깔린 정원으로 걸음을 옮겼다. 등 뒤에서 카마엘의 시선이 느껴진다. 든든하다.

꼭 모험을 떠나는 기분이 드는데. 두근두근한걸?

다행일까. 오늘은 만월의 밤이었다. 성국이 아니더라도 월신의 성력이 한층 강해지는 밤. 교교한 달빛이 내게로 깃들어 왔다.

이리저리 불이 밝혀져 있긴 하지만, 정원은 암흑에 싸여 있었다. 위에서 볼 땐 몰랐는데 네모반듯한 벽면이 어른 키만큼이나 높았다.

그 때문에 정원 깊숙한 곳으로 갈수록 그늘져 빛이 닿지 않는 것이다.

카마엘이 뒤따라오고 있단 걸 알았기에 두렵진 않았다. 도리어 흥미진진한 기분이 든다.

자아, 누가 나를 불러냈을까? 뭐, 어디로 가야 할지는 알 것 같다. 그것은 확신.

나는 아까 전 시선이 느껴졌던 곳을 향해 걸음을 옮겼다. 알 수 없는 느낌이 나를 이끌었다. 모호했던 예감이 실체화되어 간다.

그리고,

막 모퉁이를 도는 순간, 난 그늘진 저편에 누가 서 있단 걸 발견했다. 잠자코 나를 기다려온 듯이.

어둠 아래 놓인 작은 인영. 나는 직감적으로 깨닫는다. 그래, 그건 너였다. 역시 넌 알았을 테지. 네가 보낸 쪽지에, 내가 응할 것을.

그리고 시선이 느껴졌던 이곳으로 틀림없이 찾아올 거라고.

나는 망설임 없이 다가섰다. 문득 휘몰아친 바람이 가지를 흔들어, 나뭇잎 틈새로 새어 든 빛이 절묘하게 그를 비춰 낸다.

얼굴과 머리를 온통 덮은 두건 사이로 파랗게 빛나는 눈동자를 발견한 순간, 난 활짝 웃었다.

"아델, 오랜만이야!"

쪼르르 달려가 손을 붙잡자, 흠칫 몸을 떤다. 더 차가운 색으로 시리도록 푸릇해진 그 눈동자가 날 훑는다.

천으로 칭칭 덮은 눈 아래는 보이지 않지만, 키가 훌쩍 컸다. 나보다 손바닥만큼 큰 것 같다.

날 놔두고 혼자만 어른이 되어 가는 걸까? 배신자로군!

삼 년 전, 아델의 뺨을 꼬집었을 적의 찰진 감촉이 기억이 났다. 왠지 모르게 그 감촉이 그리웠다. 난 성급하게 손을 뻗어 그의 얼굴을 더듬었다.

"뭐 하는 짓이야?"

탁. 첫 만남에서부터 냉정하게도 뿌리친다. 미묘하게 달라진 음성. 하지만 그래, 기억 속 그대로 아델의 것이다.

이럴 때조차, 내 예감은 들어맞고 만다. 또 만날 수 있을 줄 알았어, 너를.

"얼굴 좀 보여 봐. 그 이상한 복장은 뭐야? 그게 혹시 칼리스의 최신 유행은 아니겠지?"

"무슨 얼빠진 소리야."

말을 하면서도 제법 고분고분하게 천을 끌어 내린다. 정교하게 세공된 카메오처럼 아름다운 소년의 낯이 달빛 아래서 모습을 드러낸다.

헉, 정말 아델이야? 나는 믿을 수 없는 눈으로 아델을 쳐다보았다. 그도 나와 같은 열세 살이 되었을 텐데, 어딘지 모르게 더 성숙한 그는 제 나이로 보이지 않는다. 액면가는 한 열다섯?

"아델 형인가?"

난 현실성 없는 소리란 걸 알면서도 중얼대었다. 혹시 금방 조숙해지는 체질인가.

앳된 기미가 남아 있는 이목구비는 이전보다 날카롭고 섬세해졌다. 뭐랄까, 귀공자 같은 느낌?

호의호식해서 그런가. 원래도 재수 없는 도련님 같았는데, 좀 더 재수 없어졌다. 비뚜름한 조소라던가, 깔아보는 듯한 눈매가 딱 어울리는 스타일이!

"여전히 땅꼬마로구나. 조금도 크지 않은 것 같은데."

으스대며 말하는 꼴이 딱 아델이다. 누가 땅꼬마란 거야? 자기가 무식하게 커졌다고 날 막 무시한다. 대나무도 아니고 어떻게 사람이 그렇게 쑥쑥 자란담?

"네가 너무 삭은 거야!"

난 퉁명스레 항의했다.

"지금 성장 속도를 보건대 한 삼 년쯤 지나면 넌 이미 아저씨가 되어 있을걸!"

"넌 다른 쪽으로도 전혀 성장하지 못한 것 같은데. 이대로면 심각하지 않겠어?"

코웃음 치는 게 뭔가 레벨 업 한 기미가 느껴진다. 내 말에 일일이 짜증 내지 않을 만한 여유가 생겨났군.

자존심 똘똘 뭉친 어린애일 때가 귀여웠는데 여유라……. 왠지 배알이 꼴렸다.

마의 16세는 아직 오지 않았지만, 이만큼 잘 컸으면 뭐 자신감이 넘칠 만은 하지.

난 미묘한 패배감을 느끼며 기습적으로 손을 올렸다. 그러나 그사이 순발력도 더 늘었다. 그가 빠르게 내 손을 잡아챘다.

"어림없는 짓을."

이제야 깨달은 건데, 손도 많이 커졌다. 전엔 나와 눈높이가 비슷한 아이 같았다면, 지금의 아델은 어엿한 소년이었다.

키도 크고 몸도 쑥쑥 자란 걸 보아하니 영양 보급은 제대로 이루어지고 있는 것 같군. 성국에 붙들려 있었다고 괄시받진 않은 모양이다.

나는 그 점에 약간 안도했다.

"뭐, 그렇게 내 손이 잡고 싶다면야."

선심 쓰듯이 말하자 바로 손을 놓는다. 이건 참 여전하군.

솔직하게 반갑다고 표현하는데, 표현하는 족족 거부당하니 찬물을 끼얹은 것 같다. 들떴던 마음이 스르르 사그라졌다. 무슨 애가 이렇게 쌀쌀맞담.

난 팔짱을 꼈다.

"그 쪽지는 대체 뭐야?"

"그렇게 하면 네가 나올 줄 알았거든."

"어떻게?"

호기심으로 초롱초롱 빛나는 눈으로 난 그에게 얼굴을 들이

밀었다. 아델이 고개를 슬쩍 뒤로 젖히며 내뱉었다.

"넌 멍청하니까."

"뭐야?"

"그렇지 않다면, 침입자가 남겨 둔 쪽지를 보고 의심 없이 나오는 게 말이 돼?"

슬프게도 반박할 수 없단 걸 깨닫고 난 입을 내밀었다.

"아니야, 나는 나와도 된단 육감에 따랐을 뿐이라고."

"짐승인가. 육감대로 행동하게."

아델이 혀를 찼다. 자기가 불러내 놓고 도대체 무슨 소릴 하는 거야. 흰 눈을 뜨는 내 이마를 그가 툭 쳤다.

"넌 너무 무방비해."

"무방비하다니. 나는 너보다 강하다고."

성녀 타이틀은 아무나 달 수 있는 게 아니다. 무력을 직접적으로 행사할 일은 없지만, 나는 강했다. 나는 누구보다도 그걸 잘 알았다.

성녀란 건 태생으로부터 강대한 성력을 타고난 존재. 나는 자연히 성력으로 보호받고 있었다.

"뭐, 그건 그럴 수 있겠지. 하지만 여긴 성국이 아니고, 어떤 함정이 도사리고 있을지 모르는 곳. 나라면 절대로 너처럼 행동하지 않았을 거야."

뭔가 잔소리를 듣고 있는 기분이 드는데. 왜 오랜만에 만났는데, 초장부터 이런 소리를 들어야만 하는 거지?

이건 설마……? 난 헤실거리며 물었다.

"지금 날 걱정하는 거야?"

아델이 얼굴을 확 찌푸렸다.

"……누가 그렇대? 네가 너무 생각 없이 구니까 한 소리다."

답답할까. 속이 터진달까. 뭐 그런 뉘앙스인데. 하지만 난 긍정적이니 본의를 파악해 주지.

어떤 의미이든 나를 조금도 생각하지 않는다면 하지 않을 말이란 걸 안다.

"넌 여전히 비뚤어졌어! 오랜만에 만난 사람한텐 다정한 말을 해 줘야지."

"다정한 말?"

"뭐, 예뻐졌다거나. 만나서 기쁘다거나 그리웠다거나 그런 거."

나는 당당하게 어깨를 폈다. 사실 날 보고 놀라는 걸 좀 기대했는데.

아델이 잘 자랐다지만, 그건 나 역시 마찬가지라고. 이제 조금씩 소녀 태가 나기 시작했단 말이야. 더 이상 어린애가 아니란 거지! 물론 열세 살이나 열 살이나 어리긴 하다.

"네 다정함의 기준은 마음에도 없는 말을 하는 거?"

날 아래위로 훑어본 아델이 씩 웃었다. 묘하게 기분 나쁜 미소인데, 이상하다. 왜 심장이 멋대로……. 난 위기감을 느꼈다.

아니야, 열세 살 남자애를 보고 철렁하다니, 이건 용납할 수 없는 일이야! 급히 마음을 추스르면서 난 반격의 의지를 다졌다. 얘는 분명히 다정다감한 말에 약한 쪽이었지?

"그래? 난 네가 그리웠는데. 너무 보고 싶었다고. 잘살고 있을지 걱정도 되었고."

암암, 그 성질머리에 돌아가서 순탄히 자랄 수 있을지 좀 걱정이 되었달까. 뭐, 여전히 자신감이 풀풀 넘쳐나는 걸 보니 잘 살아온 것 같다.

미소가 넘치는 얼굴을 가까이 들이밀자, 아델이 슬쩍 물러났다. 난 부담스러울 만치 상냥하게 그를 끌어안았다.

"이렇게 다시 보게 돼서 기뻐."

어린애 같은 녀석. 너는 못 해도 나는 이런 걸 할 수 있지. 이게 바로 너와 나의 클라스 차이다!

속으로 의기양양해하고 있는데, 아델이 느릿하게 나를 뿌리쳐 냈다. 동요했는지 약간 멈칫거림이 있었다. 난 그걸 눈치챌 만큼 눈썰미 좋은 성녀였다.

"……네게 경고하러 왔어."

"날 보고 싶어서 온 게 아니라?"

아델이 질색했다.

"그만 좀 해!"

싸늘해진 눈빛이 슬슬 내가 자길 놀리려고 일부러 이런다는 걸 알아챈 듯하다. 그건 오해라구! 요만큼이라도 진심이 있긴 있었단 말이야.

나는 평생 두 번 다시 못 볼지도 모른다고 생각했던 아델을 다시 보게 되어 정말로 기뻐하고 있었다. 이렇게 두근두근한걸.

하지만 조금만 더했다간 그가 내 멱살을 틀어쥘 것 같았기에 난 쳇, 소리를 냈다. 안 하면 될 거 아니야.

"내가 말했지. 너는 안일하다고."

그래, 아주 오래전에 네가 나더러 안일하다며 비난한 적이 있지. 그걸 네가 아직도 기억할진 몰랐다만. 난 입술을 삐죽 내밀었다.

아델이 내 어깨를 붙잡았다. 그 눈동자가 어둠 속에서 짐승의 안광처럼 파릇한 빛을 낸다. 놀랍도록 심각한 그의 분위기가 들뜬 기분을 가라앉혔다.

아델이 웃음기 하나 없는 얼굴로 직설해 온다.

"지금이라도 오던 길을 돌려, 성국으로 돌아가. 아직 늦지 않았어."

불길한 여운을 실어 나르는 속삭임. 피부에 스며 오는 감각. 일순 시야에 암흑이 밀려오는 듯했다. 이 역시도 예지일까.

"왜? 너는 여기서 뭐 하고 있던 거야?"

난 조그맣게 물었다. 아델은 칼리스의 귀족이다. 그가 의미 없이 이곳 야파 왕국, 이 저택에 잠입했을 거라곤 생각지 않는다.

내가 이곳에 있는 걸 그가 알았다는 건, 칼리스도 그럴지 모른다는 뜻. 아델은 내게 어떤 정보를 주려고 하고 있었다. 그가 눈살을 조금 찌푸렸다.

"다리가 무너졌단 사실을 알았을 때, 왜 돌아서지 않은 거야. 어떻게 그리 태평할 수 있지?"

"네가 한 거였어?"

"그래."

"내가 성국으로 돌아가길 바랐구나."

"그랬지. 네가 다리를 고쳤다며. 쓸데없는 짓을 했어."

"쓸데없는 짓이라니."

난 투덜거렸다. 태양의 신성이 깃든 다리를 월신의 성녀인 내가 고쳤단 게 얼마나 대단한 일인지 모르는 거야?

인정해 주길 바라는 건 아니지만 폄하하는 것도 좀 그랬다.

"네 주변엔 다들 무사안일한 자들밖에 없는 거야? 칼리스에서 한 짓이라는 걸 눈치챌 만도 한데, 어째서 사절을 취소시키지 않는 거지? 성녀가 위험해져도 상관없단 건가!"

답답한 듯이 쏟아 내는 소리에 난 뚱한 표정을 지었다. 그야 내가 말 안 해서 다리가 왜 고장 났는지 모르니까 그렇지.

그리고 야파 왕국에서 개최한 회담은 정말로 중요한 것이다. 그 엉덩이 무거운 법황도 행차할 만큼. 이 시점에서 사절을 취소하는 건 좀 아니었다.

"넌 왜 내가 돌아가길 바라는 건데?"

난 조금 더 명확하게 질문했다. 아델이 눈썹을 치켜올렸다.

"위험하니까."

"위험하다는 건 무슨 뜻이야? 정확히 말해 주었으면 좋겠어."

난 그 파란 눈을 똑바로 응시했다.

그의 말로 미루어 보건대, 야파 왕국에선 어떤 일이 벌어지고 있었다. 그건 내게 위험한 일일 터.

아델이 얼굴을 싹 굳히며 내뱉었다.

"착각하지 마. 나는 네 편이 아니야. 난 칼리스인이고 칼리스를 위해 행동하지. 시시콜콜 네게 모든 걸 말해 줄 순 없어."

"난 성녀야. 성국을 위해 행동하지. 물론 나는 널 아주 좋아하지만, 네가 찾아와 경고한다고 해서 그 말을 그대로 들어줄 순 없어."

담담하게 말하니 아델의 손에 힘이 들어갔다. 어깨가 아팠다.

"내가 계속 네 뒤를 봐줄 순 없어. 그깟 약속 따위ㅡ!"

언성을 높인 그가 화를 삭인 듯 낮게 속삭였다.

"……언제든 집어치울 수 있다고."

그 말은……. 난 눈을 동그랗게 떴다. 성국과 나를 해하지 않겠단 삼 년 전의 약속. 그걸 말하는 걸까.

가슴이 쩡했다. 언제든 집어치울 수 있단 말과 모순되게 그는 그 약속을 지키고 있었다.

날 찾아 이곳까지 숨어드는 게 쉬운 일이었을 거라고 생각하진 않는다. 너는 그만큼 내게 보답해야 한다고 느낀 걸까.

내가 준 것들, 네게 그만한 의미로 닿았던 걸까. 감동에 빠져 난 속삭였다.

"너는 좋은 아이야."

사막에선 선인장밖에 자라날 수 없다. 그러나 그는 사람이었다. 조금만 애정을 부으면 꽃 필 수 있는.

아델의 근본은 악하지 않았다. 그렇기에 내게 보답하려고 애쓰고 있는 것이다. 그건 특별하고 또 묘한 기분.

그렇다고 해서 아델이 성질머리마저 고친 건 아니라서, 그는 싸늘한 반응을 보였다.

"동갑 주제에 날 어린애 취급하는 건 그만둬. 네가 성녀라고 해서 나보다 어른일 거라고 믿는 건 아니겠지?"

그럼, 너보단 어른이고말고. 난 태어나기도 전에 이미 18년이나 세상을 살았는데. 거기서 딱히 더 성장하진 않은 것 같지만.

뭐, 네가 나의 진정한 특별함을 알 리 없지. 난 새침하게 말했다.

"아무튼, 내게도 생각이 있어."

사실 없다. 생각, 그게 뭐지? 먹는 건가.

지금부터 생각해 보자면 어쨌든 칼리스는 내가 가진 진정한 힘에 대해서 잘 모른다. 그냥 보호받아야 할 성녀로 생각하겠지. 여기 있는 아델이 나를 연약한 어린 소녀로 보듯이.

그리고 나는 카마엘과 두 명의 대사제, 그리고 정예들이 함께하고 있었다.

지난 세월 평화에 무뎌졌다고 해도 신심으로 다져진 성국의 무력은 얕볼 만한 것이 못 되었다.

결론은 간단하다. 칼리스가 어떤 음모를 꾸미고 있고, 그것이 내게 위험한 일일지라도 성국은 거기에 굴복해선 안 되었다.

칼리스가 성녀를 노린단 사실에 겁먹어서 돌아간다면 이미 와 있는 신성교국의 법황이 뭐라고 생각하겠어?

당연한 이야기지만, 아델은 굉장히 이해심이 없는 편이었다.

"죽고 나면 더 이상 생각 같은 건 못하게 될 텐데."

"죽을 정도로 위험하다는 거야?"

잠깐 침묵이 깔렸다. 그 침묵은 칼리스가 어떤 음모를 꾸미고 있든 심히 불길하게 느껴지는 것이었다.

아델이 입을 열어 비아냥거렸다.

"칼리스를 상대로 네가 위험한 데는 정도가 없어. 하긴, 성국에서 보호받으며 호의호식하는 네가 진정한 위험이 뭔지 알기나 하겠는지."

내가 제 뜻대로 안 한다니까 못마땅한 걸 넘어서 화가 치솟는 듯 아델의 말투가 날카로워졌다. 성숙해졌다는 건 취소다. 어린애 같기는.

세상만사가 네 뜻대로 될 순 없다고. 혹시 내가 저를 못 믿는다고 생각하는 건가? 불신에 찌든 어린애는 잘 달래 주어야 하는 법이다.

"괜찮아. 내겐 네가 있잖아."

아무래도 얜 믿음과 신뢰를 주면 그걸 무시하지 못하는 타입 같아.

"……나더러 첩자라도 하라는 소리야?"

"응? 이미 하고 있는 거 아니었어?"

활짝 웃어 주니 아델이 미간을 찌푸렸다. 넌 이미 덫에 걸렸지. 문제라는 걸 인식하면서도 한번 발을 들이면 돌이킬 수 없게 되는 거라고. 관성이 붙는 거야.

"성국에 망명하고 싶다면 받아 줄게."

"사양하지."

쳇, 단칼에도 거절한다. 나는 불현듯 한 가지 사실이 궁금해 졌다.

"너, 근데 내 방엔 어떻게 들어온 거야? 창문은 잠겨 있었는 데."

자 빨리 밀실범죄의 트릭을 공개해 달라고. 내가 무척 궁금해 하는 티를 냈는지 아델이 콧방귀를 꼈다.

"그걸 모른다는 것부터가 네가 위험하다는 걸 방증하지."

"그래서 어떻게 들어왔는데?"

집요한 물음에도 아델은 그리 답해 줄 생각이 없는지 모른 척 고개를 옆으로 돌렸다. 비싸게 굴기는!

"말 안 해 주면 확!"

"확, 뭐."

건방지게 코웃음 친다.

⋯⋯분하지만 여긴 성국이 아니고 내겐 아델을 강제할 방법 이 없었다. 없나? 성력을 쓸 수 없는 건 아니니까 강제로 붙잡아 놓고 볼을 꼬집으면 되지 않을까. 세부적인 힘의 컨트롤이 뇌리 에서 그려졌다.

하지만 사소한 보복에 너무 거창하게 일을 벌이는 것 같다. 잠에 든 대사제들이 알아채고 달려오기라도 하면 곤란한데.

난 강렬한 유혹을 뿌리쳐 내고 턱을 치켜들었다.

"음흉하긴. 숙녀의 방엔 함부로 들어오는 게 아니라고."

"숙녀의 방이라면 그럴 수도 있겠지. 열세 살 어린애가 아니 라."

"너야말로 신사가 되려면 한참 멀었어! 애송이 주제에!"

서로 어린애라고 주장하는 의미 없는 투닥거림이 얼마간 이어졌다. 아니, 어떤 면에선 의미 없지 않았다.

우리 둘 모두, 헤어짐에 앞서 이 만남을 좀 더 끌고 보고 싶었던 것이다. 구실 없이는 애초에 만나선 안 되는 사이였으므로. 이렇게 말하니 뭔가 잘못된 만남 같다.

"너 약혼녀가 있는 건 아니겠지? 집안에서 정해 줬다거나."

난 불쑥 물었다. 쑥쑥 잘생긴 소년으로 자라났으니, 아델을 좋아할 만한 여자애도 있긴 있겠지.

저 얼굴, 아마도 높은 지위. 거기에 오만한 성격은 유감스럽게도 흠이 아니다. 귀족이라면 어린 시절부터 약혼자가 있는 경우가 많다고 들었다.

빠르면 열여덟에서 스무 살 즈음에 가문에서 정한 상대와 식을 올려 버리는 경우도 왕왕 있었다.

불과 몇 년 후면 아델이 유부남이 되어 버리는 거야! 와, 정말 기분 이상하다.

내가 굳이 이걸 물어본 이유는, 아무리 친구라지만 야밤에 다른 여자애랑 어울리면 약혼녀가 기분 나빠하지 않겠어? 알 수 있느냐는 둘째 치고, 실례일지도 몰라.

그러나 아델은 즉각 고개를 저었다.

"말했잖아. 관심 없다고."

난 고개를 갸웃했다. 아까부터 느꼈지만 아델의 말은, 나와 삼 년 전 나누었던 이야기들을 하나도 잊지 않고 기억하고 있단 것처럼 들렸다.

물론, 나도 그렇지만 나야 전생의 기억이 있고 아델은 아직 아이일 뿐인데. 보통의 아이는 몇 년 전 있었던 일 정도는 금세 잊어버린다.

네가 똑똑해서 그런 걸까, 아니면 유독 그때의 그것을 특별한 기억으로 새겨 둔 걸까.

아델이 다시 한번 딱 부러지게 강조했다.

"우린 그런 거 없어."

칼리스의 특성인지 가문의 특성인지. 여전히 별로 관심은 없단 걸 알겠다. 그래, 뭐 우린 아직 어린애니까. 밤중에 만나서 놀아도 괜찮을 거야.

"근데 그건 왜 묻는데?"

가늘어진 눈빛이 날카롭다. 경계하는 건가. 내가 저에 대해서 캐묻는 줄 알고?

물론 알고야 싶지. 난 네 진짜 이름도 모르는데. 근데 애, 내 이름은 아는지 모르겠다. 내가 이름을 말해 줘도 되나? 그것도 잘 모르겠고.

생각할 거리가 많아진 난 되는대로 대답해 버렸다.

"그렇담 내가 더 어른이네! 너와는 달리 내겐 약혼자가 있다고."

"……그게 누군데?"

내 반격에 놀랐는지 아델의 물음은 한 박자 느렸다.

약혼자……. 그렇게까지 말하긴 뭐하지만, 대충 그 엇비슷한 사람, 아니 요정이 있긴 하지!

말도 안 되는 걸 끄집어내는 걸 보면 나도 참 아델에게 정말로 이기고 싶었나 보다.

"아이참, 전에 말했는데 기억 못 하는 거야? 카마엘이잖아."

아델의 얼굴이 차가워졌다. 그가 기가 막히다는 듯이 웃었다.

"그가 너와? 그건 그냥 한 말 아니었나. 그가 변태가 아닌 한 성국에 있는 수많은 여자 중에 하필 열세 살짜리 어린애를 좋아할 것 같진 않은데."

아니야, 카마엘은 나를 좋아한다고!⋯⋯아마도.

강력하게 주장하고 싶었으나, 그러면 슬프게도 카마엘이 변태가 되었다. 내 요정기사님이!

결국 난 서글프게 긍정했다.

"그건 맞는 소리야."

그러고 보면 얘는 생각외의 곳에서 사고방식이 건전한 것 같다. 특히 약혼한 사이라면 서로 좋아할 거라고 믿는다는 점에서 말이야. 꼭 서로 좋아하지 않아도 약혼하는 경우가 드문 건 아니잖아?

"좋아, 그래, 이번엔 내가 진 걸로 하자. 뭘 그렇게 따지고 드는 거야."

아델이 무례하게도 대놓고 비웃는 표정을 지었다.

"겉모습이 인간 같아도 그는 요정이야. 설마 모르는 건 아니겠지?"

일침을 맞은 난 뚱하니 입술을 내밀었다.

카마엘이 내 의사에 따르든 그렇지 않든 요정이 인간처럼 결혼하여 짝을 짓지 않는다는 건 나도 알고 있다고. 그렇게 공상에 빠진 어린아이 보듯 보지 말란 말이야.

"그래, 사실 요정보단 현실에선 왕자님이지."

이 정도면 현실적이지? 아델이 굳어진 얼굴로 중얼거렸다.

"왕자님……?"

"하지만 성국엔 왕자님이 없는걸! 바로 곁에 있는 요정보다 더 꿈같은 존재라고."

아마 성국에서 쓰인 로맨스 소설에 나오는 남주인공 역은 왕자가 아니라 성기사일 거다.

신성불가침의 존재나 다름없는 카마엘을 대놓고 두고 쓴 건 없었지만. 뭐 카마엘의 인기가 엄청난 건 사실이지.

"근데 칼리스의 왕자는 왠지 배 나온 아저씨일 것 같아. 사실 실제 왕자들은 이야기 속의 이미지하고는 거리가 머니까."

사실 칼리스의 왕자라고 하면, 악당 중의 악당 배트맨의 조커가 생각났다.

얘도 성국의 성녀라고 하면 다이아몬드 반지 줄줄 낀 욕심 그득한 여자를 생각했을지도 몰라.

"전혀 아닌데."

"어, 정말?"

아델이 미간을 구겼다. 그리고 도리어 묻는다.

"이야기 속의 왕자님이 어떤데?"

난 곰곰이 고민하다가 손가락을 척 치켜들었다.

"일단 잘생기고 키 크고 돈 많고 말을 잘 타. 그 외의 다른 건 부수 조건이지."

"……그 네 가지를 모두 갖춘 왕자가, 네가 꿈꾸는 상대야?"

피식 웃는 얼굴이 좀 거슬린다. 난 당당하게 허리를 폈다.

"그럴 리가."

그리고 검지를 아델을 향해 가리켰다.

"성녀인 내 상대라면 카마엘과 싸워 이길 정도는 되어야지."

응응, 그렇고말고. 나는 고개를 연신 끄덕거렸다. 약해 빠진 왕자는 안될 노릇이다. 최종 보스 정돈 물리칠 수 있어야 이 성녀님의 안목에 부합하지 않겠어?

아델의 표정이 묘하게 굳어졌다. 그러다 입꼬리가 슬쩍 올라가는데,

"어떤 왕자는 그를 이길 수도 있겠지."

섬뜩한 느낌이 등골을 기었다. 그의 자신만만함 속에 스산함이 배어 있었다. 하지만 내가 무엇을 느낀 건진 모르겠다.

고개를 갸웃하는데 문득 바람이 불었다. 쏴아아. 온통 몸을 휩쓸고 지나가는 차가운 공기.

난 몸을 움츠렸다. 밤이라 그런지 싸늘하다. 난 그제야 손이 차가워졌단 걸 깨달았다. 애들은 추위를 많이 타지.

더군다나 성국은 일정한 기후를 유지하는 편이라, 낯설어진 추위에 몸이 시렸다.

아델과 만나고 얼마나 시간이 흘렀지? 카마엘을 마냥 기다리

게 할 순 없었다. 아쉽지만, 보내 줘야지. 언젠가 다시 만날 수 있기를 기원하며.

"저어— 난 이만 가 봐야겠어."

아직 아델이 내 방에 어떻게 들어왔는진 미스터리였지만, 어차피 말해 줄 것 같지도 않다. 아델을 만나서 반가운 건 반가운 거고 난 슬슬 춥고 졸렸다.

"그럼, 다음에 또 보자."

명쾌하게 말하고 난 악수하듯 그의 손을 잡고 아래위로 흔들었다. 그리고 빼내려는 순간, 덜컥 손이 붙들렸다.

어어? 잡아 오는 손아귀 힘이 셌다. 아델이 눈을 맞추고 물었다.

"돌아가."

"응?"

"성국으로 돌아가라고, 말했잖아."

난 아아, 하고 웃었다. 그래, 너는 그걸 말하려고 나를 불러냈었지. 잊을 뻔했잖아?

아까 끝난 얘기인 줄 알았는데 아델에겐 그렇지 않았나 보다.

"그건 곤란해. 말했듯이 내게도 생각이 있다고."

그래, 생각이 있지. 그게 무슨 생각일지 지금부터 곰곰이 생각해 봐야 하는 생각이. 내 손을 잡은 손아귀에 힘이 들어갔다. 아야!

"넌 나를 믿지 못하는 거네."

아델이 다짜고짜 내뱉는다. 그의 눈은 놀랍도록 새파랬다.

흡사 거울처럼 싸늘해진 눈빛. 급격하게 차가워진 온도 차가 내게로 파고들었다. 가슴이 따끔하다.

뭔가를 말하려고 입을 벌리는데 그보다 먼저 그가 말을 쏟아냈다.

"내 말만 듣고 돌아갈 수 없다는 소리는, 내 말을 믿을 수 없다는 소리지. 너는 성녀고, 네가 원하면 돌아갈 수 있으니. 네 마음대로 성국에 잠입한 나를 풀어 주었듯이."

⋯⋯예리한 녀석. 거기까지 파악하다니! 성국에서 내 권한은 확실히 그 정도까지긴 하지. 혹시 상처 입었나?

내가 그를 믿지 않는단 사실에 아델이 상처 입을 순 있다. 하지만 그건 당연한 것이기도 했다. 난 성국의 성녀고 아델은 삼 년 만에 본 칼리스인이다. 별로 특별히 깊은 사이도 아니라고.

물론, 내가 우리의 표면적 관계보다 아델을 각별하게 생각하는 건 사실이지만 말이야.

게다가 믿음⋯⋯. 그건 아델의 말과 조금 달랐다. 나는 내가 위험해질 거라는 아델의 말은 믿는다. 하지만 그 위험이 정말로 나를 해칠 수 있을 거라곤 믿지 않는 것이다.

그건 뭐, 가능성일 뿐이니까. 아델이 우리 쪽 전력을 다 아는 것도 아니고.

이렇게 말하면 아델은 자신이 말한 위험을 과소평가하는 것도 자길 믿지 않는 거라고 할 테지. 어차피 마찬가지다. 무한 도돌이표거든!

나는 그래서 다른 방식으로 그를 타일렀다.

"아델, 생각해 봐. 넌 아까 내 침실에 잠입했으면서, 방법을 말하지 않았지. 칼리스에서 나를 어떤 식으로 위험하게 할지도 말하지 않았잖아. 다 말하지도 않으면서 네 말을 전적으로 믿고 따르길 바라는 건 무리 아니야?"

그러나 아델의 반응은 다소 격했다. 그는 이를 갈며 쏘아붙였다.

"말장난하지 마. 애초에 너, 나를 믿지도 않으면서 왜 여기까지 나왔지?"

잘 이해는 안 되지만, 정말 화가 났나 보다. 어우, 무서워라. 난 눈을 조금 찡그렸다.

"너는 오로지 나를 돌려보내기 위해서 나와 이야기한 거야? 목적의식이 분명하구나. 난 그냥 너를 오랜만에 본 김에……."

반갑기도 해서 이야기하고 그런 건데, 정작 그는 나와 회포를 풀 생각 따윈 없었던 것 같다. 아델이 살벌하게 몰아붙였다.

"세상은 소꿉놀이가 아니야. 난 너와 장난 같은 대화나 하려고 여기까지 찾아온 게 아니라고."

"왜 그렇게 말하는 거야. 나와 이야기하는 거 즐겁지 않았어? 나는 절대로 이 시간에 의미가 없다고 생각하지 않아."

"즐겁다고? 그래, 네겐 이 모든 게 유희겠지. 삼 년 전 나를 돌려보낸 것도, 그 이전에 나와 함께 시간을 보낸 것도."

흡사 배신당한 듯이, 아델은 그렇게 반응하고 있었다. 가슴이 먹먹해진다. 그는 어딘지 모르게 벼랑 끝에 매달려 있는 것 같았다.

얘는 수단이 아닌 목적으로서 대화해 본 적이 없는 거야? 내 평범한 말에 어떻게 이렇게까지 반응을 하지.

단순히 내가 안 돌아간다고 해서, 제 마음대로 안 해서 화 난 걸로 보기엔 뭔가가 어긋났다.

"그때의 네 하찮은 동냥질도 그저 유희였겠지. 그저 철부지 어린애가 인형 놀이를 하듯이."

모욕적이군. 열 살이면 슬슬 인형 놀이에서 벗어날 나이라고! 핀트에 어긋나는 반박을 하고 싶었지만, 난 꾹 참았다. 그건 지나치게 장난스러웠다.

아델이 나를 때릴지도 몰라. 아니야, 얘는 내 목을 조를지도 몰라. 그건 좀 두려웠다.

때로는 진지하게 맞받아야 할 때도 있는 법이다.

"아델, 들어 봐. 넌 천사같이 예쁜 아이였고 그 때문에 내가 네게 호의적이었던 건 사실이야. 하지만 그걸 하찮은 동냥질이라고 생각한 적은 없어."

하찮은 동냥질이라니! 내가 그를 가엾이 여긴 건 사실이다. 하지만 그게 불쾌했다면, 아델은 왜 내게 경고하기 위해서 여기로 왔을까. 참 모순적인 일이었다.

내 행동을 아델이 동냥질이라고 느꼈다면, 적어도 그게 그에게 하찮은 것은 아니었으리라. 그건 내게도 마찬가지였다.

난 아델과 눈을 맞춘 채 또박또박 말했다.

"넌 내게 특별해. 그러니 네가 의미 없이 소진했다고 생각한 이 시간이 내게도 의미 없을 거라고 생각하지 말아 줘."

어쨌든 결론은 거절이다. 하지만 내 거절을 좀 부드럽게 받아들여 주었으면 하는 건 있었다.

내가 말을 맺자 아델이 입을 달싹였다. 내 손을 붙들고 있던 손에서 힘이 빠져나갔다. 알 수 없는 감정이 그의 얼굴 위를 그림자처럼 스쳤다.

잠시 후 아델은 어쩐지 분한 얼굴이 되어 내뱉었다.

"네 마음대로 해."

그리고 휙 몸을 돌린다. 어어, 이별의 포옹까진 아니더라도 이렇게 휙 가 버리다니! 너무하잖아? 난 아델의 뒤통수에 대고 물었다.

"아델, 우리 또 볼 수 있을까?"

다시 만날 기약 없는 헤어짐은 쓸쓸한 여운을 준다. 왠지 나만 만남에 집착하는 것 같지만, 뭐 어때. 자존심은 좀 더 특별한 데 쓰이는 거라고.

느릿하게, 이미 모습을 감춘 아델의 답변이 들려왔다.

"아마도."

난 활짝 웃으며 화답했다.

"잘 가."

"……창문을 잘 봐."

난 눈을 휘둥그레 떴다. 어, 지금 힌트를 준 건가? 다시 물으려 했지만, 그 사이 그의 기척이 완전히 사라졌다. 빠르기도 하지.

난 아델이 사라진 쪽을 뚫어지게 응시했다. 사실 그와 나눈

이야기들은, 전혀 단순하지 않았다. 그를 만나서 기쁜 마음도 드는 한편, 대화 끝의 잔재가 무게로 실려 가슴 한쪽을 짓누르고 만다.

그를 떠나보내고 나서야 그런 생각이 든다. 아델이 화를 낸건, 나를 찾아오는 과정이 무척 어려웠다는 것 아닐까.

우리 성국 쪽 사람들뿐만 아니라 칼리스에도 들키지 않아야 했겠지. 그렇다면 그와 내가 다시 만나기 위해선 아델이 또 위험을 감수해야 할 터.

"알아서 하겠지?"

조금 마음에 걸렸지만 그렇다고 다신 보지 말자고 할 순 없잖아? 부디 무리하지 않기를.

기원하면서 난 정원 길을 따라 총총 걸었다. 어? 근데, 내가 어디서 왔더라.

내 키보다 높은 정원수가 가득한 숲, 표식 없이 어둡기만 한 길이라 헷갈린다.

그때 불쑥 앞에서 한 기척이 튀어나왔다. 반짝거리는 머리카락이 은백색 비단처럼 눈앞에서 흔들린다.

"이야기는 잘 나누셨습니까."

"카마엘, 봤어? 아델이었어."

좋아라 하는 나와는 달리 카마엘의 반응은 퍽 담백했다.

"예, 그더군요."

카마엘의 표정 없는 얼굴을 세세히 살펴봤지만, 별다른 감흥은 없는 듯하다.

하긴 카마엘은 그때도 아델을 별로 좋아하지 않았지. 나보단 그와 아델이 많은 시간을 보낸 걸로 아는데, 동고동락하면서 쌓은 정도 없었나 보다.

아델은 카마엘에게 그저 칼리스인일 뿐인가. 이 냉정한 요정 기사님 같으니라고.

내심 투덜거리면서 자연스럽게 손을 내뻗자 그가 날 냉큼 들어 안았다.

"어떻게 그가 방으로 잠입했다는 걸 알아내셨습니까."

역시 카마엘은 그 문제가 가장 마음에 쓰였나 보다. 그도 그럴 게 보안이 그의 지척에서 뻥 뚫려 버린 것이니 말이다.

"맞아. 그거 창문을 살펴보랬어."

"창문이로군요."

아마 돌아가자마자 살펴보아야겠다고 마음먹은 것 같았다.

"있지, 카마엘."

난 잠시 머뭇거렸다. 아델과 나눈 이야기, 들려줘야만 할 것 같다. 하지만 카마엘이 어떻게 판단할지 알 수 없었기에 망설여진다.

칼리스가 다리를 훼손했단 걸 알고도 침묵했던 그라도 돌아가자고 할까. 게다가 아델은……

하지만 내가 의논할 수 있는 가장 객관적인 의견을 가진 이가 있다면 그건 카마엘이었다. 아델에 대한 이야기를 할 수 있는 이 역시도. 카마엘은 삼 년 전 이후 쭉 내 공모자였었다.

뭐, 요정이니까 인간과는 다른 관점에서 생각할 수도 있겠지.

그래, 역시 말하는 게 좋겠어.

"아델이 이대로 왕도로 가면 내가 위험해질 거라고 말했어."

"그렇겠지요."

카마엘은 이미 연산을 마친 듯 무심하게 대꾸했다.

"그가 여길 찾아올 수 있었던 건 우연이 아니었을 테니까요. 그가 성녀님의 행적을 알 수 있다면 칼리스의 다른 이들도 알 수 있었을 겁니다."

"칼리스는 지난 삼 년간 성국을 건드리지 않았어."

"하지만 그들은 지속적인 무력시위로 그들이 언제든 전쟁을 벌일 수 있다는 것을 암시했습니다."

"지난 삼 년은, 그저 유보였을 거라고 말하는 거야? 우릴 안심시키기 위한?"

"그렇습니다."

"그래서, 카마엘은 내가 돌아가야 한다고 생각해?"

"아니요."

놀랍도록 빠르게 나온 대답에, 나는 의아한 눈으로 카마엘을 쳐다봤다.

"칼리스인의 말을 순순히 믿을 순 없습니다."

"나는 아델이 진실을 말하고 있다고 생각하는걸."

"그렇다고 해도, 성국에게 칼리스는 두려움의 대상이 아닙니다. 그들의 위협에 뒷걸음질 칠 이유는 없다고 생각합니다. 저는 성국의 검이고, 제 검은 지난 평화 속에서도 무뎌지지 않았습니다."

날 내려다보며 카마엘의 보랏빛 눈동자가 짙은 광채를 냈다. 그가 그토록 단호하게 말하는 경우는 흔치 않았다.

그렇다. 카마엘은 성국 제일의 성기사. 칼리스가 성국을 위협해 왔던 건 요 몇 년간 중단되었을 뿐이지, 수십 년 동안 이어져 왔던 일.

그가 있는데 칼리스를 상대로 겁먹고 돌아서다니. 야파 왕국에 모여드는 타국 사절들에게 성국은 겁쟁이란 인상밖에 더 주겠어? 함께 믿고 칼리스에 대항할 만한 동지로 보이지 않을 거다.

신성교국에선 자그마치 법황이 친히 납셨는데 말이야.

"칼리스는 성국의 힘을 잘 모릅니다. 그들이 무언가를 꾸민다면, 오십 년 패퇴했던 것처럼 같은 결과만을 가져가게 될 겁니다."

나는 고개를 끄덕거렸다. 그래, 그것이 성국이지. 이 자신감, 이 확신. 월신의 권속으로서 가져야 할 만한 긍지.

내가 제대로 표현할 수 없었던 걸 카마엘은 명쾌하게 정리해 준다. 역시 내 요정기사님은 굉장해.

그렇다면, 카마엘이 이것도 설명해 줄 수 있을까? 이건 공적인 것도 아니고 꼭 할 필요가 없는 이야기지만, 그라면 답을 줄 수 있을지도 몰라. 아델은…….

"아델은 내가 자길 믿지 않는다고 생각해."

"당연한 일입니다."

"그 때문에 상처 입은 것 같았어. 있지, 그렇다면 그 애는 나를 믿는 걸까?"

중얼거림과 동시에 불현듯 깨달았다. 홀로 나를 불러내는 건 아델에게도 위험한 일이다. 내가 저 녀석 칼리스인이니 당장 잡아 가두라고 나올 수 있잖아?

하지만 아델은 내가 그를 해하지 않을 거란 믿음으로, 위험을 감수하고 나를 만났다. 그리고 난 거기서 그를 불신하는 듯이 말했고. 왜, 왠지 죄책감이 느껴지는데.

"성녀님을 믿는다고 해도 그가 성국으로 귀화하진 않을 겁니다."

"……뭐, 그건 그렇겠지."

가족들과 사이가 그리 돈독하지 않더라도, 제가 살아온 땅을 그렇게 쉽게 버릴 수 있을 리 없다.

아델은 진성 칼리스인이다. 하지만 성국에서 사는 쪽이 행복할 거라고 장담할 순 있는데. 귀화를 적극적으로 권유해 볼 걸 그랬나.

"그와의 인연은 이것으로 끝내시는 게 좋겠습니다."

왜, 새삼? 반문하려던 난 말을 삼켰다. 사실 카마엘은 진작 그렇게 말할 수 있었다. 그게 맞았다. 다만 그는 내가 하고 싶은 대로 하도록 내버려 두었던 것뿐이다.

"그는 언제든 적으로 돌아설 수 있습니다."

그는 칼리스인이다. 나와의 인연과 칼리스 둘 중 하나를 선택해야 한다면 당연히 칼리스를 택하겠지. 나 역시 그렇다. 어차피 대척점에 선 관계.

나는 그 중간의 어딘가에서 평화로운 타협점을 찾을 수 있지 않을까 생각했다. 여전히 그 생각엔 변함이 없었다. 하지만 내 탐색이 아직 답을 찾지 못한 것도 부정하기는 어려운 일이니.

"그는 아직 제게 대적할 만한 자가 되지 못합니다. 하지만 세월이 흘러 그가 성장한다면—"

카마엘이 분명한 어조로 말을 맺었다.

"그가 열 살의 어린 소년에 불과했던 때처럼 저는 그를 상처 없이 제압하지 못하게 될 겁니다."

카마엘이 내가 아델과 만나도록 내버려 둔 건, 지금의 아델은 내게 위협이 되지 않기 때문.

하지만 칼리스는 마법의 왕국, 그 귀족들은 마력을 다룰 줄 알며, 말할 것 없이 강하다. 아델은 위협적인 존재로 성장해갈 거다.

언젠가 아델이 내게 검을 겨눌 날이 찾아올지도 모른다. 그건 가능성 희박한 미래는 아니었다.

아이는 성장하고, 세월은 어린 시절 추억을 퇴색되게 한다. 영원히 철모르는 아이로 남을 수는 없겠지.

내게도 더 이상 아델을 스스럼없이 만나지 못하게 될 때가 올 테다. 외부적이든 나 스스로의 변화이든.

그래, 나는 아직 소꿉놀이를 하고 있는 건지도 몰라. 그래도—

"알았어. 하지만 시간을 줘."

난 시무룩하게 답했다. 아델과 끝낼 순간이, 적어도 지금은 아니다. 그와 나 모두 아직은 변하지 않았으니까.

*

카마엘의 품에 안겨져 실어 날라지는 동안, 나는 정말로 아이답게 스르륵 잠들었던 것 같다.

싸늘한 날씨에 오래도록 아델과 이야기를 나눈 탓인지 잠이 폭 달았다. 눈을 비비다가 깨어났을 땐 아침이었다.

부스스 몸을 일으키던 난 의자에 앉아 있는 카마엘을 보고 깜짝 놀랐다.

"어, 어 카마엘?"

그야 보고 또 봐도 좋은 얼굴이긴 한데 아침부터 눈곱 낀 얼굴로 보고 싶진 않았단 말이야!

난 재빨리 눈을 비볐다. 카마엘이 왜 여기 있지? 아참, 그러고 보니 어젯밤 내 방에 같이 있어 주기로 했지. 이불도 덮어 줬나 보다.

"일어나셨습니까."

이 밤 내내 거기 앉아 있었으면 고단할 만한데 카마엘에게선 피로한 기색이 조금도 묻어나지 않았다.

머리카락에 흐트러짐도 없고 옷차림도 반듯하다. 역시 성국 제일의 성기사답달까.

"으응, 고생했어."

내 야밤의 나들이도 따라나서느라 그도 고충이 컸지. 카마엘이 월급을 얼마나 받더라?

난 그를 저임금에 밤낮을 가리지 않고 부려 먹는 악덕 고용주가 된 것처럼 죄책감을 느꼈다. 그래, 성국에 돌아가면 보너스를 줘야겠어!

카마엘은 성국에서 제일 부자가 되어도 족할 만큼 많은 일을 하고 있다고.

"어떻게 침입했는지 알아냈습니다."

다짜고짜 떨어진 말에 침대에서 일어나던 난 눈을 휘둥그레 떴다.

어쩐지 의기양양하게 느껴지는 태도로 자리에서 일어난 카마엘이 창문 앞으로 다가섰다.

창문을 열어젖히고 바깥쪽 창틀을 어루만지던 그가 돌출된 어떤 문양을 눌렀다. 덜걱.

"어라?"

격자로 된 창문 유리 한 부분이 카마엘의 손길에 간단하게 분리되었다. 사람 손이 드나들 수 있을 만한 면적이 뻥 뚫렸다.

거기로 손을 넣어서 잠금쇠를 풀고, 안으로 침입하는 건 일단 저택 벽을 기어오르기만 한다면 순식간이다. 그런데 이런 장치가 있다는 건 어떻게 알았을까?

"성녀님을 맞을 준비를 하느라 사람이 드나들었을 테니 그때 장치를 설치해 놨을 겁니다."

난 심각한 기분에 잠겨서 중얼거렸다.

"이 방은 위치상 내빈을 위한 객실 중에서 가장 안쪽에 위치해 있지."

게라티 후작이 칼리스의 첩자라거나, 그의 주변에 첩자가 있다고 보기엔 일렀다.

사실 이 저택의 구조는 단순하다. 저택 중앙에서 복도를 따라 연달아 있는 작은 방들을 거쳐 지나면, 가장 큰 방이 나온다. 그게 이곳이다.

그리고 저택에서도 이쪽 지역은 말끔히 새것으로 최근에 보수공사를 마쳤다. 당연히 귀빈을 맞이하기 위해서겠지.

그건 즉 누군가 저택에 들어와 내부를 훑어보기만 했다면, 내가 머물 방이 어딘지 추측하는 건 어렵지 않단 소리다.

저택을 보수할 인력과 재료를 수급하는 건 아무리 조심스럽게 해도 눈에 띄게 되어 있다.

야파 왕국에서도 이쪽 지역은 성국과 맞닿아 있으니, 칼리스의 감시가 철저했다면 여기서 성녀를 맞이할 준비를 하고 있다는 걸 알아챘을지도 모른다.

만약, 야파 왕국에서 성녀를 초청했다는 걸 알았다면 말이다.

거기서 이어진 다른 가정으로 이 저택은 게라티 후작의 것이다. 그러니 게라티 후작이 나를 접대할 걸 미리 알았다면, 이곳에 있는 그의 저택이 사용될 거라는 것도 알기 쉽다.

하지만 게라티 후작이 날 맞이한단 건 어떻게 안 거지? 야파 왕국이 그렇게 허술하단 말이야?

야파 왕국은 칼리스에 대한 대처 방안을 의논하고자 타국의 사절들을 초대했다. 그렇다면 그만치 칼리스를 경계하고 비밀을 지키려고 했을 텐데?

그 어떤 경우든, 아델이 나를 찾아왔단 것만으로도 야파 왕국에 칼리스의 손길이 깊이 미치고 있단 건 변하지 않는다.

난 순식간에 불길해졌다. 야파 왕국의 중심부에서 나를 기다릴 함정은 결코 녹록한 게 아닐 테다. 그게 아델이 날 몰아붙이며 돌려보내려고 했던 이유겠지.

하지만 그렇다고 해서, 도망칠 건가? 그건 아니지. 난 빠르게 결론 내렸다.

카마엘 역시도 같은 생각을 했는지 담담한 표정이다. 한번 부딪혀 보자고. 대신 일부나마 진실을 공유할 필요는 있었다.

마침 일행이 모여들 시간이었다. 아무렇지도 않은 것처럼 아침 식사를 마친 뒤, 시중인들을 내보낸 나는 대사제들에게 할 이야기가 있다고 말했다.

"카마엘이 내 방에서 이상한 기척을 느꼈대."

카마엘과 잠시 의논하여, 아델의 이야기는 빼고 말하기로 결론이 났다.

나는 이카루스와 아리안느에게 카마엘이 내 방 창문에서 발견한 장치에 대해서 설명했다. 심각한 얼굴로 듣던 둘이 거의 동시에 물었다.

"그런 일이 있었다고요?"

"어째서 말씀하시지 않았습니까."

"그가 창문의 장치를 발견한 건 내가 깨어나기 전이었어. 그 전엔 수상한 기척 때문에 내내 내 방을 지켰지. 기우일 수도 있기에 말하지 않았다고 해."

"그래도 알았다면, 저희도 성녀님의 방을 지켰을 겁니다."

이카루스가 죄책감 어린 얼굴로 이마를 쓸었다.

큰일 날 소리를. 그럴 줄 알고 말 안 했지. 그랬다면 난 야밤에 아델을 만나러 가지도 못했을 거다. 내 방을 지키고 있지 않더라도 대사제 둘 다 촉각을 곤두세우고 있었을 테니까. 난 활짝 웃었다.

"모두가 카마엘은 아니잖아? 날밤을 새우고 내 방을 지켰다간 오늘 다들 병아리처럼 꾸벅꾸벅 졸았을 거라고. 낮에 나를 지키면 되는 거잖아."

"참으로 상냥하십니다."

아리안느가 이맛살을 찌푸렸다.

"하지만 성녀님, 그 이야기는 이 야파 왕국의 초입부터 우리의 안전이 위협당하고 있다는 거예요. 그 다리가 수상쩍게 무너진 것과는 차원이 다른 일이라고요."

"꼭 나를 노린 장치라고 볼 순 없지 않을까? 실제로 어젯밤에도 아무 일 없었잖아?"

난 천연덕스럽게 말하며 어깨를 으쓱했다. 좀 찔린다. 실제로 어젯밤에 아무 일 없었던 건 아니었기에.

"뭐, 손님용 방이니 도둑질을 하기 위해서 하인이 수작을 부려놨다거나?"

"게라티 후작에게 따져야겠어요. 어떻게 그런 방을 내줄 생각을 한 거지?"

아리안느가 불쾌한 표정을 지으며 팔을 걷어붙였다. 꼭 아작을 내겠단 표정인데. 이미 게라티 후작이 나쁜 놈이라고 확신해 버린 것 같은 태도다. 저 다혈질하고는.

일단 주먹을 날린 다음에 아니라고 하면 그제야 미안하다고 하겠지! 아리안느의 불같은 성미를 익히 보아 왔기에 안 봐도 뻔했다.

이번만큼은 이카루스도 '진정하세요, 아리안느. 조금 조심스럽게 말할 필요가 있습니다.'라고만 했을 뿐 따지고 든다는 그 자체에 태클을 걸지 않았다.

곧 사람 좋은 얼굴로 안부를 묻기에 들어선 게라티 후작은 흉흉한 기세의 아리안느를 발견하고 흠칫 놀랐다.

"간밤에 평안하셨…… 무, 무슨 불편한 일이 있으셨는지요."

"불편한 일, 그래요. 아주 불편한 일이 있었지요!"

아리안느가 기세 좋게 자리에서 벌떡 일어났다. 이미 일어나는 것만으로도 선빵을 날린 듯한 효과였다.

압박감을 느낀 게라티 후작이 진땀을 흘릴 듯한 표정으로 한 걸음 뒷걸음질 쳤다.

"너무 불편해서 한숨도 잠을 자지 못한, 그런 일이 말이에요. 제가 무슨 말을 하는지 짐작이 가시나요?"

아리안느는 쿨쿨 잘만 잤으면서! 대사제가 그렇게 거짓말해도 되는 거야? 하지만 그래, 주어가 없지. 아리안느가 그랬단 건 아니지만 실제로 카마엘이 한숨도 못 자긴 했으니까.

"소, 송구하오나 짐작이 가지 않습니다만. 도대체 무슨 일이 있었기에……. 모든 미흡함의 책임은 제게 있으니, 부디 말씀해 주시면 시, 시정하겠습니다."

후작씩이나 되는 아저씨면서 게라티 후작은 새파랗게 젊은 아리안느에게 허리를 굽신거리며 쩔쩔맸다. 저게 가식일까, 아니면 진심일까.

그의 앞에 선 아리안느가 쯧, 하고 혀를 찼다. 허리를 짚고 선 그녀가 내 방의 창문에서 발견한 장치에 대해서 말하며,

"우리 카마엘 님이 그걸 발견했기에 망정이지, 성녀님의 침실에 그런 교묘한 장치라니! 이 저택은 게라티 후작 당신의 것이라고 들었는데, 설명할 수 있겠어요?"

찌를 듯이 손가락질해 대며 그를 윽박질렀다. 아리안느는 이미 게라티 후작을 죄인 취급하고 있었다.

아직 무엇도 확실하지 않은 상황에서 아리안느가 그러는 건 심한 감이 있었지만 모두가 입 다물고 내버려 두며 게라티 후작의 반응을 살폈다.

아리안느도 알고 있는진 모르겠지만, 압박적인 상황에선 본심이 언뜻이나마 드러나기 마련이니까.

게라티 후작은 전혀 몰랐던 것처럼 반응했다. '그, 그런 일이 있었습니까? 세상에, 이런— 어떤 자가 감히!' 그는 노성을 쏟아내며 당황을 금치 못했다.

그래, 그 '세상에 이런 일'이 일어났다고요. 흐음, 나는 눈을 가늘게 떴다. 딱히 수상쩍은 기색이 느껴지지는 않는데.

이카루스가 차분하게 자리에서 일어섰다. 아리안느와는 다

른 압박감이 방 안의 공기에 무게를 실었다.

"게라티 후작, 우리는 이 사태를 간과할 수 없습니다. 게라티 후작은 성국에서 온 사절단을 마중하는 임무를 맡으셨지요. 그건 야파 왕국의 중앙회의에서 정해진 겁니까?"

"아, 아니요. 아닙니다. 저는 그저 명을 받고……."

"누구의 명입니까."

게라티 후작이 곤란한 얼굴로 말을 삼켰다. 국왕의 명이었다면 숨길 이유가 없을 테지만, 그는 망설이고 있었다. 흥미진진한데?

이곳에서 나를 노리지는 않았을 거다. 그 방의 장치는 만약을 위한 것일 테지.

야파 왕국에 방문하고 돌아가는 날까지 내가 칼리스의 함정으로부터 안전하다면. 돌아오면서 이곳에 머물게 될 가능성이 있으니.

"그, 그건 야파 왕국 내부의 일이라 말씀드리기 어렵습니다만."

"게라티 후작."

내 목소리가 또랑또랑하게 울려 퍼졌다.

"그대가 월신의 신도라면 내 앞에서 사실을 숨겨선 안 돼. 내가 듣고자 하는 바가 야파 왕국에 대한 그대의 충성심을 해치지 않을 거야."

처음으로, 내가 그에게 직접적으로 한 말이었다. 그것이 월신의 신도인 그에게 효력이 있었던 모양이다.

게라티 후작이 넙죽 몸을 엎드렸다. 고개를 든 그가 결의 서린 표정으로 말했다.

"……제게 명을 내린 건 삼 왕자 전하이십니다."

삼 왕자? 야파 왕국의 삼 왕자라면……. 난 곰곰이 되짚어보았다. 들은 바로는 야파 왕국의 국왕은 쉰에 이르는 나이임에도 아주 정정하고 사리에 밝아 국정을 틀어쥐고 있다고 했다.

일찍부터 자식을 가져 왕자들이 죄다 성인이 된 지 한참 지났음에도, 왕위를 계승받기까진 까마득하다고 하지?

일 왕자는 옛적에 사고로 죽었고 이 왕자와 삼 왕자가 부왕을 도와 국정에 참여하고 있다고 들었다. 두 왕자는 어머니가 다른 것 같으니 아마 계승권을 놓고 다투는 처지일 거다.

자, 그럼 대충 어떤 그림이 그려지지 않아? 계승권 전쟁에서 승리하기 위해서 외세를 끌어들인 왕자라거나.

물론 추측에 불과하다. 이 게라티 후작이 배신자일지도 모르잖아. 우리는 어느 선에서 정보가 누출되었는지 알지 못한다.

"하오나 오늘 일은, 성녀님을 모시겠단 의욕만 앞서 저택을 수리하느라 외부 인력을 끌어다 쓴 제 책임이라고 생각됩니다. 개중에 첩자가 있을 테지요. 엄밀히 색출하겠습니다."

설마 자기네 왕자가 칼리스와 내통했다고 믿고 싶진 않은지 후작이 강조하듯 말했다.

중립국을 표방했던 야파 왕국이 칼리스와 틀어진 건 최근부터였다. 그 말은 즉, 이전까지는 칼리스와도 교류하고 있었단 거다.

칼리스도 야파의 내부 정보를 빼내기가 타국에 비해 편하겠지. 이카루스가 고개를 끄덕였다.

"그건 후작에게 맡기겠습니다. 일단 우리는 당장 이곳에서 출발하길 바랍니다."

찜찜한 이곳에 더 머무르느니 여정을 서두르는 것이 나았다. 후작이 숙연한 얼굴로 인사하며 돌아섰다.

"바로 준비시키겠습니다. 한 시간 안에 출발할 수 있을 겁니다."

내색은 하지 않았지만, 게라티 후작이 칼리스의 세작일 가능성을 무시하기 어려웠기에, 그의 앞에서 조금 더 신중해져야겠다는 생각이 들었다.

풀어 놨던 짐을 추리고 떠날 채비를 마친 우리는 한 시간 후 왕도로 향하는 마차에 올랐다.

여정은 순탄했다. 그 말은 날씨가 맑고 가도는 잘 닦여져 있었으며, 우리 중 누구도 멀미를 앓지 않았단 뜻이다.

왕도까진 이틀 정도 부지런히 마차를 달리면 되었기에, 그리 먼 거리는 아니었다.

창문 사건과 아델의 경고 때문에 어느 정도 긴장감이 자리하고 있었으므로 관광 나온 것처럼 들뜨지는 않았다.

길 가다가 습격을 당하지 않는 건 당연한 일이지만, 긴장감 때문에 좀 의외로 느껴지기도 했다.

마차 안에서 턱 받치고 창밖을 내다보던 난 사소한 고민에 잠겼다.

"그 법황 있잖아."

지금 왕도에 먼저 도착해서 쉬고 있겠지? 법황이라는 단어가 주는 이미지대로 성자 같은 소년일지 궁금해진다. 그 앞에서 난 초라함을 느껴 버릴지도 몰라

어쨌든 그와 마주하는데 한 가지 문제가 있었다.

"그를 내가 뭐라고 불러야 해?"

난 고개를 갸웃거렸다. 나는 성녀고 월신의 권속이며 친녀이니 인간에게 말을 높이지 않는다. 상대가 왕일지라도.

법황은 월신과 동격인 태양신의 권속이었다. 또한 신성교국의 지배자. 하지만 그는 나와는 달리 인간의 태에서 태어났지. 그가 나보단 나이가 많기도 하고. 일반적인 예법에 따르면 나는 그를 어떻게 대해야 해?

잠깐 고심하는 듯하던 아리안느가 시큰둥하게 답을 냈다.

"서로 존댓말을 하거나 서로 반말을 하면 되지 않을까요?"

"서로 반말을 하라는 건 '법황아'라고 부르라는 소리야?"

'어이, 법황'이라거나. 진지하게 고민하는데 이카루스가 옆에서 풋, 하고 웃었다.

"그건 아닙니다. 서로 존중하되, 동격임을 인정하는 호칭이면 될 겁니다. 직접적으로 대화를 나눌 일이 있을진 모르겠으나, 상대의 어투에 따라 결정하시지요."

그래, 법황이 날 어떻게 대하는지 봐서 결정하면 되겠구나. 난 고개를 끄덕거렸다.

내가 법황에게 느끼는 건 호기심과 약간의 경쟁심? 그렇다면

그 애는 나를 어떻게 생각할까.

다른 신의 신도라……. 불안 섞인 기대가 피어오른다. 그 또한 예지일지 아직은 알 수 없었다.

*

그날 밤, 왕도를 반나절 거리에 앞두고 우리는 마을에 들어섰다.

어떤 저택의 잘 꾸며진 방에서 잠들게 된 난 잠자리에 들기 전 손을 모으고 자리에 앉았다. 차양이 드리워진 침대 밖에선 카마엘이 나를 지키고 있었다.

카마엘과 상담했을망정 줄곧 답을 나 스스로 찾아왔지만, 그래도 확인이 한 번은 필요한 거 같달까. 왕도에 들어서기 전, 나는 내 가장 큰 지지자를 만나 볼 필요가 있다고 느꼈다.

난 매일 밤 잠들기 전에 여력이 닿는 대로 기도를 올리곤 했다. 그 말은 깜빡 잠든 어젠 못했단 이야기지.

어쨌든 접신까지 하는 건 꽤 오랜만이었다. 신께서 나를 만나고자 하지 않으면 할 수 없는 것이 접신인데, 나이 먹으면서 신님을 만나 뵙는 횟수가 좀 줄어들었거든.

열 살 이후 신께 상담할 만큼 큰일도 없었거니와 서서히 모든 판단이 나 스스로에게 맡겨졌다. 자립심을 기르라고 하셨나, 그랬었지.

신성을 머금고 있지 않은 대기 속에서, 성녀인 나라도 신을 영접하는 건 좀처럼 쉽지 않다.

하지만 난 결국 고도의 정신집중 끝에 성공해 냈다.

[에스델 세라피아.]

빛이 서린 듯 시야가 온통 하얗게 번지며 나를 향한 부름이 들려온 순간, 가슴이 쩡했다.

시간으로 따지면 성국을 떠나온 지 며칠 되지도 않았는데, 나도 모르게 신님을 그리워했나 보다. 그야, 우리 할머니니까.

"네, 저 이제 왕도에 거의 다 왔어요."

[이 세계에서의 첫 여행이지? 기분 전환이 되었으면 좋겠구나.]

느긋한 음성에 어딘지 꼬집어 말할 수 없게, 이상한 느낌이 든다. 뭘까. 고개를 갸웃하던 난 당당하게 대꾸했다.

"기분 전환이라뇨! 전 놀러 온 게 아니라고요."

잠시 뜸을 들인 대답이 들려왔다.

[……그런 걸로 하자꾸나.]

"아이참, 저는 나름 심각하다고요. 그게, 제가 처한 상황이 좀 심각한 거 같아요."

나는 여태 있었던 일들과 아델의 얘기를 시간순으로 정리하여 보고했다. 주관 객관을 섞어서 곧이곧대로 설명하면서도 왠지 따끔거리는 기분이 들었다.

뭐, 딴 건 그렇다 치고 아델을 만난 건 자그마치 성녀인 내가 칼리스인과 내통한 거잖아. 하지만 카마엘도 아는 사실을 신께 숨기는 건 좀 아니다.

이곳은 성국 밖이고 세상에서 일어나는 모든 일을 신께서 알수는 없으니.

"그래서 제겐 조언이 필요해요."

[내가 성국으로 돌아가라고 한다면.]

"당연히 돌아가야지요! 신께서 말씀하시는 데 안 따를 수 있나요? 저는 성녀잖아요."

난 천연덕스럽게 결정을 떠넘겼다. 결국 나도 왕도에 발을 들이기 전 조금 겁먹은 것이다.

내 목숨뿐만 아니라 이 일행의 명운이 내게 달린 걸지도 몰라. 점점 무거워지던 가슴에 바위가 얹어진 것 같다.

이미 늦었을지 모르지만, 신께서 돌아가라고 하면 돌아가야지. 그게 신탁이니까!

[너는 그간 스스로 잘 판단해 왔지 않니. 새삼 내 말에 따르려는 건 재미있구나.]

웃음기 섞인 음성이 들려온다. 난 시침을 떼며 공손하게 말했다.

"저는 항상 신님의 말씀에 성심성의껏 따라야 한다고 생각해요."

[그 생각을 네 몸도 따라 주었으면 한다만, 칼리스라…….]

"제가 잘 헤쳐 나갈 수 있을까요?"

[나 역시 늘 옳은 판단을 내리지는 못한단다. 자신을 가지렴. 때로는 희생과 고통이 따를지언정, 그 끝에서 너는 네 길을 찾을 수 있을 거란다.]

희생과 고통. 아무것도 대가로 치르지 않는 삶은 이상적이지만, 성녀인 내게도 그런 삶은 주어지지 않을 것이다. 성국을 다스리는 건 항상 희생의 가능성을 내포한 일이었다.

내가 해야 하는 일이 뭔지는 알고 있었지만, 그렇게 하면 위험이 따른다. 나는 그걸 흔쾌히 감수할 만큼 단단하지 못하다.

[네가 성국의 결정을 짊어질 때가 곧 오겠지. 하지만 그래, 아직은 이른 것도 사실이니. 분명히 말하건대 나는 이번에 뒷걸음치기보단 앞으로 나아가길 바란단다.]

아직은 내 짐을 덜어 주겠단 말씀이신가. 나의 신은 역시 상냥하시다.

"야파 왕국의 수도로."

확신하듯 중얼거리자, 빛이 더해졌다. 새하얗게 눈앞을 적시는, 성결한 달빛.

[네 앞길에 축복이 있기를.]

축복을 내리는 주체인 신답지 않은 모호한 말. 그럼에도 나는 환히 웃었다.

음모의 소용돌이

다음 날, 우리는 만반의 준비를 하고 왕도를 향해 떠났다. 긴장감 도는 분위기였지만, 초상집처럼 막 우중충한 분위기에 잠겨 있진 않았다.

마차 안에서 간간이 이어지는 대화는 느긋했고, 신경을 곤두세운 이도 없었다. 간밤에 평화로웠던 게 한몫한 듯하다.

"칼리스에서 야파 왕국으로의 병력이동은 감지되지 않았습니다."

성구를 통해 성국과의 교신을 마친 이카루스가 보고했다.

아마 아델처럼 소수의 칼리스인만이 야파로 잠입할 수 있었으리란 예상. 그들이 무슨 짓을 벌인다면 암살 같은 은밀한 방식일 터였다.

부지런히 말을 달린 끝에, 우리는 드디어 왕도 제라스에 다다랐다. 드높은 성벽으로 둘러싸인 왕도의 외관이 제법 장엄하다.

사람 키를 훌쩍 넘어 드리워진 연갈색 성벽은 돌로 촘촘히 쌓아 올려져 견고해 보였다. 조각이 새겨진 성문은 하나의 예술작품 같았다.

작은 왕국이지만, 야파 왕국은 부국이다. 잘 닦인 가도며 성벽 너머 엿보이는 건물의 규모가 범상치 않았다.

성벽 위에서 휘날리는 여러 색의 깃발은 새것처럼 색이 짙고 고왔다. 경비병이며 기사들도 하나같이 반질반질한 경장을 하고 있었다. 오가는 사람들도 알록달록하게 옷을 잘 차려입었다.

하지만 그래 봐야 우리 성국만 못하지! 외부에 나오자마자 애국심이 철철 넘치게 된 난 고개를 끄덕거렸다.

야파 왕국이 성국보다 크지만, 성국은 야파 왕국보다 부유하다고!

성국도 내부가 예술품처럼 근사하고 규모가 큼직했다. 그 때문에 대국의 풍문을 보게 되어서 압도되지는 않았으나, 신기하긴 했다.

나는 마차 창밖을 보며 고개를 두리번거렸고, 날 보며 웃는이는 없었다.

아리안느건 이카루스건 성국에서 나설 일이 많지 않으니, 둘다 시선을 떼지 못한 건 마찬가지였다.

"왕도 제라스에 오신 것을 환영합니다."

우리는 도착하자마자 사전에 이야기된 듯 성문을 거쳐 곧바로 왕성으로 들어설 수 있었다.

성대한 환영회는 없었다. 성녀가 야파 왕국을 방문한단 건 야파 왕국에서도 지도층만이 아는 사실.

동네방네 떠벌려서 괜히 위험을 감수할 이유는 없지.

마중 나온 건, 중후한 얼굴의 한 귀족이었다.

"님바르 백작입니다. 성국의 고귀하신 분들을 뵙게 되어 기쁘기 한량없습니다. 어서 성에 드시어 여독을 푸시길 바랍니다."

게라티 후작은 어쩌고? 바톤 터치한 게라티 후작이 설명을 보탰다.

"왕도에서 귀빈을 맞이하는 일은 그의 몫입니다. 저는 이만 보고를 올리러 가 봐야 하오니, 부디 편히 쉬십시오. 내일 낮에 있을 연회에서 뵙지요."

"그간 노고가 크셨습니다."

우리 일행에서 가장 성격적으로 원만하며 그렇기에 대표 역을 맡고 있는 이카루스가 말했다.

이카루스는 님바르 백작과 대화를 나누며, 우리를 소개했다. 다만 님바르 백작이 내게 말을 걸려고 하자마자 바로 제지하며, 숙소로 안내해 달라고 했다.

여기서도 마찬가지로, 회담 이전에는 거의 그의 선에서 모든 이야기가 나누어질 것이다.

성녀인 나는 아무하고나 말을 섞으면 안 된다. 아리안느야 워낙 다혈질이고 카마엘도 영 대화를 나누기엔 뭐한 사람이지.

사실 나보다 더 숨겨져야 할 쪽은 카마엘이었다. 척 보기에도 인간 같지 않은 아름다운 용모. 은사처럼 반짝거리는 머리카락은 가는 족족 있는 그대로 시선을 불러 모았다. 이대로 있다간 완전 동물원 원숭이가 될 판이다.

하지만 그는 성국의 무력을 대표하는 성기사. 타인 앞에서 스스로를 감출 이유가 없다. 이 왕성 내에서 기사인 그가 베일이라거나 투구로 머리를 가리는 것도 이상한 일이다.

카마엘이야 좀이 쑤신다고 왕성을 헤집고 다닐 만한 성격이 아니지만, 그래도 소란을 피하기 위해서는 좀 돌아다니지 말아야겠어.

숙소는 화려했다. 본성에서 따로 정원을 두고 떨어진 건물. 흰색대리석으로 이루어진 입구며 벽면에 격자무늬로 섬세한 조각이 새겨져 있었다.

내부도 붉고 흰 실크를 섞어서 고급스럽게 치장해 놨는데, 침대가 푹신해서 무척 마음에 들었다.

내가 안을 둘러보는 동안, 다른 이들은 숙소에 대한 조사를 마쳤다.

"내빈을 맞이하기 위한 숙소입니다. 불편한 점이 있으시면, 시녀를 통해서 이야기해 주십시오."

"다른 내빈들도 인근에 머무는 겁니까."

"그렇습니다."

님바르 백작과 이카루스가 나누는 대화가 귀에 쏙쏙 들어왔다.

뭐? 다른 내빈들도 인근에 머문다고? 그렇다면 신성교국 사람들도……. 솔깃할 수밖에 없는 이야기였다.

백작이 가고 난 직후, 난 카마엘에게 손짓했다. 나 혼자 돌아다니는 건 당연히 안 되니, 그와 함께해야지.

여러모로 할 일이 많은 이카루스와 아리안느와는 달리, 나 못지않게 카마엘도 할 일이 없었다.

물론 할 일이 없더라도 카마엘이 심심해할 것 같진 않다. 날호위하는 게 그의 임무 전부라고 해도 과언이 아니니.

"여기 정원이 예쁘더라고. 카마엘과 함께 돌아볼게."

"본성에서 석찬을 들기로 했으니 한 시간 이내로 돌아오셔야 합니다."

이카루스는 대수롭지 않게 승낙했고 나는 카마엘과 함께 정원으로 나섰다.

우리가 마지막으로 도착했댔나? 사건이 있었다지만, 본의 아니게 꼴찌를 해 버렸다.

오늘 석찬은 그냥 간단한 대면 같은 것이고, 내일 낮의 연회에서 전부가 모여 본격적으로 인사를 나눌 터.

그리고 며칠간 회담이 이어질 것이다. 칼리스에 대항하기 위한 구체적인 협력 방안이 이야기되겠지.

나는 정원으로 향하며 고개를 두리번거렸다. 오면서 언뜻 색다른 차림의 사람들이 눈에 띄었다. 아마 이 인근에 내빈들을 죄 모아 둔 거겠지. 성국에서도 내빈 숙소는 지역을 따로 두었으니까.

그건 즉, 칼리스에서 마음먹기만 한다면 이 왕도 제라스에서 표적을 찾아내긴 쉽다는 소리다.

아델이 슬며시 떠올랐지만, 난 고개를 휘저어 훑어 버렸다. 여기서 찾아오길 바라는 건, 안 될 일이다.

정원 쪽으로 향해 가니 진한 꽃향기가 풍겨 온다. 후각이 마비될 정도로 짙은, 라일락 향기다. 보랏빛 도는 꽃송이가 예뻤다. 무늬가 화려한 나비 몇 마리가 꽃 위를 노니고 있었다.

나는 홀린 듯이 발을 움직였다. 살짝 거리를 두고 카마엘이 서서히 뒤따랐다.

곧 아주 오래된 나무가 우거진 정원이 펼쳐졌다. 모양내어 자르고 관리한다기보단, 자연스럽게 자라나는 걸 조금 손만 본 듯이 자연스러운 모습이다. 국립공원 같달까. 산책하기 딱인데?

나는 신나서 걸음을 빨리했다. 그리고 곧 뭔가를 발견하고 걸음을 멈추었다. 저편 나무 그늘에 누군가가 서 있었다.

그쪽에선 내가 잘 보이지 않았을 것이다. 그곳은 드러나 있는데 반해 난 수풀을 막 헤치고 나서려던 참이니까.

내가 그 누군가를 발견했던 건, 유리 조각이 햇빛에 반사된 듯이 뭔가가 반짝였기 때문이었다. 나는 다음 순간, 그게 머리카락임을 알아차렸다.

태양빛이 잠시 비춰 머무르는 듯한 그 맑은 순금빛. 나는 잠시 눈길을 빼앗겼다. 저만한 퓨어 블론드는 정말 흔치 않은데.

몇 걸음 더 걷자 각도가 바뀌어, 난 그 누군가의 옆모습을 볼 수 있었다.

그리 크지 않은 체구. 나보다 고작 서너 살 많아 보이는, 성인이라기엔 미성숙한 소년. 아주 고급스러운 금실 자수가 수놓인 하얀 의복이었다.

성직에 종사하는 자들은 늘 스스로를 정결하게 가다듬으라는 뜻으로 흰옷을 입는다. 어느 때보다 강한 예지가 나를 치고 들었다.

다만 나를 멈춰 서게 만들었던 건, 그 나부끼는 금빛에 휩싸인 얼굴이— 부서질 듯이 하얗고 유려한 선을 그리는 그 모습이. 조개의 흰 부분에 공들여 새긴 조각처럼 아름다웠기에.

하얀 비둘기. 왜 그런 이미지가 그려지는지 몰라 난 고개를 갸웃거렸다.

물론, 하얀 똥을 퍽퍽 떨구면서 앞다투어 과자를 주워 먹는 그런 비둘기는 아니었다. 평화의 상징, 순백의 비둘기.

나는 이 소년의 정체를 거의 확신하고 있었다. 조금 더 거리를 좁히자, 손안에 든 뭔가를 바라보고 있던 그가 내게로 고개를 돌렸다.

와, 예쁘다. 난 탄성을 낼 뻔했다. 그 역시 신의 권속이니 예상은 했지만, 옆얼굴 이상으로 섬세하게 자리한 정면의 이목구비는 아름다웠다.

소년의 눈동자는 아주 깊은 자줏빛이었다. 누군가를 현혹시켜 폭 빠지게 해 버릴 만치.

난 일순 섬뜩함을 느꼈다. 성직자의 것으로 보기엔, 다감함이 없었다. 도리어 사악하고 이질적인 느낌을 줄 만치 묘한 눈빛이다.

그러나 그는 내 느낌과 전혀 연관이 없어야만 하는 인물이었다.

"안녕."

해사한 웃음이 입가에 떠오르는 동시에 그가 나를 향해 손을 흔들었다. 가볍고 친근한 손짓.

난 조금 당황했지만, 곧 눈썹을 치켜들었다. 그의 손안에 있는 게 무엇인지 발견했기 때문에.

금빛으로 새겨진 오망성 무늬가 눈에 띄는 펜던트였다. 그가 그것을 소매 속으로 밀어 넣었다.

"여기서 뭐 하고 있는 거야?"

나야 카마엘을 달고 왔다지만, 그는 혼자잖아?

"바람을 쐬고 있었지. 정원이잖아."

평온하게 대답하며 그는 살포시 눈을 접어 휘었다. 우아하고 기품 있는 자태. 묻지 않아도 귀한 신분이란 게 팍팍 느껴져 온다. 아델의 건방짐과는 또 다른 의미로 말이야.

우리 둘, 그러고 보니 자연스레 말을 놓고 있어! 나는 사소한 고민이 해결되었다는 데 기쁨을 느꼈다.

하지만 이대로 넘어갈 순 없었다. 아주 아름답고 신분도 분명한 듯이 보이는 이 소년은 좀 수상쩍은 데가 있다.

게다가 그 손에 쥔 펜던트, 그건 좀 문제 있어 보이는데? 난 직설적으로 물었다.

"그러니까 내 말은, 법황이 왜 정원에 혼자 서서 칼리스의 펜던트를 들여다보고 있느냐 말이지."

마법은 신성에 반하는 것. 오망성은 틀림없이 마법의 증표다. 얘가 칼리스의 첩자일지 모른다는 건 과한 생각이겠지? 자그마치 신성교국의 법황이신데 말이야.

그의 앞에 다다르자, 갈무리된 거대한 힘의 존재가 느껴진다. 이질적인 신성. 그러나 그 작은 몸 안에서 생생히 숨 쉬고 있는.

이 거대한 신력을 완벽하게 제어해 내고 있다니. 그가 법황이 아니라면, 누가 법황일 수 있겠어?

"성격이 급하구나. 나는 이렇게 '우연히' 만나게 된 반가움을 나누고 싶었는데."

악수를 청하듯 손을 내민다. 난 그 손을 물끄러미 쳐다보다가 새침하게 말했다.

"아이참, 숙녀는 아무하고나 악수하는 게 아니야."

얘는 아델과 달라. 아델은 대놓고 '나는 살쾡이야! 건드리면 가만두지 않을 테다!'라는 식이거든. 하지만 얘는 '나는 독사지만 부드럽고 매끈하지. 한 번 내게 손대 봐.'라고 말하는 것 같았다.

그리고 손을 내밀면 독이 뚝뚝 떨어지는 이빨로 덥석 물어 버리는 거지.

그는 머쓱한 듯 손을 거두었다. 그 미안함을 유발하는 표정이 참 작위적이다. 하지만 왠지 마음을 스르륵 누그러뜨리는 뭔가가 있었다.

얘는 법황이니까 내가 느끼는 이건, 태양신의 신성 때문에 예민해져서일지도 몰라.

"여긴 우리 쪽 정원이고, 여기서 가장 가까운 숙소는 저어어 쪽에 있지. 아마 우리가 도착한 게 알려졌을 테니, 넌 여기 나를 보러 온 거니?"

"호기심이 있었던 건 사실이야. 이렇게 빨리 나타날 줄은 몰랐지만."

"그래서 그 펜던트는 뭔데?"

"그저 펜던트일 뿐이지. 내가 우리의 주적 칼리스의 상징을 가지고 있단 게 이상한 거니?"

참 나긋나긋하게도 웃으며 묻는다. 마치 조금도 찔리는 데가 없는 것처럼.

"내가 그런 걸 가지고 있었다간 나도 한 소리 들을 테지만, 내 손에 그 물건 들어오게 된 경로가 파헤쳐지면서 난리가 날 거야. 내 생각엔, 너도 마찬가지일 것 같은데."

"물론, 내가 이런 걸 가지고 있다는 걸 안다면 모두가 좋아하지 않을 테지. 하지만 이건, 내 개인적인 수집품이야. 칼리스라는 모두를 위협하는 존재를 실감할 수 있는."

날 빤히 들여다보는 그 자줏빛 눈동자에 묘하게 빨려드는 것 같았다. 그가 화사한 미소를 베어 물었다.

"그러면 이건 둘만의 비밀로 해 주겠어? 아름다운 성녀님."

으으, 온몸에 소름이 쫙 돋는다. 열세 살 어린애를 보고 아름답다니. 예쁘다 귀엽다 소리를 듣는 거랑은 차원이 다르다고.

내가 홀라당 넘어가 버릴 줄 아나 본데, 칭찬도 너무 간드러지면 부담스러운 법이다. 게다가 환심을 사려는 티가 났어!

난 군은 표정을 고치면서 그를 향해 검지를 들었다.

"아름답다는 말은 네 쪽이 더 어울려. 그리고 그런 표정으로, 그런 말투로 말하지 않는 게 좋겠어. 오해를 사기 쉽거든."

"왜, 홀리나?"

그가 흥미롭다는 듯이 고개를 기울였다.

"넌 인형이 아니잖아. 가지고 싶어도 가질 수 없단 말이야."

하하, 그가 소리 내어 웃었다. 나도 내 농담이 잘 먹힌 것 같아서 기분이 좋아졌다. 짜식, 우리 유머코드가 맞는가 봐.

하지만 그는 곧 몸을 낮추어 내게 고개를 가까이했다. 열여섯 살 소년에게선 찾아보기 어려운, 은근한 미소.

"다른 의미로…… 가질 수도 있지 않을까?"

뭐, 뭐라는 거야! 얘, 지금 내가 열세 살이라는 거 잊고 있는 거 아니야?

난 잠시 입을 뻥긋거렸다. 진짜 당황했다.

꼭 뭐랄까, 파티 같은 데서 눈 맞은 상대가 유혹하는 것 같은 느낌이었다고!

그건 성녀와 법황 사이에서 이루어지기엔 몹시 부적절한 대화였다. 얼굴을 감싸 쥔 법황이 키득거리며 웃었다.

"아직 어리구나."

물론 열여섯 살이 보기에 나는 어린애가 맞다. 하지만 그 어린애한테 그런 장난질을 치는 넌 어른이니?

난 뚱하니 그 애를 노려보았다. 살아온 세월로 따지면 내가 더 나이가 많은데, 열세 살로 사는 데 익숙해졌다 보니 난 갈팡

질팡하고 있었다.

아이참, 카마엘이 보고 있는데 질 순 없지. 대화를 좀 내 페이스로 가져와야겠어.

난 턱을 들며 물었다.

"네 이름이 뭐야?"

"내가 누구인지는 알 테고."

"알지만, 이름은 몰라."

눈을 맞춘 그대로 그가 나직이 속삭였다.

"히스칼 예레스, 자 이제 네 이름을 말해 주겠어?"

"에스델 세라피아. 에스델이라고 불러 줘, 히스칼."

그러나 눈을 가늘게 좁힌 히스칼은 고개를 저었다.

"……우리가 서로 너무 친하게 보이는 건 별로 좋지 않은 생각이야. 성녀님."

발을 빼는 게, 좀 이상하게 느껴졌다. 놀리듯이 친근하게 굴다가 정작 친하게 하려고 하니 선을 긋는다.

둘만 있는데 이름 부르는 게 뭐라고? 자기가 먼저 이 정원에서 기다리고 있어 놓고는.

비밀을 공유하는 건 분명히 친해지기 좋은 방법이었지?

게다가 저 눈빛. 자수정을 박아 놓은 듯이 깊이 있고, 투명하지만 그만치나 차가운…….

난 퍼뜩 어떤 사실을 깨달았다. 호기심은 있으되 호감은 없는 그것은.

"너 나를 싫어하니?"

나를 싫어하냐니. 말하고 나서도 상처받는다기보단, 고개가 갸웃거려진다.

물론 싫어할 수 있다. 사람이 사람을 싫어하는 데는 특별한 이유가 필요하지 않다.

하지만 이 애가 나를 싫어하기엔 함께 한 시간이 너무도 짧았다. 난 첫눈에 비호감일 그런 인상이 아닌데!

살짝 충격이 와닿았다.

"내가 너를 싫어한다고 생각해?"

당황하긴커녕 담담히 되묻는데, 아니야? 아닌데, 맞는 것 같은데. 싫어한다는 감정에도 여러 가지 이름이 있다.

이 경우에는, 적개심. 아델이 내게 보였던 것과는 다른. 그러나 그 이유는 하나로 귀결된다. 내가 성녀이기에.

난 망설이다가 대답했다.

"응."

"그러면 왜일지 곰곰이 생각해 봐."

피식 웃은 그가 얼굴에서 미소를 완전히 지워 냈다. 만들어진 듯한 미소라고 생각했는데, 역시 그 눈빛엔 차가운 얼굴이 썩 잘 어울린다.

왜 타국 애들은 죄다 나한테 적개심부터 드러내지? 나도 모르게 악명을 떨친 것도 아닌데.

슬슬 억울해진다. 나는 성국 안에선 사랑받고 성국 밖에선 미움받을 팔자인가 보다.

"히스칼 님, 어디 계십니까."

나직한 부름이 울려 퍼진다. 역시 법황을 홀로 두는 건 말도 안 되는 일이다. 몰래 빠져나온 것이겠지.

"카피토, 나는 여기 있어요."

히스칼의 존대에 놀랐다. 부드러운 입놀림 속에 칼을 품고 있는 듯이 보여, 누구에게나 존대할 것이 어울리는 인상이지만, 그는 법황이잖아. 나는 모두에게 말을 놓는데 말이야. 아마 이건 나라 차이겠지?

부름에 응하여 상대는 곧바로 이곳을 찾아왔다. 성큼 내딛는 걸음이 묵직하다. 냉철하고, 위압적인 인상의 젊은 청년이었다.

법황이 존대를 한 것, 그리고 가슴에 수놓인 화려한 장식을 보건대 낮은 직위의 사람은 아니다. 성국만 해도 대사제들은 별로 나이 들어 보이지 않으니까.

그는 나를 보았음에도 불구하고 아는 체하지 않고 법황에게 먼저 다가가 어깨를 잡아챘다.

"말없이 자리를 비우시면 곤란합니다."

경고하듯 떨어지는 목소리에 난 또 눈을 휘둥그레 떴다. 법황에게 저렇게 불손하게 대하다니. 말만 존대지 뉘앙스가 영 아니잖아.

그리고 원래 성체엔 함부로 손을 대는 게 아니건만. 신성교국이 법황을 아주 떠받든다고 들었는데, 얘가 아직 어려서 그런가. 좀 막 대하는 것 같은 느낌이……?

"답답해서 바람을 좀 쐬고 싶었어요. 이해해 주시지요."

눈을 휘며 웃는 얼굴이 그 안에 어떤 꿍꿍이도 없다는 듯이

322

해사하기만 하다.

카피토라는 자는 법황을 지그시 바라보곤 내게로 시선을 돌렸다. 잘생겼다는 건 부인하기 어렵지만, 왠지 좀 무섭다.

움찔하는데 그의 시선이 내 뒤로 옮겨졌다. 어느덧 카마엘이 가까이 다가와 등 뒤에 서 있었다.

"성국의 카마엘 님입니까."

"나보다 먼저, 성녀님께 인사를 드림이 맞을 것 같소."

냉정한 목소리가 나를 일깨운다. 이 카피토는 지금 날 무시하고 있다고! 본인도 법황한테 아는 체 안 했으면서, 라고 생각했지만 카마엘은 항상 옳지. 암암, 그렇고말고.

카피토라는 대사제가 뒤늦게야 내게 느릿하게 인사를 건넸다.

"성녀님을 뵙습니다. 신성교국의 대사제 카피토입니다."

"하나도 안 반가워."

앗, 본심이 튀어나와 버렸다! 카피토가 눈썹을 치켜들자, 옆에서 법황이 소리 내어 웃었다.

맑은 웃음소리가 울려 퍼지자, 얼굴이 화끈 달아오르는 것 같았지만 난 애써 의도한 듯이 당당하게 굴었다.

안 반가운 걸 그럼 어떡해? 왔을 때 어서어서 인사를 했어야지.

"카마엘도 인사해. 법황, 히스칼 예레스라고 해."

풀네임까지 불쑥 말해 버리자 카피토의 시선이 법황을 향했다. '벌써 통성명까지 하셨습니까.' 캐묻는 시선. 법황은 해사한 미소로 받아쳤다.

미묘한 기류가 흐른다. 둘 사이가 법황과 대사제와의 올바르고 평범한 관계로 보이지 않는 건 분명했다.

말썽쟁이 법황과 보육 사제라고 보기에도 분위기가 싸늘한 게, 서로 절대 친하지 않은 건 확실하다.

"카마엘이라고 합니다."

카마엘이 슬쩍 묵례해 보이자 히스칼이 손을 흔들었다.

"반가워, 과연 소문날 만한 모습이로군."

슬쩍 비꼬는 거 같은데, 맞지? 카마엘이 명성을 떨치게 한 것은 명백히 그의 실력이다.

하지만 정작 그를 앞에 두고 보면 그 사실을 잊게 만드는 건 외형이니. 외모가 실력을 가리는 케이스랄까.

다만 카마엘은 자신이 무엇으로 명성을 떨치든, 아니 사실 명성을 떨치는 것 자체에 관심이 없는 것 같았다.

내가 기분이 좀 상할 뿐이지. 카마엘은 내게 신성불가침의 존재라고! 정말 굉장한 성기사님이란 말이야. 그의 카피토보단 내 카마엘이 확실히 나아 보이는데.

마침 난 법황이 곤란해질 만한 사실을 알고 있었다. 그 펜던트, 일러 버릴 테다!

그러나 정작 상대에겐 내 말을 들어줄 의향이 없어 보였다.

"그럼, 이만."

볼일이 끝났다는 듯이 고개를 조금 숙여 인사한 카피토가 형식적으로 말을 맺었다.

"내일 연회에서 뵙기를."

어어? 뭐라고 말을 하기도 전에 휙 돌아서는 게 정말 칼 같다.

그나마 예의가 있는지 내게 눈인사를 건넨 법황이 제 대사제를 따라 걸음을 옮겼다.

멀어져가는 그들을 보면서 난 왠지 좀 멍했다. 한순간 바람이 휩쓸고 지나간 것 같았다.

"우리도 들어가 보는 게 좋겠습니다, 성녀님."

카마엘의 권유에 나도 그를 따라 종종걸음을 옮겼다. 그러다 문득 법황, 히스칼이 조금 전에 한 말이 떠올랐다.

저가 왜 나를 싫어하는지 곰곰이 생각해 보랬지. 그래, 왜일까. 신성교국의 법황이 성녀인 나를 싫어할 만한 이유라.

나는 다른 사람의 의견이 필요하단 걸 깨달았다.

"어때 보여?"

불쑥 묻자 카마엘이 바로 뒤돌아서 반응했다.

"무엇을 말씀하십니까."

"저 둘."

"신성교국의 법황과 대사제 말입니까."

"아이참, 그런 당연한 거 말고. 저 둘 우리한테 전혀 호의적이지 않잖아."

"그렇군요."

카마엘은 별걸 못 느낀 눈치다. 그가 대수롭지 않게 부연했다.

"예로부터 신성교국과 성국은 그다지 교류가 없었습니다. 서로 다른 신을 섬기니까요."

하지만 교류가 없는데 비호의적이란 건 좀 이상하다. 모르니까 호의적일 수도 있는 거 아냐? 성국에 대해 안 좋은 소문이 난 건가.

게다가 이제는 같은 편에 섰잖아. 서로 잘 지내는 게 좋다고 생각하는 건 나만인가. 음, 그래. 서로 경쟁심이란 게 있을 수 있지.

그렇다 쳐도 법황의 태도는 좀 이상한 감이 있었다. 내가 궁금하긴 하지만, 나 자체는 싫어한단 거. 그건 단순히, 경쟁심 때문은 아니었다.

"법황이 내가 싫대."

난 시무룩하게 중얼거렸다. 면전에서 맞이한 거부는 오랜만이라, 마음이 무척 상한다. 나는 그래도 법황이라면 나랑 비슷한 위치니까 약간 호감이 있었는데 말이야.

오랜만에 동등한 관계의, 내 또래의 누군가를 만나게 된 거라고. 그러니까 전생의 내 또래 말이지.

하지만 그렇게 보자면, 법황은 내가 어리고 철없어 보여서, 별로 맘에 안 찼을지도 모르겠다. 엄청 현숙하고 성녀다운 그런 걸 생각했다면 말이야.

라이벌로 생각했는데 막상 보니 별거 없어서 더 싫어진 게 아닐까.

내게 좀 익숙해진 카마엘이 달래듯이 말했다.

"이상한 자로군요."

"그치? 나를 싫어하다니. 정말 이상한 녀석이야."

"성녀님도 그를 싫어하시면 됩니다."

카마엘이 너무도 간단하게 대답해 버리자, 나는 잠시 할 말을 잃었다. 그렇지, 눈에는 눈 이에는 이라고 나도 그를 싫어하면 되지. 근데 그건 너무 어린애 같잖아.

"하지만 성녀인 내가 다른 사람이 날 미워한다고 같은 방식으로 호응하는 건 바람직하지 못한 것 같아."

"그도 옳습니다."

……카마엘은 그냥 내가 옳다는 거 아닐까. 사실 내게 길든 대로 호응하는 것뿐이지, 별로 생각을 거치고 말하는 것 같지 않다는 느낌마저 든다.

싱숭생숭해진 난 입을 꾹 다물었다. 기회가 있다면 다음에 법황을 붙들고, 왜 나를 싫어하는지 캐물어 보겠다고 생각하면서.

다시 방으로 돌아오자 어느 정도 정리를 마친 이카루스와 아리안느가 우릴 맞았다. 이제 곧 석찬 시간이었다.

＊

"두 왕자 전하께서 기다리고 계십니다."

성국에서 성녀가 방문하는 건 확실히 특별한 일이다. 이제껏 단 한 번도 없었을 만치. 왜냐하면 난 신이 내린 최초의 성녀거든!

그러니 이런 예우로 맞이할 만했다. 두 왕자라. 권력의 핵으로써 장차 왕위를 물려받을 계승권자들. 그 둘 모두가 한자리에 모였단 건 흔치 않은 일이었다. 그야 틀림없이 바쁜 몸들일 테니까.

……뭐 신성교국 일행에게도 비슷하게 대했겠지. 법황도 국경 밖으로 좀체 나오는 법이 없다니까.

나는 당당하게 고개를 들었다. 화려한 무늬의 커튼과 꽃으로 장식된 입구를 넘어 우린 식당으로 들어섰다.

비밀리에 여는 회담이니, 떠들썩하게 맞이하진 못할 터.

성안에 마련된 석찬엔, 두 명의 왕족과 우리를 맞이한 님파르 백작, 그리고 게라티 후작이 먼저 자리하고 있었다.

"침소는 마음에 드십니까. 부족한 점이 있다면 언제든 말씀해 주십시오."

님파르 백작이 가장 먼저 일어서서 말을 걸어오는 걸 보니 이중 가장 급이 낮은가 보다. 이카루스가 부드러운 낯으로 화답했다.

"아주 마음에 듭니다. 성녀님께서도 융숭한 응대에 만족하고 계십니다. 야파 왕국의 두 왕자 전하를 이 자리에서 뵙게 되니, 더없이 큰 기쁨입니다. 저는 성국의 대사제 이카루스입니다. 성직에 속한 몸, 오로지 이름만으로 불리고 있으며 따로 성은 없습니다."

님파르 백작이 먼저 아는 체했으니, 대사제가 왕자에 비해서 꿀리는 지위는 아니라지만 순차로 인사를 하는 거로군.

웅웅, 그래. 외교적인 예의라는 걸 나도 좀 알 것 같다.

난 느릿하게 자리로 향하며 이쪽을 쳐다보고 있는 두 왕자를 훑어보았다.

두 왕자 모두 육체보단 두뇌를 쓰는 타입인 듯 외형상 그리 강건한 모습은 아니었다. 그리 발달하지 않은 체격.

다만 왼쪽은 선이 가늘고 지적인 인상인 데 반해, 오른쪽은 좀 더 선이 굵어 완고한 얼굴이다. 아무래도 오른쪽이 형 같지?

"내가 이 왕자 레가스입니다. 초대에 응하여 이 야파 왕국을 찾아 주신 것에 감사드리는 바입니다."

그래서 왼쪽 왕자가 꺼낸 말에 난 놀라 버렸다. 아무리 봐도 동생처럼 생겼는데? 무엇보다 오른쪽 왕자가 좀 더 삭았다. 형제라도 역시 세상은 불공평한 건가 보다.

"삼 왕자 아라곤입니다."

삼 왕자가 무뚝뚝하게 대꾸했다. 그나마 친절하게 미소를 띄워 올린 이 왕자와는 다르게 뭔가 심기가 불편한 눈치였다.

아리안느가 먼저 자신의 이름을 밝히고, 이어 카마엘이 나섰다.

"성기사 카마엘입니다."

"그 유명한, 성국의 검이신가."

이 왕자가 눈을 빛냈다. 그것이 그들이 보인 반응 중에 가장 컸지만, 흥분한 기색은 느껴지지 않았다.

신화 속에나 나올 법한 존재인 카마엘과 마주하고도 삼 왕자는 흘끗 시선을 주었을 뿐이다. 그건 나름대로 놀랄 만한 일이었다.

어쨌든 카마엘이 모습은 내 오묘한 금안에 대한 놀람도 희석시키는 면이 있으니까.

"허명일 뿐입니다. 그리고 이분은……."

카마엘이 내 쪽을 향해 고개를 돌렸다.

"월신께서 직접 내리신 축복이며, 성국을 다스리시는 성녀님이십니다."

"에스델 세라피아. 그게 내 이름이야."

난 최대한 목소리를 가다듬어, 또랑또랑하게 말했다. 잠시 내 눈동자에 시선이 쏠린 듯했다. 완고한 인상의 삼 왕자가 역시나 태클을 걸어왔다.

"……이곳은 야파 왕국이니 왕족에 대한 예우를 지켜 주시지요."

어디서 반말이냔 소리다. 그야 난 겉보기로는 그의 반절 정도 되는 여자아이니 기분 나쁠 만도 하지. 난 생긋 웃었다.

"나는 월신의 소생이니, 인간에게 말을 높일 수 없어. 양해해 주기를. 내 존대를 받을 수 있는 분은 월신 뿐이시지."

"성직에 계신 분들은 곧잘 타국의 예의를 무시하시는군요."

삼 왕자가 비딱하게 내뱉자 이 왕자가 제지를 걸었다.

"아라곤."

……아마 이미 신성교국의 일원들과 한 차례 진통을 겪은 듯하지?

삼 왕자는 입을 꾹 닫으며 고개를 돌렸고, 우리 중 누구도 거기에 더 이상 문제 삼을 생각은 없었다. 곤란한 얼굴의 게라티 후작이 말을 꺼냈다.

"송구한 말씀 하나 드리게 되었습니다. 폐하께선 옥체가 미령하시어 회담은 이 두 왕자 전하께서 이끌어가시게 될 겁니다."

나는 눈썹을 치켜올렸다. 그리고 다른 두 대사제의 반응도 비슷했다. 이카루스가 대표해서 입을 열었다.

"어디가 안 좋으신 겁니까. 이곳에는 두 신성의 대표자께서 계시니 웬만한 질병은 충분히 낫게 할 수 있을 텐데요."

"그것이……"

이 왕자가 얼른 말을 받았다.

"큰일은 아닙니다만, 성력으로 치료가 불가능한 종류의 병이라, 의원이 성심을 다해 진료하고 있으니 심려 마십시오."

삼 왕자가 허, 하고 웃었다. 나란히, 그것도 제법 가까이에 앉아 있는 걸 봐선 둘 사이가 나빠 보이진 않았는데 착각이었을까.

이 왕자가 경고하듯 그에게 시선을 준다. 짧은 순간, 미묘한 기류가 오갔다. 난 이 두 왕자의 관계가 어딘지 서늘하다는 걸 깨달았다. 그건 우리가 도착하기 전부터 지속되어 온 것.

아주 험악한 관계는 아니었나 보다. 이 왕자가 보낸 경고를 삼 왕자는 맞받아치려고 하지 않았다. 대신 그는 자리를 떠나는 것을 택했다.

"인사를 마쳤으면, 이 몸은 이만 물러가 보아야겠습니다. 공사가 다망하여."

"아라곤."

"레가스, 너는 마음이 퍽 편안한가 보군. 그러면, 내일 있을 연회에서 뵙지요."

고개만 까딱해 보이곤 홱 뒤로 돌아 빠져나가는 그를 보며 이 왕자 레가스가 한숨을 내쉬었다.

"실례를 사과드립니다. 다른 뜻은 없을 것이니."

원래 성격이 저렇긴 한가 보다. 이 왕자는 다행히 삼 왕자보다 사교적인 성격으로 보였다. 이카루스가 부드러이 맞받았다.

"폐하께서 편찮으시니, 아무래도 신경 쓰실 일이 많으시겠지요."

일순 굳어진 분위기는 식사가 이어지면서 게라티 후작과 이 왕자, 이카루스의 대화로 원만하게 흘러가는 듯했다.

이미 다른 사절들과는 한 번씩 대화를 나누었던 터. 회담에서 구체적으로 무슨 이야기가 나올지 거의 좁혀진 모양이었다.

주로 칼리스에 대한 정보를 어떤 식으로 교류할 것이며 칼리스의 군사적 움직임에 대해서 어떻게 대처하느냐 등에 대해서 논의될 터.

야파는 중립국이고 여기에 모인 다른 나라들도 그리 호전적인 성향이 아닌 걸로 안다. 신성교국과 성국은 애초에 비침략을 기치로 세워진 나라들이다.

그리고 이카루스는 역시, 화두에 올려놓아야 할 중요한 이야기를 놓치지 않았다.

"그런 일이 있었군요."

이 왕자가 곤혹스러운 빛을 떠올렸다. 이카루스가 예의 그 창문 사건을 언급했던 것이다.

우리는 삼 왕자 쪽에 정보를 유출했단 혐의를 두고 있었다. 그가 없는 자리에서 이야기하기엔 모호하다. 삼 왕자의 반응을 볼 수가 없잖아?

하지만 이카루스에게도 생각이 있을 것이다.

"진상 조사는 어떻게 되어 가고 있소?"

이목이 쏠리자 게라티 후작이 조심스럽게 말했다.

"그 방을 수리한 자를 물색해 보았습니다만, 귀빈의 방이다 보니 따로 외부 인력을 들이지 않고 저택의 하인들을 동원했는데, 귀빈분들께서 도착하시기 며칠 전 휴가를 냈다고 합니다."

"병사를 보내 보았소?"

"예, 하지만 집이 텅 비어 있었다고 하더군요. 급히 수배를 걸었습니다. 하지만 송구스럽게도, 난항입니다. 어디로 갔는지 짐작하는 이 한 명 없더군요. 다른 마을에서도 제보가 들어오지 않았습니다."

"이미 시체가 된 모양이로군."

이 왕자가 혀를 찼다. 일단은 이것으로 더 추적이 불가능하게 된 듯하다.

어느 선에서 정보 유출이 이루어졌는지 알아낼 수는 없을까. 아델에게 물어보면 좋을 텐데.

너네한테 우리가 방문한단 소식을 알려 준 게 삼 왕자야? 게라티 후작이야? 이러면서. 물론 순순히 대답할 리는 없겠지.

"돌아가는 길에 위험을 겪지 않도록, 호위병을 늘리겠습니다."

이 왕자가 해 줄 수 있는 보장은 그것뿐이었다. 이카루스는 뭔가 생각에 잠긴 듯했다. 그가 조금 후 다른 질문을 꺼내 들었다.

"송구하오나, 폐하께선 언제부터 편찮으셨는지요."

맞아, 야파 왕은 정정하기로 소문이 났지 않아? 그래서 자식들에게 왕위를 안 물려주고 있다고 했는데, 여기 와 보니 편찮으시다네? 그건 좀 괴리감 느껴지는 일이다. 이 왕자가 선뜻 답했다.

"석 달쯤 되었습니다."

석 달이라면 꽤 긴데. 나는 고개를 갸웃거렸다. 그러나 내가 의문을 꺼내기도 전, 이카루스가 먼저 물었다.

"허면 왕께서 편찮으신데 어찌 이런 회담을 여셨는지?"

"칼리스와 인접한 국경지대에서 병사가 실종되는 일이 속출하자, 불안감을 보이셨습니다. 몸이 온전치 못하긴 하시나 미룰 수 없는 중요한 사안이라 판단했습니다."

이 왕자는 준비된 듯이 침착하게 대꾸했다.

"그러면 이 회담은 두 왕자께서 내내 총괄하시는 겁니까? 한 번은 폐하를 접견해야 한다고 봅니다만."

이카루스는 강조하듯 힘을 주어 말했고, 왕자가 고개를 끄덕였다.

"회담이 열릴 때 모습을 드러내실 겁니다."

그때 마침 시종 한 명이 들어와 이 왕자에게 귓속말로 속삭였다.

이 왕자가 난감한 얼굴로, 송구하오나 이만 실례하겠다고, 식사를 즐기라고 말한 뒤 덧붙였다.

"도움이 필요하시면 언제든 말씀하십시오."

이후 호화로운 석찬이 이어졌다. 하지만 풍성한 식단에도 왠지 모르게 식욕이 나질 않아, 난 간단히 배만 채웠다. 모두가 그러했는지, 석찬은 상당히 빨리 끝났다.

*

숙소로 돌아가서 차를 들러 자리에 모여 앉은 참이었다.

"이상하군요."

"그지, 이상하지?"

내가 별생각 없이 맞장구치자 진지해져 있던 이카루스가 시선을 주었다. 난 어깨를 으쓱해 보이며 웃었다. 그럼에도 심각한 분위기는 풀리지 않았다.

"뭐가 이상한 건데?"

"제가 알기로, 야파 왕은 대단히 주도적인 사람입니다. 국정을 틀어쥐고, 야파의 대소사를 본인이 직접 처결한다고 들었습니다. 이런 회담에 아무리 거동이 불편하더라도 본인이 나섰으면 나섰지, 두 왕자를 통해서 움직이려고 할 인물이 아닙니다. 그의 건강에 이상이 있단 건 여기 와서 처음 듣습니다."

"야파 왕은 고작 육 개월 전만 해도 건강했다고요. 신성교국이건 성국이건 대사제들이 이렇게 한 자리에 많은 것도 흔치 않은 일인데, 성력으로는 낫지 않는 병으로 단정 짓다니요. 일단 보이기라도 하던가. 특히 여기 있는, 이카루스는 의술에도 일가견이 있잖아요?"

이카루스는 충분히 그 사실을 피력할 수 있었다. 하지만 그는 그렇게 하지 않았다. 애초에 이 왕자는, 도움을 거부하는 말투와 표정이었다. 손님 입장에서 추궁하기는 뭐했다.

"병을 낫게 할 마음이 없는 건가?"

거기에서 난 조금 더 생각을 발전시켰다.

"그럼 혹시 두 왕자가 그새 공모하여 왕을 살해하고 손님을 맞이한 걸 수 있겠네."

대수롭지 않게 말해 놓고 난 놀랐다. 너무 섬뜩한 일이다.

야파 왕은 자국에서 존경받는 왕이라고 들었다. 폭군은 언제라도 반란을 부르는 존재이지만, 존경받는 왕은 좀 다르다.

권력에 욕망이 있더라도 두 왕자가 야파 왕국을 갈라 가질 것도 아닌데 공모하여 부친을 살해하는 건 아닌 듯싶었다.

한 왕자가 일을 벌였다기엔, 둘 사이가 그렇게까지 나빠 보이진 않았고. 뭐, 별다른 소문도 없었잖아?

"왕위 계승자인 두 왕자를 시험하려는 의도일 수도 있지 않겠어요?"

아리안느가 물었다.

"이번 일을 잘 처리하는가를 보고 왕위를 물려준다거나 하는 거요."

"글쎄요."

이카루스가 고개를 저었다.

"성녀님께서는 무엇에 이상하다고 생각하셨는지요?"

신중한 그답게 놓치지 않고 물어온다. 나도 그사이 생각한 게 있었지.

"일단 둘 다 여유가 없어 보였어. 그리고 손님을 너무 푸대접하고 있지! 우릴 두고 두 왕자가 다 가 버리다니! 야파 왕국은 외교에 신경 쓰는 나라라고. 이런 식으로 귀빈을 대접하는 게 이상하잖아."

"그럼 시험은 아니겠네요. 귀빈을 푸대접하는 건 양측에 모두 좋지 않은 평가가 내려질 거예요."

아리안느가 반응 좋게 의견을 정정했다.

"두 왕자들도 왕의 명령으로 예상에 없던 일을 맡게 되어서 그런 게 아닐까요?"

흐트러짐, 분열, 혼란. 언뜻 엿보였던 그것들. 아리안느가 불만스레 눈살을 찌푸렸다.

"이 왕자의 속내가 읽히지 않더군요."

대사제쯤 되면 혜안으로 다른 사람의 속내를 꿰뚫어 볼 수 있다. 아리안느야 그 능력이 좀 부족한 걸로 알고 있지만, 이카루스는 얘기가 달랐다.

"야파 왕족들은 수호석을 소지하고 있어서, 거짓말을 하는지 분간하기 어렵지요."

"요는 야파 왕이 회담 자리에서 모습을 드러낼까 하는 거네."

"그렇게 되면 다행일 겁니다."

"하지만 지켜보다가 그때 일을 터뜨리잔 수작일지도 모르잖아요?"

야파 왕국은 작고, 각국의 병력이 미치기까진 얼마 걸리지 않는다. 만약 야파와 칼리스가 내통을 했다면, 야파로서는 엄청난 위험을 감수해야 한다.

이제까지 중립국이었던 야파가 음모를 꾸몄다는 건 석연찮은 일이다.

사절들은 다들 정예를 데려왔을 터. 나만 해도 성기사들을 대동한 것도 모자라 대사제 둘과 카마엘이 함께였다.

단순히 몸을 빼낸다고 생각했을 땐 카마엘만으로도 어려움은 없을 거라고. 우릴 막아설 만큼 많은 병력의 움직임이 느껴지지도 않았거든.

"지금으로선 행동할 근거가 부족합니다. 제가 따로 상황을 알아보겠습니다."

길진 않아도 나를 보필하는 여행으로 신경이 곤두서서 피로가 쌓였을 텐데, 이카루스는 바로 자리에서 일어났다. 쉬는 것은 성국에서 해도 좋다고 생각할 터였다.

아리안느도 따라 자리에서 일어섰다.

"이곳의 지리를 살펴 두어야겠어요. 만약을 대비해서요."

내일 낮의 연회는 밤까지 계속된다. 그리고 다음 날 오후부터 바로 회담이 시작된다.

사실 회담에서 할 이야기는 거의 정해져 있었다. 칼리스에 본격 대항할 계획을 구체화하는 만큼 권한이 많이 요구되는 회담이기에, 각국의 왕이나 주요 인물들을 불러들였을 뿐. 외교적으로 저울질할 건 많지 않을 테니까.

다만……. 나 역시, 만나 봐야 할 이가 있었다.

*

두 대사제가 먼저 자리를 떴기에 나오기가 한결 더 쉬웠다.

잠시 정원을 산책하겠단 말을 남겨 두고 난 카마엘을 향해 손짓했다. 그는 언제나 충실한 나의 공모자였으니까.

난 별빛이 펼쳐진 밤의 정원을 향해 발을 움직였다. 아직 늦은 밤은 아니지만, 내일 있을 연회를 대비해서 슬슬 잠자리에 들 만한 시각.

다소 무거운 내용으로 회담이 열릴 예정이었기에, 한가롭게 나다닐 기분들은 아닐 터. 나도 야파 왕족들이 수상쩍은 기색을 보인 이 시점에서 한가한 마음은 아니었다.

내가 만날 사람은 뭐, 뻔하지. 나라고 해서 정원에서 우연히 누군가를 만날 수 있단 데 큰 기대를 품진 않았다.

하지만 내가 직접, 이 밤중에 찾아가는 것도 좀 아니지 않겠어? 공식적으로 대면한 적 없는 상대이니 말이야.

두 왕자를 대면한 직후 바로 움직이는 건 뭔가를 꾸미는 쪽에 괜한 경각심을 심어 줄 수도 있겠지.

꼭 야생동물이 튀어나올 것 같은 자연스럽게 수풀이 우거진 정원이었다. 실제로 사슴이나 늑대, 그 비슷한 뭔가가 살 듯하다. 낮과는 또 다른 느낌이다.

카마엘을 등 뒤에 두고 있음에도 조금 긴장감이 치밀었다.

아득하니 별과 달이 수놓인 정원에선 나뭇잎이 흔들리며 서로 스쳐 소리를 냈다.

뭔가의 움직임 때문인지, 바람 때문인지 모르는 바스락거리는 소리가 풀벌레 소리와 뒤섞여서 귀를 어지럽힌다. 으으, 카마엘 내 뒤에 있는 거 맞지?

이 내리쬐는 달빛이 나를 지킨다지만, 한밤중에 숲속으로 홀로 걸어 들어가는 건 어쩐지 으스스했다. 여기가 워낙 낯선 곳이라서 그런 걸지도 모른다. 하지만 또 그렇다고 겁먹어서 도망갈 만큼 내가 겁쟁이는 아니지!

어디 보자, 이쯤이었던가? 전에 다다랐던 장소에서, 조금 더 걸었다 싶을 즈음이었다.

불현듯 저 앞 나무 틈 사이에서 새하얀 천 자락 같은 것이 움직였다. 나무 뒤에 불쑥 나타난 유령처럼 흰 그 형체에 일순 등골이 오싹했다.

거기 누군가 있었다. 아마도 내가 아는 그.

조심스레 그리로 다가서자 뭔가가 냅다 내 손을 잡고 끌어당긴다.

뱀파이어처럼 광채를 내는 자줏빛 눈. 그 눈과 맞닥뜨린 난 일순 졸도할 뻔했다. 엄마야, 신이시여!

"겁먹은 표정, 볼만하잖아?"

그늘에 눈에 익자 그의 옷자락만큼이나 흰 얼굴이 눈에 들어온다. 그리고 머리에 뒤집어쓴 후드 아래로 반짝이는 금발도. 히스칼. 색다른 뭔가를 본 듯 그는 싱긋 웃었다.

"성녀도 겁을 먹나 보네. 이렇게나 달빛이 짙은데."

그가 쓱 손끝을 들어 달을 가리켰다. 얼마 전 아델을 만났을 때 보름달이었지. 그 때문에 원형은 아니나, 내게 힘을 전해 주기에 충분히 깊고 휘황한 빛을 뿌리고 있는 달의 존재. 나는 월신의 성녀이니.

허공에서 내리쬐는 달빛을 어루만지는 듯한 히스칼의 손짓에 난 잠시 눈길을 빼앗겼다.

아련함이 배인, 그 얼굴은 심지어 성스러워 보이기까지 했다.

그러나 그는 곧 나를 보며 차가운 미소를 지었다. 역시 내게 호감이라곤 없다. 그럼에도 그는 이곳에 있었다. 목적을 배제하고 생각할 수 없는 만남.

"여긴 낯선 곳이잖아. 처음으로 성국을 벗어나서 좀 긴장되는 것뿐이라고! 그런데 네가 여기는 어쩐 일이야?"

나는 정말 우연히 그와 여기서 마주쳤단 듯이 눈을 휘둥그레 뜨고 말했다. 미묘한 찜찜함이 있었던 것이다.

내가 정원에 나온 족족 그와 마주치는 건 히스칼의 의도겠지. 근데 그 의도가 뭔지 아직 잘 모르겠단 말이야?

"어쩐 일이냐니. 나를 만나러 와 놓고, 모른 척하기는."

히스칼이 피식 웃었다. 너무도 당당히 정곡을 찌르니 가슴이 따끔하다.

"무슨 소리야! 나는 그저 밤 산책을 하고 있었을 뿐이라고."

항변을 했지만 씨알도 먹히는 것 같지 않았다.

"그런 소리는 안 통해. 난 네 어리광을 받아 주는 대사제들이 아니라고."

대사제들이 내 어리광을 받아 준다는 건 어떻게 알았지? 설마, 그동안 나를 스토킹……. 나는 눈을 가늘게 떴다.

"신의 손길 아래 태어나, 평생 성국에서 고이 길러진 성녀. 네 말투, 몸짓, 표정. 그 모든 것에서 네가 얼마나 사랑받고 자랐는지 드러나지."

그래, 나는 사랑받고 자랐다. 그건 부인할 길이 없다. 감사하게 생각하고 있다.

하지만 너는 왜 나를 비난하는 듯이 말하지? 사랑받고 자라나는 것은 축복이지 죄가 아닌데.

자줏빛 눈동자가 기이한 빛을 품는다. 태양이 진 시각이라지만, 열기도 온기도 온화함도 조금도 담지 않은 히스칼의 눈은 흡사 어둠을 닮았다.

부수고 싶어 하는, 파괴적이고 음습한 심연. 그 느낌이 내 착각일지라도, 법황에게 어울리는 눈은 아니었다. 전혀, 햇빛의 따사로움이 느껴지지 않는걸.

"너도 신성교국에서 법황으로 자라났잖아?"

"나는 너와 같지 않아."

산뜻한 미소로 어둠을 감춰 낸 히스칼이 살짝 내게서 떨어져

섰다. 뒷짐 지고 서며 그 자신도 감추어 낸다.

하얀 후드를 둘러쓴 그는 금빛 머리채에 둘러싸여 후광을 머금은 듯하다.

난 그가 놓아준 손을 꾹 말아 쥐었다. 한기가 스미듯이 이상하게 찼다.

히스칼이 속삭였다.

"내가 이곳에 나와 있었던 이유는, 네가 이곳에 나온 이유와 달라."

"네가 이곳에 나온 이유는 뭔데?"

"글쎄, 너부터 말해 봐."

턱을 들고 이쪽을 내려다보는 모습이 오만하다. 하지만 내려다보는 건 어쩔 수 없다. 히스칼은 나보다 키가 큰걸!

아니야, 어쩔 수 없는 건 아닐지도 몰라. 비록 힐은 없지만 사람이 짐승과 구분되는 이유는 도구를 쓸 줄 아는 생물이기 때문이지!

난 나무를 붙잡고 둥치에 발을 올리고 섰다. 나무를 붙들고 있어야 하지만, 발치는 안정적이다.

좋아, 대충 눈높이가 맞는걸? 히스칼은 어처구니없다는 듯이 날 응시하고만 있었다.

"너도 두 왕자를 만났겠지?"

"난 또 뭐라고. 사흘 전이었지."

히스칼이 심드렁하게 대꾸했다.

"그들이 어떻게 보였어?"

"불안하고 혼란스러워 보였지. 이 야파 왕국에서 꼭 무슨 일이라도 벌어지고 있는 것처럼."

삐뚜름하게 웃으며 너무도 순순히 말한다. 난 말이 턱 막혔다.

뭐야, 애 왜 이렇게 잘 말해 주지? 우리가 느꼈던 것과 같은 인상을 그들도 느꼈다면, 우리가 과민하지 않단 확신이 강해진다. 그 이유를 이들은 어떻게 유추하고 있을까.

"왕은 보지 못한 거지?"

"내가 아는 한 사절들 중에선 누구도."

"그렇다면 너희 쪽에선, 뭔가 이상하다고 생각하지 않았니? 너희가 우리보다 일찍 왔잖아. 알아보았더라도 훨씬 많이 알아봤을 텐데. 신성교국 쪽에선 이 일을 어떻게 판단하고 있어?"

어서 말해 보렴. 난 눈짓했다.

"공짜로?"

입꼬리를 올리며 묻는 것에, 조금 후에서야 그의 말뜻을 이해한 난 아연해졌다.

너 법황 맞아? 함부로 내부 정보를 줄 순 없으니 말하지 않겠다면 모를까, '공짜로?'라니.

"뭘 바라는데?"

"내가 뭘 바랄지 생각해 봐."

먼저 거래를 걸어 보라는 듯이 팔짱을 낀다. 아니꼬운 태도지만 난 관대하게 넘어가 주기로 했다.

네가 내 축복 같은 건 바랄 리 없겠지? 근데 난 가진 게 없는

데. 내 몸을 덮은 천 쪼가리가 고급스럽긴 하지.

하지만 작다. 그도 바라진 않을 테지만, 히스칼의 윗도리 하나 만들면 끝일 것 같다.

가만, 내가 가진 것 중에 그보다 더 가치 있는 게 있지? 아마도.

"카마엘 싸인 받아다 줄까?"

난 진지하게 물었다. 성국을 방문한 사람들에게 소문난 관광 상품이라던데. 카마엘의 사인 기간도 따로 있다고 들었어.

그의 정규 근무시간 중에 아마 사인 시간도 포함될 거다. 추첨을 통하거나 선착순을 통해서만 받아 갈 수 있어서 받기가 까다롭다고 들었다. 나름 레어하다구.

"뭐?"

하하! 히스칼이 얼굴을 감싸 쥐고 웃었다. 우리가 몰래 만나고 있단 건 자각했는지, 그리 큰 소리를 내진 않았지만 애써 참고 있는 듯 얼굴이 일그러졌다.

짜식, 역시 너도 웃는 얼굴이 더 보기 좋잖아. 그렇게 비딱하게 굴지 말라고.

그런데 카마엘한테 관심이 없다니 의외라고 해야 할까. 그의 사인 정도면 관심 없어도 받아갈 만한데 말이야. 난 고심 끝에 손가락을 치켜들었다.

"뭐, 그러면 축복의 키스?"

역시 가진 게 없는데, 뽀뽀 좀 한다고 입술이 닳는 것도 아니니까.

히스칼이 입매를 조금 움직였다. 선이 가는 얼굴에 비웃음이 떠오른다.

"내 발등에 키스하겠다고 한다면."

난 히스칼의 발등을 내려다보았다. 깨끗하게 관리된 하얀 신발이다. 이 정원을 나다니느라 풀물과 흙먼지가 묻었지만 심하게 더러워지진 않았다.

근데 그게 무슨 상관이야? 발등에 키스 같은 걸 시키는 건 아동학대라고. 이 녀석, 설마 S인 건가?

"볼에다가는 해 줄 수 있어."

난 영광으로 알라는 듯이 말했다. 아직 어린애겠다, 볼에 뽀뽀해 주는 것쯤이야. 하는 김에 침도 묻혀 버릴 테다.

난 단정한 히스칼의 뺨에 진득진득한 침을 잔뜩 문대는 상상을 했다. 하지만 그건 왠지 죄책감이 느껴지는 일이었다.

어쨌든 히스칼은 성격에 좀 문제가 있을망정 외모만큼은 아주 그럴듯한 어린 성자처럼 보였으므로.

"……사양하지. 다른 건 어때? 예를 들어."

히스칼의 눈이 가늘어졌다.

"네 머리 위에 꽂힌 핀이라거나."

어라? 난 머리를 더듬었다. 아리안느가 아까 머리가 흐트러졌다며 석찬 전에 단정하게 매만지고 꽂아 주었던 핀이 손에 잡힌다. 물론 아리안느 것은 아니고 내 것이다.

난 그걸 뽑아서 아래로 내린 채 들여다보았다. 줘도 되는 물건인지 견적을 좀 내 봐야지.

내가 쓰는 물건 중에 싸고 흔한 건 없다. 투명한 연분홍색과 초록색 보석이 빼곡하게 박힌, 꽃을 형상화한 핀이다. 당연히 예쁘고 또 비싸 보인다. 하지만 성물이나 엄청난 보물은 아닐 테지.

이 정도는 줘도 되겠다 싶어서 난 히스칼을 쳐다보았다.

"이걸로 통치기다? 딴소리하면 안 돼?"

그건 확실히 해 둬야지. 내가 근엄하게 묻자 히스칼이 키득거리며 웃었다.

"그렇게."

난 히스칼이 내민 하얀 손바닥 위에 살포시 핀을 내려놓았다. 예쁜 건데, 왠지 좀 아쉽다. 주려니까 더더욱.

핀을 쥐어 든 히스칼이 싱긋 웃었다. 표현하자면, 여심을 설레게 하는 반짝거리는 미소……?

핀을 쥐어 든 히스칼이 한쪽 눈을 찡긋하며 보석꽃 위에 살며시 입술을 대었다. 아마 물건을 빼앗았단 걸 과시하고 싶었나 보다. 그거 내 머릿기름에 젖었을 텐데. 나는 미미한 죄책감을 느꼈다.

내가 시킨 일도 아니라고. 히스칼의 행동에 내가 부끄러워할 거라고 생각하면 큰 오산이다.

도리어 그가 자꾸 간지럽게 구니까 소름이 돋았다. 얘 자꾸 나한테 끼를 부리는데. 도대체 법황씩이나 되면서 왜 열세 살짜리 여자애한테 끼를 부리는지 모르겠네.

문제가 되는 취향을 가진 건 아니겠지? 그런 건 법황이라도 변호가 안 될 거라고.

나도 모르게 얼굴을 찌푸리고 히스칼을 쳐다보았다. 그는 어깨를 으쓱해 보이곤 핀을 소매 속에 감추었다.

저 소매, 마법의 소매⋯⋯. 저번에도 소매 속으로 마법 펜던트를 숨기지 않았나? 법황이 들고 다니기엔 문제 있는 물건이었지.

"안 들켰어?"

설명을 건너뛰고 던져진 내 질문의 뜻을 히스칼은 빠르게 알아챘다. 그가 눈을 빛낸다.

"내가 그리 어리숙해 보이니?"

"나한텐 들켰잖아."

"그런가."

하하, 히스칼이 또다시 웃는다. 난 기분이 묘해졌다. 들킨 거라는 거야 아니면 사실 그것도 의도했단 거야. 아무튼 중요한건 그게 아니지.

"자, 이제 나는 얘기를 들어야겠어."

내 금쪽같은 머리핀을 줬으니 어서 입을 열라고. 아니면 네가날 사모해서 내 머리핀을 훔쳐 갔다고 소문을 내 버릴 테다.

"일단 우리 쪽에서도 수상하게 생각한 건 맞아. 때문에 카피토와 다른 대사제들이 탐문에 나서느라 날 좀 자유롭게 해 줬지."

그래서 법황씩이나 되면서 정원을 막 싸돌아다니고 있었던거로군!

남 말 할 처지는 아니지만, 너도 참 할 일이 없나 봐. 법황은 국정까지 책임진다는데, 여기 온 이상 당분간 해방인가?

난 사소한 궁금증을 접으며 질문을 던졌다.

"탐문을 통해서 알아낸 건?"

"야파 왕국은 작은 나라야. 부유하다고 해 봐야, 군사력은 그리 대단한 수준이 아니지. 특별한 군사적인 움직임이나, 이상하게 느껴지는 점은 없었어. 왕이 머무는 쪽은 호위가 무척 철저해서 두 왕자를 제외하곤 아무도 드나들지 못한다지만, 그건 당연한 일일 테고."

"두 왕자는?"

"이 왕자는 사절들을 만나거나 국정을 살피는 듯했고, 삼 왕자는 거의 칩거 수준으로 서류만 처리하는 수준. 이쯤 되면 거의 왕위는 이 왕자의 것으로 굳어졌다고 볼 수도 있긴 한데, 그렇다고 보기엔 두 왕자 쪽 어디로도 굳어진 기색이 보이지 않더군. 건전한 경쟁 관계라도, 한쪽으로 기울면 뭔가 변화가 있기 마련인데 그런 것도 없었어. 그리고……."

히스칼이 입꼬리를 말아 올렸다.

"두 왕자가 유일하게 함께하는 시간이 있는데, 매일 저녁 왕을 알현할 때야."

상상력을 키워 주듯 그가 은근하게 덧붙였다.

"왕이 하루에 단 한 번, 허용하는 알현이기도 하지."

뭔가 잡힐 듯이 잡히지 않는다. 왕이 아주 아프다면 알현도 통제하기 어려운 상황일 텐데, 하루에 한 번씩 왕자들을 보고는 있다니.

아마 뭔가 지시를 하기 위해서겠지? 그가 죽었다면 혹시 그 사실이 알려지지 않을까 전전긍긍하느라 자주 드나들 터. 두 왕자들이 교대로라면 모를까 짝 맞춰서 들락거리진 않을 것 같다.

근데 얘 갑자기 말을 잘 해 주잖아? 좀 수상하긴 한걸. 나로선 찜찜하면서도 나쁠 건 없었다. 난 질문을 이었다.

"그래서 신성교국 측에선 어떻게 하기로 했어?"

중요한 건 이거였다. 알현실에 쳐들어가려고 한 건 아닐 테고. 신성교국 쪽 사람들, 척 보았을 때 좀 딱딱하고 진중한 타입 같아서.

"상황을 보기로 했지. 회담은 왕이 직접 주최하겠다고 했으니까. 다른 사절들도 조금씩 이상하겐 느끼고 있을 테지만, 다들 크게 걱정하진 않는 것 같아. 아직 왕도를 떠나겠단 사절이 나오지 않은 걸 보면."

결국 다들 비슷하게 생각하고 있구나. 수상한 움직임이 나타난 것도 없는데 단순히 심증만으로 회담을 뿌리치고 떠나는 것도 망설일 법하다.

뭐 서로 눈치만 보다가 결국 불난 집이 무너질 때까지 못 빠져나가는 형국이 될 수도 있지만.

"네 생각은 어떤데?"

난 나를 유심히 관찰하고 있는 히스칼에게 물었다. 그만 좀 보라고! 얼굴이 닳는단 말이야. 내가 싫다면서 왜 또 그리 관심은 많고, 뚫어지게 쳐다보고 찔러 보니? 속 모를 녀석이다.

"내 생각까지 말해 주는 건 거래 조건에 없었어."

"치사하게."

입술을 내밀자, 그가 사르르 미소를 베어 물었다. 상냥하고 선한, 그러나 가식적인 미소다. 입은 웃되 눈은 웃지 않는다는 말의 뜻을 잘 알겠어.

"그럼 네가 여기 나온 이유를 말해 봐."

히스칼은 내 일방적인 물음에 답해 주었다. 하지만 그의 목적은 드러내지 않았다. 이 한밤중에 왜 정원을 서성이고 있었던 걸까. 나를 만나기 위해서가 아니라면.

"그것도 말해 준다고 한 적 없는데."

히스칼은 내가 자신에 대해서 궁금해하는 데 쾌감을 느끼고 있는 것 같다. 아님 내게 관심을 끌고 싶은 걸까?

이유가 어떻든 나는 조금 짜증이 났다.

"나는 말했잖아? 공평해져야지."

"공평이라……."

그가 쿡쿡 웃었다. 의미를 담은 웃음이었다.

"네가 말하지 않겠다면 나는 마구 민감한 질문을 던질 테야. 네가 듣기 싫어할지 모르는."

"넌 설마, 내가 묶여 있다고 생각하나?"

히스칼이 놀란 듯이 손을 펼쳐 보이며 제스처를 취했다. 도망쳐 버리겠단 거지? 내가 굴할 줄 알고! 도망치면 붙잡으면 된다.

나무둥치에서 내려서 그의 앞에 가까이 선 난 당당히 허리에 손을 짚었다.

"카피토라는 그 대사제한테는 왜 존대를 쓰는 거야?"

"나보다 나이가 많으니까?"

질문에 질문이라니, 올바른 화자의 태도가 아니로군.

"하지만 너는 법황이잖아."

"하지만 너도 말을 놓고 있잖아."

"네가 먼저 말을 놓았잖아."

"지금이라도 높일까?"

"아이참! 아무튼 그는 너를 공경하는 것 같지 않았어."

히스칼의 입가에 서늘한 미소가 배었다.

"……너는 유일한 성녀이지만 나는 내가 죽어도 다른 법황이 내 자리에 앉겠지. 그 차이라도 생각해 둬."

물론 그렇게 말하자면 그가 나보다 덜 귀한 존재겠지만, 그렇다곤 해도 그 역시 신에서 가장 가까이 있는 존재잖아.

카피토란 대사제의 성력은 강했다. 다만 그게 법황에게 미치는 수준은 아니었을 뿐.

내가 더 캐묻기 전에 히스칼이 선수를 쳤다.

"다음 질문."

눈썹을 치켜드는 게, 여기서 더 물었다간 정말 이탈해 버리겠단 무언의 의사표시가 느껴졌다.

어쩐지 떠나려는 녀석 비위를 맞추며 매달리는 듯한 기분이 들었지만, 아쉬워진 건 나였다.

과연 법황이야! 이 대화를 통해서 나도 조금 성장한 느낌이다. 배워야겠군.

"너는 법황이잖아. 야파 왕국을 방문하겠다고 했을 때 모두 말리지 않았니?"

"말렸지만, 그리 심하진 않았어. 이렇게 무단으로 돌아다니고 있으니 아마 돌아가면 영영 못 나오게 될 테지."

그가 즐거운 듯이 말하며 눈을 휘었다. 그거 좀 무섭게 들리는 데. 영구감금이라니.

"아까도 혼났어?"

"혼났지."

히스칼은 짤막하게 답했다. 대수롭지 않다는 말투. 그러나 난 좀 기분이 이상해졌다.

히스칼의 위치는 내가 생각한 것보다 낮은 듯하다. 막 천대받는 건 아니라도. 신성불가침으로 떠받들어질 거라는 대외적인 인상과 실제의 법황 사이에는 다소 차이가 있는 것처럼 느껴졌다.

그가 아무렇지 않게 말한 것들이 정말 그럴지는 모르겠다. 히스칼은 제 속내를 드러내는 듯이 보이면서도, 잘 감춰 내고 있었다.

현재의 나보다 고작 몇 살 많을 뿐인데 이 나이에 이렇게 애늙은이처럼 구는 애는 흔치 않다. 하긴 아델도 애늙은이긴 하지. 좀 중2병 같은 면모가 있어서 그렇지만.

뭐, 여하간 중요한 건 얘가 어떤 처지인지가 아니다. 이 야파 왕국에서 무사히 회담을 끝내고 떠나는 게 중요한 거라고.

그래도 이건 물어봐야겠다. 난 그와 헤어지면서, 나중에 다시 만나게 되면 꼭 물어봐야겠다고 생각했던 것을 끄집어냈다.

정말 곰곰이 생각해 봤는데 말이야.

"너는 나를 싫어한댔지."

히스칼은 미소 띤 얼굴로 고개를 살짝 기울였다. 말해 보라는 듯이. 어쩌면, 내가 그걸 묻기를 기다렸단 것처럼.

"혹시 내가 너네 다리에 손을 대서 싫어하는 거야?"

다리를 고쳐야 건너올 수 있으니 그렇게 한 건데 어쩔 수 없잖아?

그 다리는 태양신의 신성으로 유지된 것. 신성교국과 성국은, 양측에선 부인할지라도 어떤 면에서 라이벌 관계이기도 했다.

태양의 신과 달의 신.

그런 민감한 구도상 그가 내가 맘대로 다리에 손을 댔단 것에 불쾌해하는 것도 무리는 아니다.

그러나 히스칼의 반응은 몹시 싸늘했다.

"고작 떠올려 낸 게 그 정도야? 실망인걸."

웃는 얼굴은 여전했지만 온도가 더 낮아졌달까. 하지만 난 그의 싸늘함에 꽤 면역이 된 상태였다. 나를 싫어하는 히스칼이 나쁜 놈인 걸 뭐.

"뭐, 카피토는 그 소식을 전해 듣고 좋아하는 것 같지 않았어."

나는 아니야. 라고 말하는 듯한 투다. 그래, 다른 신성교국의 사람들과 네가 입장이 다르다는 건 알겠다.

이 태도, 히스칼은 법황으로 보이기보단, 그래…… 어쩌면 히스칼 예레스로 보이고 싶어 하는 것 같았다.

성스럽고 위대한 존재가 아닌 그 나름의 성격과 사고를 가진 한 명의 인간, 히스칼.

근데 그게 어쨌다는 거야? 나는 그에게 관심이 있다. 있으니 궁금해하는 거고. 하지만 내가 관심이 있는 건 법황이라고.

이런 상황에서 내 소소한 호기심을 충족시키는 건, 무 물론 중요하지만 그래도 이럴 때는 아니잖아.

내가 좀 덜 바쁘고 여유가 있었다면 모르겠는데, 난 지금도 충분히 골치가 아파!

"그 작은 머리를 조금 더 열심히 굴려 봐. 내가 고개를 끄덕일 수 있게."

친절한 얼굴로 빈정대는 그에게, 나는 항변했다.

"알아 주길 바라면서 내게 찾아내 달라고 말을 돌리는 건 무슨 심보니? 넌 참 못됐어!"

성격은 내가 좀 더 나은 것 같아. 난 확신하며 찌를 듯이 그를 향해 손가락질했다.

"난 그렇게 한가하지 않다고. 관심을 요구하는 불량 청소년에게 줄 관심 따윈 없단 말이지."

말하려면 네가 말해. 날 찔러 보지 말고! 난 곶감이 아니었다. 자꾸 건드리는 것도 내가 마음이 좋아서 이제껏 참아 준 거야. 암암.

히스칼은 솔직히 아름다웠지만, 아델처럼 귀엽진 않았다. 의뭉스럽고 음흉해서 먹구름 같은 느낌이다. 그의 귀엽지 않은 건

방짐은 내 인내심을 빠르게 닳아 버리게 했다.

"……그러면 얘기해 줄까."

진한 미소를 띤 히스칼이 내게로 고개를 기울였다. 요요하게 빛나는 자줏빛 눈. 몽환적이다. 꼭 악마처럼.

법황을 악마라고 느끼다니, 뭐가 잘못된 거 아닐까.

"내가 널 싫어하는 이유는—"

히스칼의 손이 내 어깨를 확 잡아챘다. 섬세하게 길고, 나만큼이나 고운 손이라고 생각했는데 악력이 상당하다. 어깨가 아파 왔다.

위기감이 엄습한다. 그의 입술이 내 머리카락을 헤집었다. 귓가에 닿은 입술에서 바짝 숨결이 스며든다. 독액을 붓듯 히스칼이 차가운 미성을 흘려 넣었다.

"네가, 태어난 그대로 성녀로 사는 성녀라서야."

소름이 일어, 난 몸을 바르르 떨었다. 너무 가까이라서일까. 그의 목소리가 힘을 담고, 머릿속에 바로 와 닿는 듯하다. 흡사 저주처럼.

고개를 조금 멀리한 그가 내 뺨을 움켜쥐었다. 상냥한 움직임과는 다르게, 가까이서 마주한 그의 눈은 보석 같다. 광물처럼 아름다우나, 그저 빛을 비춰 낼 뿐인 차가움.

"그저 안주하며 행복하게 웃고, 믿음 가득한 나날을 살겠지. 네 발밑이 무너지는 그때까지."

히스칼은 선하게 웃었다.

"잘 길러진 애완동물처럼."

기껏 감춰 왔던 본색을 드러낸 듯이, 그가 급격히 낯설어진다.

그의 미소가 내면과 일치하지 않단 건 계속 느껴 오고 있었지만, 실제는 예상보다 심했다. 더 차갑고, 더 비틀려 있었다.

태양신의 신성을 상징하듯 어둠 속에서도 반짝거리는 금발을 두른 채로 히스칼은 환하게 웃었다.

"기대 이상으로 맘 편히 잘살고 있길래, 배알이 뒤틀려서 말이야."

비스듬히 기울인 얼굴 옆면에 달빛이 서린다. 내겐 안온하기만 한 그 빛이 금속성을 머금은 듯이 그를 더 서늘하게 보이게 한다.

"내가 나쁜가?"

고개를 갸웃해 보인 히스칼이 고개를 뒤로 젖히며 맑은 웃음을 터뜨렸다. 그래, 참으로 맑았다. 맑고 투명한 샘물이 더 차가운 것처럼.

힘이 풀린 그의 손이 나를 자유롭게 했다. 나는 눈을 질끈 감았다 떴다. 뭐라 퍼부어 주고 싶었는데 마침 잘됐다.

그가 해 댄 말을 들으면서 치솟던 분노가 단박에 목구멍으로 쏟아져 나왔다.

"응, 나빠. 넌 배배 꼬였고 못됐고 음흉해! 그렇게 살았다간 평생 불행할 거야. 아무도 네 곁에 남아 있지 않을 거라고!"

난 눈을 똑바로 뜨고 그를 쳐다보았다.

"이건 저주가 아니라, 사실이야."

처음 만났다곤 하나, 내게만 이런 걸 수 있겠지. 하지만 네가 다른 누구에게라고 한들 다정할진 모르겠다.

히스칼은 철저히 제 본위대로 사는, 차가운 녀석이었다. 선한 외관으로 그걸 감춰 내고 있더라도, 평생 모두를 속일 수는 없는 일이니.

히스칼의 입가에서 미소가 짙어졌다. 동시에 그가 다시금 내 어깨를 움켜쥐었다.

"목을 졸라 줄까."

아이가 곤충의 사지를 자르듯 순수한 얼굴. 그래, 히스칼은 나를 부수고 싶은 것이다. 그러나—

"떨어지십시오."

서늘한 검날이 히스칼의 목에 드리워졌다. 카마엘이 거기 서 있었다. 히스칼이 조금이라도 허튼 움직임을 보였다간, 단숨에 목을 베어 낼 것처럼.

나의 요정기사님. 은빛으로 물든 그는 히스칼을 경고하듯 응시했다. 히스칼과는 다르다. 같은 한색을 띠었어도 카마엘은 그에 비하자면 미온에 가깝다. 어둠을 적시는 저 달빛처럼.

히스칼은 가볍게 나를 놓아주었다. 잠깐, 장난이라도 친 것처럼. 그러나 그의 살의는 진심이었을 것이다.

말끔히 감정을 감춘 그는 성자처럼 선한 미소를 되돌린 채였다. 그가 물러나자 카마엘이 내 앞을 가로막고 섰다. 마치 보호하듯이.

"그 없인 외출을 못 하는가 봐? 갓난아기가 따로 없네."

"당연하잖아. 내가 그 없이 외출했다간 그가 걱정할 테니까!"

뾰로퉁하게 외치자 카마엘이 호응했다.

"지당하신 말씀입니다."

다년간 다져져 온 우리 둘의 착착 맞는 호흡에, 히스칼은 잠시 어이가 없어진 듯했다. 슬쩍 인상을 찌푸린 그가 다시 가면처럼 만들어진 미소를 입가에 올렸다. 아주 탈을 바꿔 쓰듯이 표정이 자유자재다.

왜 저런 녀석이 법황인지 모르겠어. 태양신의 탕아 같은 거아니야? 반항아라던가. 아델도 새싹이 노랗다고 생각했지만, 쟤는 더 심하다. 쟤는 나이도 많잖아. 묘목이라고! 잎이 노란 묘목.

"그럼 오늘의 밀회는 즐거웠어. 다음에 또 볼까?"

"싫어, 너랑 안 놀아."

절절히 진심이다. 언제 목을 조를지 모르는 녀석이랑 만나서 뭐 하자고? 이젠 들을 건 다 들었으니 나도 볼 일 없다 이거야.

"그러면, 연회 때 보자고."

내 쪽에 스윽, 묘해진 눈빛으로 시선을 준 히스칼이 돌아섰다. 하얀 옷자락이 땅 위를 스친다.

어디서 배운 건지 아주 가벼운, 바람이 이는 듯한 발소리만 남기며 그가 저편으로 사라져 갔다.

"괜찮으십니까."

그의 뒷모습을 홀린 듯이 보고 있던 난, 카마엘의 물음에 얼떨떨해하며 고개를 들었다.

"어, 응."

바람이 휘몰아치듯, 히스칼과 함께 했던 시간이 지나쳐가고 내겐 정리되지 않은 혼란만이 남았다.

그 시간이 마치 순식간처럼 느껴질 만치 늪과 같은 지독한 흡인력이었다. 그것이 여운으로 나를 사로잡고 있었다.

"그는 성녀님께 적대적이군요. 따로 마주하시지 않는 편이 좋겠습니다."

카마엘이 조금 딱딱해진 목소리로 말했다. 둔한 그라도 느낄 수 있을 만한 적의. 그건 경멸과 증오. 낯설다 못해, 전생의 기억을 끄집어 올리게 만드는 어둡고 차가운 감정들.

그러나 거기에 사로잡히기엔, 내 행복한 십삼 년은 짧지 않은 세월이었다. 난 꼿꼿이 턱을 치켜들었다.

"가자."

*

숙소로 향하면서, 나는 히스칼에게서 어떤 질문에 대한 대답을 듣지 못했단 사실을 깨달았다.

히스칼은 왜 이 정원을 서성이고 있었을까. 나와 만나려고 한 게 아니라면, 어째서? 우리 쪽 동태를 살피려고 한 것일까. 정말 속 모를 녀석이다.

그러나 당장은, 나는 그를 내 머릿속에서 지워 내고 싶었다. 뭐랄까, 좀 충격이었다고.

"왜 세상에는 비뚤어진 애들이 많을까?"

나는 투덜댔고,

"그렇게 된 이유가 있겠지요."

카마엘이 들려준 공정한 대답에 그건 어리석은 질문이었단 걸 깨달았다.

한때 불우했던 내가, 그 어떤 손길 없이 진창 속을 살아 나가야 했다면. 그때에도 나는 그들과 달랐을 거라고 당연한 듯이 말할 수 있을까.

나는 종종 내가 까딱하면 갈 수 있었던 그 다른 갈림길을 들여다보곤 했다. 그건 어렵지 않은 일이었다. 수많은 예시가 세상 곳곳에서 모습을 보였으므로.

이곳 세계에선, 그래 아델이 있었지. 나 역시, 한때 그렇게 될 수 있었음을 알기에, 내버려 둘 수가 없었다. 파문이 퍼져 나가듯 내 안에 남아 울리는 감정이, 나를 움직였기에.

나는 히스칼이 생각한 것처럼 아무것도 모르고, 악의를 대면한 적 없는 천진한 성녀가 아니었다. 도리어 평범한 사람은 평생 겪을 일 없는, 끔찍한 일도 겪었다.

그러나 그 어둠 속에서도 빛이 있었고 그 따스함과 눈부심은, 눈앞에서 사라지고 나서도 잊히지 않는 것이었다.

절망 속에서, 비참하게 죽었던 내게 또다시 비쳤던 그 빛이 없었다면—

그때의 나는 악령이 되었을지도 몰라. 성녀인 내가 사랑과 은총 속에서 태어나 자라난 건, 그런 이유와 닿아 있을 것 같단 생각이 든다. 성녀가 비뚤어지면 곤란하잖아?

"있지, 카마엘."

"예."

"카마엘이 있어서 참 좋아."

뜬금없는 소리에 카마엘이 빤히 날 들여다봤다. 그런 눈빛, 쑥스럽다고!

냉정하고 이성적인 우리 요정 기사님은, 그렇기에 무엇에도 휘둘리지 않고 오롯이 서 있다. 그는 내게, 똑바로 선 하나의 기둥이다. 좋은 조언자이기도 하지.

언제나 그 자리에서, 내가 흔들릴 때마다 지지해 주며 길을 제시한다.

"히스칼을 만난 건 비밀이야, 알았지?"

……뭐, 내 공모자이기도 하고.

"예."

조금 별나고 까칠한 친구 한 명을 만났다고 생각하자. 나는 그런 친구를 이미 만난 적 있었지.

비록 아델은 내 목을 조르려 들지 않았지만, 그때의 표정을 생각해 보면 속으로 어땠을지 몰라. 걘 내 엉덩이에 상해를 입히기도 했다고!

……웅, 생각해 보니 아델이 더 나쁜 녀석 같잖아? 아냐 그래도 걘 날 도와주려고 하니까.

결론은, 히스칼이 가장 나쁜 녀석이라는 뻔한 데에서 났다.

*

　숙소로 돌아오고 난 뒤, 얼마 지나지 않아 각자의 임무를 마친 대사제들이 모여들었다. 그들이 가져온 정보는 히스칼이 말해 준 것과 일치했다.

　군사적으로 특별한 움직임은 없다. 두 왕자에게서도 특이점은 발견되지 않았다. 다만 두 왕자 모두 하루에 한 번 왕을 알현한다.

　히스칼도 다른 사절들은 야파 왕국의 동태에 대해 이상하다곤 생각하나 그리 경계심을 품고 있진 않다고 했지.

　에이, 설마 하는 거지. 설마가 사람 잡는다는 말이 있는 걸 모르는 거야!

　"내일 연회에 참석해 봐야 알겠네."

　내가 중얼거리자, 이카루스가 답했다.

　"제가 다른 사절들과 이야기를 나누어 보겠습니다. 특히, 태양신의 사제들이라면 뭔가 알고 있을지도 모릅니다."

　태양신 얘기가 나오자 나는 움찔했다. 지레 찔렸다. 이카루스는 아직, 내가 그들과 만나 봤단 걸 모른다. 나를 제외하곤 카마엘만 알고 있지.

　곧장 석찬을 들러 가기도 했거니와, 미묘하게 말하기 어려워지는 기분이 있었다. 우리에게 그리 호의적이지 않았던 카피토, 그리고 내게 적개심을 드러낸 법황, 히스칼.

　그러나 결코 칼리스와 타협할 수 없는 나라가 있다면, 바로 신성교국이다. 다른 나라들과 달리, 마법이란 힘을 배척하는 우리 성국과 신성교국은 결코. 그렇기에 칼리스를 상대로 할 때, 가장 믿을만한 관계이기도 하다.

히스칼의 개인적인 감정이나 카피토의 태도가 그들의 공적인 입장을 반영한다고 보긴 어려웠다. 나는 결국, 고개를 끄덕였다.

"그래."

우선은 아무 편견 없는 채로 그들을 대하는 게 낫겠지. 신성교국 쪽에서 내게 불손하게 굴었단 걸 안다면 이카루스도 가만히 있지 않을 것이다. 이런 상황에서 갈등은 피해야 하지 않겠어?

그 때문에 난 히스칼과 되도록 말 섞지 않아야겠다고 결심했다. 그 녀석은 정말이지, 날 화나게 하거든.

그러나 다음 날, 터무니없게도 내 결심은 손쉽게 바스러졌다.

"안녕."

아무 일도 없었던 것처럼 친근히 손을 흔들어오는 히스칼 때문에.

내 목을 조르려고 한 주제에, 너무도 당당하다. 실행에 옮기지는 않았지만, 눈빛은 진심이었다고.

난 주변을 슬쩍 둘러보았다. 연회장에 나만 한 어린이는 아예 없었다. 그 때문에 이 인형같이 귀엽고 깜찍한 성녀님은 등장하자마자 시선 세례를 받았다.

말 붙이는 거야 카마엘이 옆에 서서 잘 차단하고 있다지만,

시선은 막을 길이 없는걸.

하필이면 신성교국 측에서도 비슷한 시간 이곳에 당도해 버렸다. 입구 근처에서 마주쳐 버려서 어쩔 수 없이 인사를 나누어야 했다.

다들 놀란 눈으로 히스칼을 쳐다보았다. 그럴 만도 한 게, 내게 말 걸기 전 히스칼은 그야말로 법황처럼 거리감 느껴지는 태도를 고수하고 있었기 때문이다.

애늙은이처럼 성자의 느낌을 물씬 풍기는, 온화한 기운이 감돌긴 하나 어딘지 멀게 느껴지는 얼굴.

게다가 근엄하고 딱딱한 낮의 대사제들이 둘러싸고 있었으니, 세속에서 벗어난 경건함이 느껴지는 그들에게 누구도 먼저 말을 걸 엄두를 내지 못했다.

참 코스프레를 잘하고 있어? 그에 비해 은은하고 평온한 분위기의 우리에겐 이럭저럭 말을 걸 만한가 보다. 이카루스나 아리안느가 대충 대응하고 있다.

근데 애는 자기가 인사하면 내가 받아 줄 거라고 생각하는 거야? 어젯밤 있었던 일을 말끔히 소각해 버리는 작태에 기가 찼다.

내가 멀뚱멀뚱 가만히 있자, 히스칼이 특유의 가식적인 선한 미소를 머금은 채 내게로 다가왔다.

카마엘이 막아서려 했으나, 아무것도 모르는 이카루스가 그를 제지했다.

"법황이십니다."

낯선 자이긴 하지만 법황이 인사하러 오는데, 막아설 필요 없다고 말하는 것이다. 하지만 카마엘이야 어제 일이 있으니 히스칼이 내게 가까이 오는 걸 경계할 법도 했다.

슬쩍 보니 뒤에 있는 카피토의 표정이 딱딱하긴 했지만, 군말 없이 히스칼을 내버려 두고 있다. 허용 범주이거나 이미 의논한 행동인 것처럼.

다른 사람들 앞이니 친한 척하자는 거야? 성국과 신성교국이 사이가 좋은 것처럼 보이려고? 내 앞에 이른 히스칼이 고개를 숙이며 작게 속삭였다.

"어젠 미안했어."

어어? 사과를 한다고? 난 눈을 휘둥그레 떴다. 하룻밤 만에 갱생될 성격이 아닌 듯한데.

"수양이 부족해서, 나도 모르게 그만."

서늘하게 입꼬리를 끌어올리는 얼굴에서 자줏빛 눈동자가 기묘하게 빛났다. 그 어떤 철회도 부인도 없다.

사실 날 위협할 의도는 없었다거나, 날 싫어하지 않는다거나, 그때 한 말은 진심이 아니었다는 가식적인 사과조차도. 아주, 정직하긴 하단 말이야? 그건 퍽 성직자다운 일이었다.

"어련하시겠어."

울컥하긴 한데, 그와 반대로 그의 눈동자에 비치는 내 얼굴은 상냥한 미소를 그려 내고 있었다. 나도 히스칼의 가식을 배웠나 보다. 업그레이드했다고!

아냐, 업그레이드가 아니지. 사실 에이레네 앞에서 순진한 어린애 연기는 많이 해왔는걸.

"내가 싫어졌나?"

나지막이 묻는 게, 왠지 모르게 기쁨이 묻어 있는 듯했다. 마치, 내가 그를 싫어하기를 바라는 것처럼.

당당하게 '응'이라고 말할 수 있었지만, 그 점이 나를 망설이게 했다. 가볍게 대답하려다가, 곱씹어 보게 된 것이다.

내가 히스칼을 싫어하나? 그래, 분명히 싫은 기분은 든다. 그런데 또 묘하게, 어중간하게 걸린 무언가가 있었다. 어젯밤 카마엘에 한 말 때문일까. 아이참, 또 머리가 아파졌어!

"넌 밉상이야."

이 정도는 자신 있게 말할 수 있지. 히스칼의 눈이 가늘어졌다. 마음에 차지 않는 것 같다. 변탠가. 히스칼의 눈매가 좁혀들었다. 스스로를 누르는 듯했다. 시비 걸 만한 순간은 아니었다.

"성녀답게 행동하라고. 나도, 법황답게 굴 테니까."

그는 싸늘한 속삭임을 마지막으로, 다시 고개를 들었다. 히스칼의 말은 따르고 싶지 않지만, 그의 말대로 필요한 일이었다.

그사이 신성교국 측 대사제들과 우리 쪽 대사제들은 정중하게 인사를 나누고 있었다.

이카루스는 개중 가장 사교적으로 말하는 사제, 즉 신성교국 측 외교담당자를 찾아낸 모양이다. 아리안느도 생각보단 사교적으로 응대하고 있는 듯했다.

카마엘이야 뭐. 그는 입을 열어 자기소개를 마친 이후 입을 닫고 호위를 섰다.

오늘도 도도한 카피토 대사제가 아닌 몇몇이 그에게 말을 붙여보고 싶은 눈치였다. 하지만 내 요정기사님은 도무지 틈을 내어주지 않았다. 어쨌거나 사교는 그의 몫이 아니니.

곧 시간이 되었는지 연회의 개최가 선포되고, 음악이 울려 퍼지기 시작했다. 우리 성국에선 성직자라고 해도 엄격한 규율과 법도로 완벽하게 통제된 삶을 살진 않았다. 생활 속에서의 신앙이랄까. 좀 다른가?

여하간 그 때문에 주기적으로 열리는 이런 사교 행사는 우리 성국인들에게 자연스러웠다. 춤을 추는 것도 말이다.

나야 뭐, 어린애니 순서대로 대사제들이나 카마엘의 손을 잡고 놀이처럼 뱅뱅 돌았을 뿐이지만.

그래서 나는, 이번에도 자연스럽게 좀 바빠 보이는 이카루스가 아닌 카마엘에게 눈짓하려고 했다.

타국까지 나왔는데, 한 곡 정돈 춰야 하지 않겠어? 그러나 내 앞으로 내밀어진 이 손은―

"한 곡, 추겠어?"

얄밉도록 반짝거리는 미소를 매달고, 히스칼이 묻는다. 얼굴이 굳어진다. 내가 너랑 춤을? 왜?

황당하다. 이렇게까지 친한 척할 필요 있나? 불쾌하다기보단 뜨악한걸.

나는 잠시 갈등했다. 거절하고 싶지만, 그건 뭔가, 공적이지 못하달까. 사감이야 차고 넘치도록 있었지만, 그걸 드러내긴 곤란하다. 녀석도 그걸 잘 알고 있는 거겠지.

이러는 이유는, 내가 자신을 정말로 싫어하게 되길 바라서일까. 그렇다면 그것도 제법 지독하다.

난 생긋 웃으며 그의 손 위에 손을 얹었다. 마치 바라 왔던 것처럼.

"기꺼이."

나도 밝고 상냥한 성녀님, 그것도 자라나는 어린이 흉내를 내내 해온 몸이라고. 네 녀석만 한 내공은 없지만, 그래도 이 정도 가식력은 보일 수 있다.

"너 여자한테 인기 없지?"

마음속에 앙금이 여전했던 고로, 나는 웃는 얼굴 그대로 물었다. 열세 살 여자아이의 어설픔 정도는 눈감아 줄 만하므로, 실수인 척 발을 짓밟아 줄 셈이었는데 잘도 피한다.

진땀 날 정도로 뱀처럼 피해 다니는 민첩성이 예사롭지 않다. 이 녀석 암살자 해도 되겠어?

"내가 인기 없을 것 같아?"

그런 듯한 미소를 올린 채 반문하는 얼굴이 여유롭다. 내 건드림 같은 건 조금도 자극이 되지 않는다는 듯이.

확실히, 네가 아델보다 고수라는 건 알겠어!

"응, 엄청. 여자들은 별로 관심 없고 대신 남자들이 좋아할 것 같아."

위험 수위의 발언이긴 하지만, 아무도 듣지 못할 만큼 목소리를 낮췄다. 히스칼의 안면이 미묘하게 떨렸다.

그래, 아무리 카피토한테 대접받지 못한다고 해도 법황. 어디

가서 이런 얘길 들어 보았겠어? 인내심이 없는 것도 당연하지.

난 아무것도 모르겠다는 듯이 방긋 웃으며 말을 쏟아 냈다.

"넌 정말 예쁘게 생겼어. 그래서 사실 남자인지도 모르겠어. 난 처음 봤을 때 네가 여사제인 줄 알았거든!"

아델도 예쁘게 생겼단 말을 싫어했지? 너도 마찬가지일 거야. 신분 높고 비뚤어진 남자애들은 어딘가 상통하는 면이 있는 것 같으니까.

나의 직감은 그대로 일치해서, 히스칼의 눈매가 조금 일그러지는 듯했다. 가면에 균열이 일기 시작한 것이다.

"너, 지금."

"어릴 때는 정말 여자애 같았겠다! 너는 네가 법황인 게 대수롭지 않은 것처럼 말했지만, 사실은 정말 다행인 걸지도 몰라. 아무도 널 여자애로 오해하지 않았을 테니까!"

조금 자존심 상하지만, 히스칼이 성녀복을 입는 게 나보다 더 성녀다웠을 것 같긴 하다. 쟤는 뭔가, 휘광을 휘어 감고 있는 듯이 선량함을 훅 풍기거든. 비록 성격은 그 반대일지라도.

나도 착하게 생기긴 했는데, 밝은 착함이란 말이지. 쟤는 뭐랄까 물비늘처럼 잔잔하고 은은한 착함. 후자의 쪽이 성숙해 보이는 건 부인할 수 없는 일이었다.

"내가 남자란 거, 증명해 줄 수 있는데."

그 부드러운 눈웃음과 휘어진 입매가 예사롭지 않다.

"그러기엔 네가 너무 어리지만 말이야."

애 지금, 열세 살인 나를 상대로 무슨 소리를 하는 거람. 콤플

렉스를 제대로 건드려 버려서, 아주 독이 오른 모양이다.

난 동요하지 않고 발을 힘껏 내디뎠다. 너의 움직임은 간파당했다!

콱, 상당히 큰 소리가 났다. 온 체중을 실어 앞으로 찍다시피한 발에, 드디어 목표물이 걸려들었던 것이다. 히스칼의 낯빛에 고통이 떠올랐다.

그래, 아프겠지. 아파야 하고말고. 십 년 묵은 체증이 싹 가시는 느낌이다. 엄청난 상쾌감이었다. 난 놀란 듯이 손으로 입가를 가렸다.

"어머, 죄송해라. 내가 춤이 서툴러서."

사냥감을 낚아챈 맹수처럼 난 포만감에 찬 미소를 떠올렸다. 이를 악물며 동작을 멈춘 히스칼에게서 난 한 발짝 물러났다. 마침, 음악이 바뀌어 떨어져도 될 만한 타이밍이었다.

"또 발을 밟을까 봐, 더 이상은 못 추겠어. 너도 그게 좋겠지?"

히스칼이 서서히 얼굴을 감쌌다. 하하, 뭐가 우스운지 그의 입에서 웃음소리가 새어 나온다.

난 의심스러운 눈초리를 보였다. 발의 통증이 엄청나서, 뇌까지 충격이 전해진 거야? 정신 줄을 놓은 모습이다. 그 정도로 세게 밟았을 리 없는데.

"아주, 재미있어."

음산한 목소리가 흘러나오자 난 나도 모르게 움찔했다. 손가락 틈새로 섬뜩한 자줏빛이 비친다. 꼭 광채를 내는 듯이. 좀 무서운걸. 통쾌감이 가시고 불구덩이를 쑤신 기분이 든다.

"그럼, 나는 이만 실례."

한 방 먹였으면 퇴장할 시간이지. 스피드전이다!

난 즉각 후퇴를 천명하고, 그가 말을 꺼내기도 전에 재빨리 돌아섰다.

총총 자리를 옮기자, 대기하고 있던 카마엘이 내게 다가붙었다. 내가 히스칼과 붙어 있으니 불안했는지 내내 주시하고 있던 눈치였다.

그러고 보니 카마엘이 연회에 참석하는 날이면 그와 꼭 한 번 추곤 했지. 따로 배웠을 것 같진 않는데, 쓱 지켜보는 것만으로도 익혔는지 그는 익숙하게 춤을 췄다.

뭐, 어린애를 빙빙 돌리는 춤이 그리 어려운 것도 아니고. 카마엘과도 함께 출까?

난 고개를 저었다. 아니야, 괜히 여기서 시간을 더 끌다가 히스칼이 보복한답시고 나를 쫓아오면 곤란해. 저런 애는 집요한 구석이 있다고.

싫어하는 상대에게 집착하는 기질이 있는 걸지도 몰랐다. 그 정원에서 배회하고 있던 것도 그렇고.

"어디 쉴 만한 데 없을까?"

물으며 나는 재빨리 연회장 안쪽을 훑어보았다. 함께 참석한 이카루스, 그리고 아리안느를 찾기 위해서였다.

먼저 눈에 들어온 건, 역시 아리안느. 다혈질이고 눈매가 매섭긴 하지만 그녀는 눈에 띄는 미녀였다.

붉은 머리카락의 미녀는 확실히 연회장 내에서도 두드러지는 존재라서, 시선을 끌어모았다.

그녀는 정보를 얻기 위함인지, 귀찮은 듯 도도한 표정을 지으면서도 누군가와 춤을 추고 있었다. 자기 일을 잘하고 있군. 방해할 건 없겠어.

나는 다른 쪽으로 시선을 돌렸다. 사교적이고 언변 좋은 이카루스는 이런 곳에서 활동하기에 최적의 인물이지!

실제로 그는 다른 한쪽에서 사람들에게 둘러싸여 이야기를 나누고 있었다. 많은 귀족 여성들이 그에게 부쩍 관심을 보였다.

그러고 보니 이카루스는 여성들에게 인기가 좋아서, 해외에 파견 나갈 때마다 엄청 시달린다고 했지?

다행인 건, 연회 자체가 사절단과 몇몇 야파 귀족들이 참석한 작은 규모로 열렸다는 것이다. 반쯤은 공적인 분위기라 그리 시달리지 않을 것 같다.

좋아, 둘은 잘하고 있고. 나는 내 갈 길을 찾아야겠어! 내가 여기서 정보를 얻겠다고 이리저리 말 걸고 다니는 것만큼 수상한 일은 없을 테니까.

그러나 연회장을 벗어나려고 마음먹기 무섭게 사방에서 말을 걸어왔다.

"저, 은혜로우신 성녀님."

"부디 은총을 베풀어 주십시오!"

내게 앞다투어 말 거는 목적은, 역시 축복을 내려 달라는 것이지. 기회만 보고 있었나. 하지만 난 아무에게나 축복을 내려

주지 않는다고.

어디 보자, 독실한 월신의 신도라면 장신구 하나라도 달의 상징을 달기 마련인데, 주렁주렁 보석만 매달고 있다.

척 봐도 그리 신실해 보이지 않는데, 그냥 성녀가 나타난 김에 축복을 받고 싶나 보다. 히스칼 쪽이야, 워낙 도도하게 구니까. 그러나 내게는 카마엘이 있었다.

"길을 비키십시오."

그가 차가운 얼굴로 가로막자, 우물쭈물하던 이들은 곧 떨어져 나갔다. 호위를 설 때의 카마엘은 좀 살벌하거든.

내 반짝거리는 요정기사님은 용기를 낸 몇몇 여성들에게 춤 신청을 받았지만, 호위를 명목으로 거절해 버렸다.

사실, 나도 카마엘이 아름다운 여성과 그림처럼 춤을 추는 걸 보고 싶었는데. 반면 미묘하게 보고 싶지 않기도 하다. 카마엘은 내 거란 말이야!

어라? 진심이 튀어나와 버렸어!

"테라스로 가지요."

카마엘이 내게 작게 말했다. 난 고개를 끄덕이고 그를 따랐다.

별로 한 것도 없는데 왠지 모르게 피곤해져서 쉬고 싶었지만, 아직 연회장을 떠나기엔 이르다. 조금 시간을 죽여야지.

히스칼과 벌인 신경전이, 스트레스가 되었던 모양이야. 그의 발을 제대로 밟아 주기 위해 너무 집중했다.

한적한 테라스에 들어서자마자, 난 털썩 소파에 앉아 다리를 주물렀다. 카마엘이야 내가 채신머리없게 널브러져 앉는다고 해서 잔소리할 성격은 아니었다.

목이 좀 타다. 난 주변을 돌아보았다. 보통 이런 덴 물병이 준비되어 있기 마련인데, 여긴 그냥 텅 비어 있었다.

연회도 뭐, 그럭저럭 괜찮긴 했지만 왕이 드러누운 상황이라서 그런지, 야파 왕국의 명성에 안 맞게 좀 미비했어. 시종의 수도 적어서 이런 곳까진 배치되지 않은 모양이다.

그야말로 비공식적이고 형식적으로, 사절단들이 여독을 풀고 서로 담소나 나누는 연회였다. 두 왕자도 얼굴만 비치고 사라졌다.

내가 뭔가를 찾고 있단 걸 눈치챘는지 카마엘이 물어 왔다.

"목이 마르십니까."

"응."

잠시 갈등이 이는지 카마엘이 말을 멈췄다. 여긴 연회장과 가깝다. 최측근 호위가 아니면 무기를 소지하지 못한다.

뭐, 신성교국 측이나 우리 측이나 성력을 쓸 수 있으니 살아 있는 무기지만, 어쩔 수 있나.

연회에 참석한다고 일시적으로 성력을 거둬 갈 방법 같은 건 존재하지 않으니. 칼리스의 힘인 마법을 빈다면 또 모르겠다.

하지만 그럴 필요가 없는 게, 예로부터 성국에서 성력으로 누군가를 겁박한 적이 없는걸.

내가 신성력을 쓸 일이 생긴다면 바로 알아챌 수 있을 만한 장소다. 갑자기 습격해서 날 기절시키기엔, 성녀는 그리 만만한 존재가 아니거든!

결국 그에게선 예상했던 대답이 흘러나왔다.

"잠시 이곳에 계신다면, 제가 물을 가져오겠습니다."

카마엘에게 잔심부름을 시키는 건 좀 아닌 것 같은데. 수행 사제라도 좀 달고 올 걸 그랬나.

난 직접 일어나 물을 마시러 갈까 잠시 고민했다. 그러나 고민은 무의미하게 흐지부지되었다.

나를 게으르다고 비난해도 좋아. 이대로 소파와 합체하고픈, 거역할 수 없는 느낌이 드는걸!

"간 김에 이카루스나 아리안느에게 내가 이곳에 있다고 전해 줘."

우리가 어디로 갔는지 모를 테니, 말을 남겨 두어야 할 터였다.

"금방 올 겁니다."

뭔가 내가 못 미더웠는지, 신신당부한 카마엘이 테라스를 빠져나갔다. 아이참, 그렇게 나를 못 믿어? 응, 못 믿을 만한가……

하지만 호랑이 굴에서 사고 칠 생각은 없다고. 히스칼 앞에서도 잘 참았단 말이야.

"간식도 가져왔으면 좋겠다."

난 흘러드는 연회장의 음악을 들으며, 턱을 괴었다.

카마엘이 거기까지 센스가 있을까? 정말 달랑 물만 가져오는 거 아니야? 가져온다고 해도 내 취향의 디저트일 거란 보장은 없다.

그냥 내가 갈 걸 그랬나 보다. 간식은 내게 이 세상에서 높은 순위를 차지하는 중요한 문제였으므로, 난 카마엘을 따라나설까 생각했다.

막 신발을 고쳐 신으려던 그때 타이밍 좋게 목소리가 들려왔다.

"간식을 가져왔습니다."

테라스라지만, 밑에는 격자문이 위에는 휘장이 드리워져 밖과 구분되어 있다. 그 너머로 들려온 목소리는, 익숙하면서도 묘하게 괴리감이 들었다.

카마엘이 시켰나? 난 대수롭지 않게 말했다.

"들어와."

그러나 휘장이 열리고 성큼 걸어 들어온 누군가를 본 순간, 난 눈을 휘둥그레 떴다.

"아, 아델……?"

익숙한 목소리, 그러나 익숙지 않게 정중하니 괴리감이 들 수밖에!

새파란 눈동자. 반짝이는 금발 위로 단정하게 쓴 흰 모자가 덮여 있었다. 깔끔한 연한 푸른빛의 시종옷을 입은 그는, 꼭 소공자처럼 보였다.

아델이 코웃음 치며 다가와 내 앞에 과자 바구니를 툭 내려놓았다.

어어, 시종이 불친절해! 아니, 그보다 네가 어떻게 여기에 있지? 여긴 야파 왕국의 심장부라고. 게다가 왜—

"왜 시종 옷을 입고 있는 거야? 야파 왕국으로 귀화한 거야?"

벌써 취직까지 했나. 귀족 신분은 유지가 안 된 거고? 난 진지하게 고민했다. 안 그러면 아델처럼 오만불손한 애가 시종 일을 할 리가 없잖아. 암암, 말도 안 되고말고.

알바생이었으면 하루를 못 넘기고 잘렸을 상이다.

"무슨 헛소리를 하는 거야? 내가 귀화 같은 걸 할 리 없잖아."

정색하는 게, 칼리스에 대한 자부심이 넘치는 듯했다. 어린 시절부터 세뇌 교육을 제대로 당했나.

사실 신분이 어떻든 간에, 별로 좋은 대우를 받고 있지 않은 것 같은데 말이야. 어린 나이부터 적국에 잠입하는 위험한 임무를 맡기는 데 별 반발심이 들지 않나 보다.

하긴, 열 살 때도 그랬는데 뭐. 혹사당하다 보니 혹사에 익숙해진 건가. 내 측은한 눈빛을 받은 아델의 표정이 사나워졌다.

"그딴 눈으로 날 보지 마."

역시 동정심엔 민감하게 반응한다. 하지만 너무 명령조라고. 난 당당하게 손가락을 치켜들었다.

"내겐 보고 싶은 것을 보고 싶은 대로 볼 자유가 있어!"

"갈까?"

"……아니."

헛소리엔 무시가 답이라는 걸 깨닫다니, 내가 성장한 만큼 너도 성장을 이루어냈군! 장하다, 아델. 날 지그시 바라본 아델이 팔짱을 낀 채 물었다.

"넌 그 꼴이 뭐야."

"내가 뭐?"

"놀러 왔나?"

비아냥거리는 소리에 난 내 차림을 둘러보았다. 거울이 없어서 흐트러졌는지 확인할 순 없지만, 아까는 예쁘기만 했는데 왜 그래!

연회랍시고 머리 윗부분을 잘게 땋아 내려 흰 꽃과 보석으로 장식했다. 치렁치렁한 여신 같은 하얀 예복도 입고, 화장도 조금 했다.

확실히 나는 열세 살의 평범한 소녀로 보이진 않았다. 내 흑발과 금안은, 성국에서도 이국적으로 느껴지는 것이었으니.

그래선지 이곳 사람들도 좀 날…… 뭐랄까, 다른 존재로 여기는 것 같다. 막 거리낌이 있진 않으나 거리감 있는 존재.

"연회엔 이 정도는 입어 줘야지. 어때, 눈이 부시지?"

생긋 웃어 보이자, 아델의 눈빛에서 짜증이 묻어나왔다. 아이 참, 좀 잘 어울린다거나 괜찮다거나 칭찬해 주면 안 돼?

하긴 얘가 평생 동안 누군가를 칭찬해 본 일이 있을까. 아주 회의적이다.

아델이 과자를 내 앞으로 밀어 주며 물었다.

"아까 그 법황인지 뭔지와 뭘 했던 거야?"

"내가 법황과 뭘 했는데?"

혹시 내가 정원에서 히스칼과 만나는 걸 보았나. 두 번이나 만났으니까 눈에 띌 수도 있지. 그러나 그렇지는 않은 모양이었다.

"춤을 췄잖아. 이야기도 많이 했고."

뭐지, 이 추궁당하는 기분은. 연회장에서 몰래 숨어서 나를 지켜보았나. 날 감시한 거야? 신성교국과 성국이 부쩍 사이가 돈독해 보여서 경계심이 들었나?

칼리스인이라면 그럴 수도 있겠지만, 난 다른데 초점이 맞춰졌다.

"근데 이 과자 맛이 없어."

과자를 입가로 가져간 난 얼굴을 찌푸리며 불평했다. 달지가 않잖아! 건강식 과자 같은 느낌이다. 가져올 거면 좀 맛있는 것을 가져올 것이지.

내 불만에도 아랑곳하지 않고, 정확히는 관심도 두지 않고 아델이 제 말만을 이어 갔다.

"넌 성국 밖으로 나온 게 이번이 처음이잖아. 어떻게 그럴 수 있지?"

어떻게 그럴 수 있느냐니. 처음 본 사이치곤 너무 친해 보인다는 거야?

나는 제법 불꽃이 튀었다고 생각했는데, 남들이 보기엔 엄청 사이가 좋아 보였나 보다. 히스칼이나 나나 연기력은 제법 되었다.

"외교일 뿐이야, 외교. 괜히 질투하지 말렴."

"누가 질투 같은 걸 한다는 거야?"

"너."

아델은 바로 박차고 나가려는 듯 등을 돌렸다. 난 재빨리 그의 옷자락을 잡아챘다. 짜식, 성질머리하고는. 뭐, 이 정도는 말해 줘도 되겠지.

"나, 걔랑 안 친해. 히스칼 말이야."

공식적인 친분을 떠나, 사적으로 그렇다는 걸 강조하는 뉘앙스였다. 히스칼과 친하다니, 나 역시도 결단코 부인하고 싶다고.

하지만 아델은 전혀 그 뉘앙스를 읽어 내지 못했다.

"이름도 알아?"

"어, 너는 몰라?"

"내가 법황의 이름 따위 알게 뭐야."

"맞아, 나도 그 애가 알려 주기 전엔 몰랐어."

"게다가 너, 법황과 서로 이름을 불러?"

"말을 놓기로 했으니 그렇지. 그와 나는 동급이니까."

정작 히스칼은 나를 에스델이라고 부르지 않지만 말이다.

그런 의미에서 넌 영광인 줄 알아야 해, 아델. 아무리 관대하게 봐도 나와 같은 급은 못 될 건데, 내가 특별히 말을 놓도록 허락해 준 거잖아.

나와 말을 놓음으로써 신성교국의 법황과도 동급이 된 거라고! 이런 특혜가 어디 있겠어?

"아무튼, 아델 너도 먹을래?"

난 맛없는 과자를 아델에게 처리하기로 했다. 음식은 아껴야 하는 법이지. 아델이 인상을 찌푸렸다.

"됐어."

저도 안 먹을 과자를 왜 나한테 가져다준 거람? 난 속으로 꿍얼거리면서 말했다.

"널 여기서 또 보게 될진 몰랐어."

그때 내가 한 말에 그나마 맘이 풀렸으니 찾아온 거겠지? 그러나 내 반가움의 표시를 비뚤어진 아델은 정반대로 알아들었다.

"내가 찾아온 게 싫은가 봐?"

"아니, 누가 그렇대. 그냥 의외라서. 넌 나를 찾아오는 게 굉장히 어려운 일인 것처럼 말했잖아."

지금도 어려워 보인다. 다른 무엇보다도 그 자존심에 시종 행세를 하는 것에서부터.

근데 얘 아마 목적 없이 온 건 아니겠지? 그냥 나랑 만나고 싶어서 찾아올 만한 성격은 확실히 아니었다.

"오늘도 돌아가라는 이야기를 할 셈이야?"

난 그가 말을 꺼내기도 전에 적극적으로 덧붙였다.

"나도 집에 가고 싶어. 막, 있지. 향수병이 도지는 것 같아."

근데 회담이 끝나야 가든지 말든지 하지. 내일부터 본격적으로 시작이잖아. 갑자기 아델이라면 야파 왕국에서 벌어지고 있는 일에 대해서 확실히 알고 있겠다는데 생각이 미쳤다.

일장일단이 있다. 어린 나이에 지나치게 위험한 임무를 맡고 있지만, 그만큼 지위도 높아서 알고 있는 게 많은 거겠지.

"궁금한 게 있는 얼굴인데."

티 났나? 눈썰미가 날카로워졌군! 난 비밀을 말하듯이 속닥거렸다.

"있잖아, 야파 왕이 아프대."

아델이 말없이 코웃음 쳤다. 난 그를 읽어 내려고 애썼다. 뭐야, 실은 아프지 않다는 거야?

"그런데 사제들의 치료를 거부했어. 아예 두문불출하고 있다지? 하루에 한 번 두 왕자만 알현할 수 있다던데."

"많이 알아냈네."

시큰둥하게 말하는 아델의 손을 난 덥석 붙잡았다. 그리고 초롱초롱한 눈으로 바라보았다.

"왜 그런 줄 알아?"

까칠한 아델은 주저 없이 내 손길을 뿌리쳐 냈다.

"허튼수작 부리지 마. 내 말도 믿지 않으면서."

마음에 담아 두고 있었나. 난 입술을 뚱하니 내밀었다.

"그러면 왜 찾아온 건데?"

"하나 말해 둘 게 있는데."

아델이 서늘한 푸른 눈으로 날 마주 보았다. 히스칼의 눈동자가 그랬듯, 그의 눈동자도 보석처럼 예쁘지만, 한색이다. 언제나 차갑고, 견고하다.

내겐 조금 누그러졌다지만 난 아델이 원래부터 다정다감하다거나 따스한 성격이 아님을 알고 있었다.

그게 슬프게 와닿기도 하지만, 그의 현실 속에서 따스하고 말랑한 성격으로는 살아남지 못했을지도 모른다.

나 역시 이 특별함을 누리는 게 기쁘지 않은 건 아니니.

"내 약속은 성국을 해하지 않겠단 거였지."

"응."

"그렇다면, 내가 널 돕는 건, 내 말을 지키는 그 이상을 베푸는 거란 거 이해하겠어?"

아델은 선심 쓰듯이 말했고, 말투가 거만한 게 살짝 걸렸지만 난 뚱하니 고개를 끄덕였다. 난 그냥 널 돌려보내 줬는데 말이야!

하지만 아델을 돌려보내는 데, 내게 위험 부담이 컸냐면 그렇지는 않다. 만약 들켰다면 조금 반발을 샀을지 몰라도.

나는 월신의 성녀이고 성국에서 나보다 위에 있는 자는 신을 제외하곤 존재하지 않는다. 날 벌할 수 있는 자 역시 없었다. 유야무야 묻혔겠지.

반면 아델은 날 돕기 위해 어쩌면 목숨을 걸고 있지. 그게 얼마나 대단한 건지 안다.

근데 그 고마움을 말아먹는 건 순전히 아델의 말본새 탓이었다. 말로 천 냥 빚을 갚는다더니, 말로 천 냥 빚도 없는 게 될 수 있나 보다.

"내가 칼리스의 거사를 망칠 정보를 너에게 말해 줄 순 없단 소리야."

아델의 눈빛이 싸늘한 빛을 품었다. 그래, 아델은 처음부터 그걸 확실히 했다. 자기가 칼리스인이란 것을.

성국으로 귀화하겠냐는 제의도 단칼에 거절했지. 그는 결코 내 편이 될 수 없는, 칼리스의 귀족이다.

하지만 문제는 그럼에도 아델이 날 헷갈리게 한다는 데 있었다.

말로는 아니라면서, 결국 나한테 경고도 해 주고 내 안위를 걱정해 주고 있잖아. 내 편도 아니면서 내 편처럼 구는 너. 참 어렵다.

그래서 나도 그 모호한 경계선에서 벗어나질 못하는 것이다.

제가 질문을 유도해 놓곤 말해 줄 수 없다고 잘라 말하는 아델의 태도도 문제가 있었다. 약 올리려는 거야, 뭐야?

"내가 봐줄 수 있는 건 너뿐이야."

봐준다는 표현, 좀 마음에 들지 않기도 하지만, 지적하고 싶었다.

"좀 범위를 확장해 보는 게 어때?"

설마 내가 카마엘과 우리 대사제들을 놔두고 나만 안전하면 그만이라고 생각할 거 같아?

"하."

아델이 기가 찬 듯 날 노려봤다.

하긴 그건 물에 빠진 걸 건져 줬더니 보따리 내놓으라는 격이다. 아델도 위험을 감수할 수 있는 선에서, 감수할 뿐, 그 자신을 놓으면서까지 날 돕는 건 아니다.

그런 건 나도 바라지 않거든. 그냥 태클을 걸고 싶었을 뿐인 걸.

분위기가 조금 어색해졌다. 마침 좋은 생각이 떠오른 난 그를 향해 웃으며 손을 내밀었다.

"우리, 춤출래?"

때맞춰 음악이 잦아든 참이었다. 곧, 다른 음악이 시작될 것이다. 아델이 눈썹을 치켜들었다.

연회장에서 너와 춤출 일은 영영 없을지도 몰라. 아니, 우리가 마주치는 일조차 야파 왕국을 떠나면 더 없을 가능성이 높지.

그러니 음악이 흐르는 이곳 테라스에서만큼은. 아무도 모르기에 허락된 시간.

나와 같은 생각이 들었을까. 아델이 순순히 내 손을 맞잡았다.

춤출 순 있는 거지? 혹시 발을 밟히지 않을까 신경을 곤두세웠건만, 괜한 걱정이었다.

곧 시작된 반주, 아델은 가볍게 나를 이끌어 움직였다. 잘 차려입었다기엔, 일반 옷보다 조금 태가 잡혀 있을 뿐이지 시종들이 입은 평범한 복식.

그러나 아델은 도무지 시종으로 보이지 않았다. 나를 리드하는 우아하고 세련된 움직임, 바로 선 자세, 동작. 기품이 묻어나오는 그 모든 것이, 예사롭지가 않다. 금발에 고귀한 사파이어빛 눈동자. 후광이 비치는 듯하다.

가슴이 찌르르 울렸다. 감탄이고, 감동이다. 나는 이런 소년을, 이전 생과 이번 생을 통틀어 단 한 번도 본 적이 없었다.

반짝반짝하는 게, 꼭 왕자님 같은데. 홀린 듯이 그를 쳐다보던 난 패배감을 느꼈다. 뭔지 모르겠지만, 져 버렸어!

이건 뭔가 잘못된 게 틀림없다. 야파 왕국의 두 왕자도 아델 같진 않았는데. 외모 버프겠지? 아니면 마법의 영향일까.

칼리스 귀족들은 원래 다 이래? 아니, 아마도 아닐 것이다.

나는 답을 알고 있었다. 아델 같은 소년은, 그 어디에도 없을 거란 걸. 아주 희귀한, 어쩌면 유일한 단 하나의 보석처럼.

무슨 생각하는지 모를 새파란 눈동자로, 아델이 나를 직시한다. 환한 웃음과 거리가 먼, 여전히 무표정에 가까운 내려다보는 듯이 오만한 얼굴.

언젠가 너에게 열아홉 살의 나를 상상해 보라고 했지만, 나는 아무래도 열아홉의 너를 상상할 수 없다. 고작 삼 년이 지난, 열세 살의 너조차 이렇게 멋지게 자라났는데.

그 미래에서 나와의 접점이 없을 거란 게, 그저 아쉽기만 할 뿐.

"너한테 보여 줄 게 있어."

춤이 끝나고, 멈추어 선 채 아델이 내게 속삭였다. 나는 입을 달싹였다. 그러나 목소리가 입 밖으로 나오기 전, 그의 음성이 귓전을 갈랐다.

"당장은 안 돼."

좀 더 새파랗게 짙어진 그 눈. 내게로 새벽처럼 선명한 그 빛이 스며 오는 듯하다.

그는 결심하고 있었다. 날 찾아오기 전부터, 확고하게.

다만 그것을 바로 입 밖으로 꺼내 놓지 못함은 신중해져야 하기 때문. 아델은 내가 그를 믿지 못한다고 말했지만, 그 역시도 나를 완전히 믿지 못하는 건 마찬가지다.

그에게 살아오며 익히 밴 의심. 이젠 마치 옷 같은 그것이, 절대적인 신뢰라는 단어를 스스로에게 허락하지 않는다.

그러나 아델은 본능을 거스르고 있었다. 나는 그의 의심을 덮은, 아마도 유일한 사람.

내가 지난 삼 년 전, 그를 놓아 보냈을 때 거기엔 나에게 득이 되는, 어떤 근거도 존재하지 않았다.

그것이 아델을 설득했기에, 그는 치열한 갈등 속에서도 나를 위해 움직였다.

"그럼 언제?"

"오늘 밤."

아델이 갑자기 문 쪽을 돌아봤다. 누군가 엿들을까 경계하는 것처럼. 난 묻지 않을 수 없었다.

"오늘 밤에 보여 주려고 하는 게 뭔데?"

"이 야파 왕국에서 벌어지고 있는 일, 알고 싶다고 했잖아."

"그랬지. 근데 그거 말해 줄 수 없다고 하지 않았어?"

나도 네가 걱정되지 않는 건 아니라고. 백 살까지는 아니더라도 꼬부랑 호호할아범이 될 때까지 살길 바라고 있단 말이야. 아델이 눈썹을 들어 올렸다.

"그건 내가 판단해."

아, 예……. 그러시겠지요. 난 입술을 내밀었다. 결과적으로 내게 이로운 일일 거라고 생각한다.

그러나 이어 아델이 꺼낸 말이 내게 갈등을 불러일으켰다.

"너 혼자 와야 해."

"나 혼자 말이야?"

난 눈을 휘둥그레 떴다.

"말했잖아. 네게만이라고. 제대로 움직이면 위험하진 않을 거야. 아무리 기척을 잘 감춘다지만, 그자는 너무 눈에 띄어. 이 이상 인원이 느는 건 들킬 가능성이 높아지기도 하고."

"너 혹시……."

나를 보쌈할 계획을 품고 있는 건 아니겠지? 내 의심에 찬 눈빛을 마주한 아델이 입꼬리를 비틀어 올렸다.

"왜, 겁이 나? 아니면 의심스러워?"

그래, 의심스럽다. 당연한 거 아냐? 하지만 선뜻 그렇다 말할 수 없어서, 난 전자를 택하기로 했다.

"아이참, 나는 호위 없이 어딜 가 본 적이 없는데. 여긴 성국이 아니잖아."

"성국 밖에서는 너 스스로를 지킬 수도 없는 거야?"

"……그건 아니지만."

암암, 이 성녀님을 뭐로 보는 거람? 성국 밖이라고 해도 신성력을 아예 사용할 수 없는 건 아니다. 물론, 성국에서와 같진 않겠지만.

"선택은 네 몫이야. 난 기회를 주는 거라고. 이 야파 왕국에서 벌어지고 있는 계획을 엿볼 기회. 널 강제로 끌고 갈 생각 따윈 없어."

"알았어."

나는 곧장 결정을 내렸다. 그 결정은 어차피 내려졌어야 할 것이기에 머뭇거릴 게 못 되었다. 머뭇거리면 아델은 내가 자신을 믿지 않는다고 생각할 테고, 기껏 주려던 도움도 접겠지.

그런데 나더러 어떻게 카마엘을 뿌리치고 나오라는 거야? 명령을 내려서 어디론가 보내 버려야 하나? 딱히 그럴 구실이 없다. 아델이 신신당부했다.

"명심해, 그는 안 돼."

"문제가 있어. 난 몰래 나올 자신이 없단 말이야."

당연하다는 듯이 대꾸해 온다.

"그렇겠지."

굉장히 굼뜨고 자립심 없는 애벌레를 보는 듯한 눈이었다. 그런 눈빛으로 보지 마. 애벌레는 언젠가 나비가 되기 마련이라고!

……무슨 상관인지는 모르겠지만.

"명령을 내리든 어떤 핑계를 대서든 오늘 밤 그가 네 방 경비를 서지 않게 만들어. 그거면 돼."

그 정도는 할 수 있겠지? 라고 묻는 듯한 어조였다. 얘, 정말 말투가 얄밉단 말이지. 어디 보자, 명령은 적성에 영 맞질 않는다.

그럼 핑계를 대라고? 무슨 핑계 말이야. 카마엘이 방문을 지키고 있으면 은빛 거미가 달려드는 악몽을 꾼다거나 그런 거?

그렇게 말하면 카마엘이 상처받지 않을까. 난 심각한 고민에 잠겨 들었다. 그가 짤막하게 덧붙였다.

"내가 네 방으로 찾아갈게."

"내 방으로?"

내가 노골적으로 경계심을 보이자, 아델이 코웃음 쳤다.

"무슨 생각을 하는 거야?"

"너 수시로 내 방에 잠입하는데……."

부엌이 도둑은 아니겠지?

"진짜 네 방도 아니잖아? 성국에서 기어 나온 이상 그 정돈 감수하라고."

그런가. 감수해야 하나. 원래 내 나라에서 나오면 남이 내 방에 몰래 침입하는 것 정돈 감수해야 하는 세계였나? ……그럴 리가 없잖아!

"창문은 멀쩡하던데?"

어떻게 찾아오겠단 거야? 경비를 뚫고 시종으로 변장해서 오는 건 무리수다. 필연적으로 대사제들과 카마엘을 거쳐야 하는 길이니.

창문엔 전에 묵었던 곳처럼 그런 조잡한 장치 따윈 되어 있지 않다고. 카마엘이 꼼꼼하게 검사했단 말이야.

아델이 피식 웃으며 말했다.

"창문만이 길은 아니지. 그럼 나는 이만."

어어? 이렇게 가는 거야? 아델은 정말로 쿨하게, 과자 바구니를 챙겨 들더니 바깥으로 나가 버렸다.

날 먹으라고 가져다준 게 아니라 코스프레용 아이템이었구나!

어찌할 겨를도 없이 눈앞에서 문이 닫혔다. 얕은 걸음 소리만 들려오다 이내 흐려졌다. 가 버린 것이다.

"뭔가 폭풍이 휩쓸고 지나간 것 같은데……."

아델이 이 방에 머무른 시간은, 그리 길지 않았다. 하지만 카마엘이 돌아오기엔 충분한 시간이었다.

왜 늦는 거지? 무슨 일이 있나. 생각하게 무섭게 곧 아델이 나간 문으로, 그가 돌아왔다.

"늦었습니다."

물과 쥬스가 고루 담긴 쟁반을 한 손에 받쳐 들고, 다른 손엔 달콤한 냄새를 풍기는 과자 바구니를 들고서.

성기사다운 단정하고 고고한 모습을 흐트러뜨리는 그 엄청난 부조화에 난 입을 살짝 벌렸다.

"카, 카마엘?"

여기까지 오면서 얼마나 많은 사람이 쳐다봤을지. 나는 급속도로 민망해졌다. 성국 최고의 성기사를 간식 배달원으로 부려 먹다니!

물론, 카마엘은 외부에서 자신을 어떻게 보든 별로 신경 쓰지 않는 듯했다.

"수고했어. 무슨 일이 있었어?"

"빨리 용무를 마치려고 했지만…… 두 대사제 모두, 사람들에게 둘러싸여 있더군요."

내가 여기 있단 걸 전해 주라고 했었지. 거기서 나는 그가 말하지 않은 것들까지 읽어 낼 수 있었다.

아마 춤 신청을 걸어온다거나, 말을 건다거나 방해가 좀 있었던 모양이다. 아예 싹 무시할 수도 없는 자리이니.

"게다가 과자가 구워지는 중이라 조금 기다렸습니다. 어떤 걸 좋아하실지 모르니 골고루 가져가라고 권하더군요."

왜 늦게 오나 했더니, 내 간식거리를 이렇게 신경 써 줄 줄이야. 아닌가? 혹시 이것도 아델이 의도한 바라면……. 부러 누군가를 시켜서 과자를 구실로 카마엘을 붙잡아 뒀을지도 몰랐다.

카마엘의 눈길이 멈칫했다. 그는 빠르게 방 안을 훑었다. 미묘하게, 기색이 달라졌다. 경계심 어린 눈빛.

"누가 왔다 갔습니까?"

심장이 조금 두근거리는데. 꼭 죄진 것 같은 느낌이다. 몰래 불장난을 한 아이처럼.

하지만 오늘만큼은, 카마엘에게 솔직해질 수 없었다. 미안, 카마엘!

"응, 응? 그냥 어떤 시종이……. 왔다 갔어. 카마엘이 음료를 가지고 오기로 했잖아."

거짓말을 하는 건 아니야. 시종이긴 시종이었다고! 적어도 차림새만큼은.

짧은 시간을 두고 엇갈린 그들이기에, 혹시 마주치지 않았을까 했는데 그건 아닌 듯했다. 다행이라고 해야 할까.

카마엘이 순순히 수긍했다.

"그렇군요."

"그런데 이거 너무 많은걸! 맛있어 보이지만, 다 먹을 수 없을 것 같아."

난 돼지가 아니란 말이야. 아무리 과자를 좋아해도 이 한가득인 걸 다 해치울 순 없다. 열세 살 소녀의 위장은 그렇게 크지 않다고.

아무래도 카마엘은 자기가 잘 먹지 않으니 남의 위장 사이즈를 가늠하지 못하나 보다. 그가 고개를 갸웃거렸다.

"많습니까."

살짝 충격이 일었다. 카마엘은 내가 당연히 이 정도는 다 먹어치울 수 있을 거라고 생각했던 걸까.

세상에! 내가 평소에 그렇게 과자를 많이 먹는 것처럼 보였단 말이야?

그래, 나는 과자를 많이 먹는다. 그건 사실이지. 난 시무룩해져서 물끄러미 과자 바구니를 들여다보았다.

"……잘 먹을게."

그래도 과자가 맛있어 보인단 건 부인할 수 없었다. 카마엘의 성의도 생각해야지! 큰 덩어리의 달곰쌉쌀한 초콜렛이 드문드문 박힌 갈색 과자가 바삭거리며 입안에서 부서졌다.

카마엘이 가져온 과자는, 정말로 너무나 맛있었다. 슬프게도, 내가 바구니를 기어코 비워 낼 만큼.

그날 밤, 연회가 파할 무렵 우리 일행은 비로소 한데 모였다.

난 과자를 하도 먹어서 메슥거리는 속을 달래며 김치를 부르짖던 참이었다.

물론 이쪽 세계에 김치는 없다. 그래서 난 대신 양배추 절임을 먹었다.

오랜만에 북적이는 연회에 참석한 대사제들은 다른 사절들 틈바구니에서 몹시 휘둘렸는지 고단한 기색이었다.

성력으로 체력이 회복되니 고작 연회 참석 정도야 별일이라고 할 수 없는데, 표정이 영 좋지 않다.

성국의 대사제들을 만날 기회가 흔치 않다 보니, 축복을 내려 달라고 하는 이들도 꽤 있었던 모양이다.

그래, 태양신과 더불어 월신의 축복까지 쌍으로 받을 수 있는 흔치 않은 기회이긴 하지.

신성교국 측에서도 축복을 내려 달란 요구에 응하는 것 같아서, 우리라고 거절할 수 없었다.

아리안느야 대충 응대했겠지만, 우리 성국의 얼굴 격이자 실질적 대표인 이카루스가 그럴 수 있나. 입꼬리에 경련이 일어날 만큼 오래 미소를 유지하고 있었으리라.

이카루스는 돌아오자마자 차가운 물을 마시고 기도를 올렸다.

한데 모였을 땐 꽤 늦은 시간이라, 난 좀 초조해졌다.

아델이 특정한 시각을 짚어 방문하겠다고 한 건 아니었다. 하지만 대사제들이 모두 잠자리에 들어야 잠입할 수 있지 않겠어?

"어땠어요, 이카루스? 정말 진저리나는 작자들이야."

성가신 듯 아리안느가 머리를 쓸어 넘기며 분을 토해 냈다. 성직자에게 집적거리는 자질 없는 외교 사절들에 대한 비난이 그녀의 입에서 쏟아져 나왔다.

아리안느한테 집적거리다니 눈이 삐었……, 웅, 그래 아리안느가 미인이긴 하지. 해외로 시집가 버렸으면 좋겠다.

앗, 이런 또 진심이! 하마터면 입 밖으로 튀어나갈 뻔했어.

"뭐, 유익한 정보라도 들은 거 있어?"

난 별 기대 없이 이카루스에게 초점을 맞췄다. 내가 느끼기론 연회에 참석한 사절들은 그리 위기감을 느끼지 않고 있었다. 도리어 느긋하게 연회를 즐기고 있는 눈치였다.

듣기론 다들 야파 왕이 병환 중인 데다가 코빼기도 보이지 않는다는 걸 좀 이상해한다고 했는데. 연회에선 아예 맘을 놔 버린 느낌이다.

그런 거 아닐까? 왜 경보가 막 울리는데 남들이 가만히 앉아 있으면 나도 자연히 안도하고 가만히 앉아 있게 되는 거.

긴장감은 전염되기 마련이라지만, 느긋함도 전염될 수 있는 거겠지.

그러니 이카루스라 해도 별로 정보를 들고 왔을 것 같진 않다.

기도를 마치고 몸과 마음을 정결히 한 그가 눈을 들어 신중하게 입을 열었다.

"야파 왕에 대해선 모두가 의문을 품고 있는 듯하더군요. 내일 추이를 보고 판단하겠단 의견이 많았습니다. 역시나 그 누구도 왕을 알현하진 못했더군요. 다만 체링겐 왕국의 사절이 조심스럽게 말하기를 두 왕자가, 연회 전 심하게 다투는 광경을 목격했다고 합니다."

"그래?"

"꽤 격렬한 언쟁처럼 보였으나, 이내 잠잠해졌단 걸 봐선 서로 완전히 척을 진 것은 아닌 듯합니다."

왕좌를 두고 서로 경쟁하는 선의의 라이벌? 모든 왕족들이 서로를 죽고 죽이며 왕좌를 차지하는 건 아니다. 적어도 야파 왕국에서 두 왕자의 사이는 그 정도인 것 같았다.

아마 유능한 왕이 계속 강력하게 왕권을 틀어쥐고 있던 탓도 있으리라.

"신성교국 측에선 어때?"

히스칼이야 말을 삼켰지만, 아무리 봐도 히스칼은 그들 일행의 대표가 아닌 것 같단 말이지.

나한테 하는 행동이라거나, 그 문제 있는 발언들이 비록 비공식적이나 신성교국을 대표한다고 보긴 어려웠다.

도리어 히스칼은 그 펜던트도 그렇고……. 그쪽 일행에서 삐죽 튀어나와 이탈하는 돌멩이 같은 느낌이다.

히스칼은 법황이라도 그리 큰 권력을 가지고 있지 못한 것처럼 보였다. 아니, 도리어 그 카피토라는 대사제에게 휘둘리는 것 같달까.

눈으로 보진 못했지만, 카피토가 아니라 다른 대사제라고 한들 다르겠어?

히스칼은 성국 내에서의 내 발언권보다 더 적은 발언권을 가지고 있는 듯이 보였다. 어떤 일에 대한 결정권을 가지고 있는 건 히스칼이 아닌 듯이.

이상한 일이다. 그 몸에 깃든 강렬한 신성, 그 힘. 히스칼은 결코 대역일 수 없는데. 어떻게 법황이면서도……

나는 의문을 뒤로 두었다. 어쨌든 우리 쪽에서도 실질적 대표는 이카루스이듯이, 신성교국 측 대표자는 또 다른 대사제였다. 이카루스는 그와 긴 시간 이야기를 나누었다.

"카스라 대사제가 말하기로는, 신성교국 측에서도 의술에 조예가 있는 대사제가 있어, 야파 왕의 치료를 돕고 싶다고 말했다더군요. 그리고 거절당했다고 합니다."

"거절당해서 뭐라고 했대?"

"법황이 계신 자리이니, 의뭉스러운 구석이 있다면, 위험을 무릅쓸 수는 없는 법. 바로 귀환하고자 무례를 감안하고 물었다고 하더군요. 다른 뜻이 있는 건 아니냐. 혹은 왕이 이미 서거하신 것은 아니냐면서요."

와, 정말 대놓고 물었네. 물론 조금쯤 돌려 말했겠지만, 권위적인 신성교국답게 남의 나라에 와서도 정도가 없다.

"있을 수 없는 일이라고 딱 잘라 말하며, 신성교국이건 성국이건 그 어떤 상대로도 빚을 지기 싫다는 야파 왕의 굳은 의지라고 하더군요. 회복에 시일이 조금 소요될 뿐, 왕은 건강을 되찾고 있다고요. 성력으로 궁 내부에서 아마 한 차례 탐색을 마친 모양입니다만, 특별히 이상한 점을 발견하진 못했다 합니다."

그럴듯하게 들렸다. 야파 왕은 상인이다. 회복에 가망성이 있다면, 성국이나 신성교국에게 빚을 지려고 하지 않을 만도 하다.

두 나라 모두 종교 국가고 한쪽의 도움을 받았다간, 그 한쪽으로 쏠릴 수밖에 없겠지. 태양신이든 월신이든 어느 하나로 기울고 싶진 않으리라.

칼리스에 대항할망정, 완전한 중립이 야파의 기치인데, 그걸 훼손하지 않으려고 할 터.

하지만 나는 아델에게서, 이 야파 왕국에서 벌어지고 있는 일에 대해 암시를 받았다. 그러니 그게 진실이 아닐 거란 걸 짐작한다.

"이 야파 왕궁은, 많은 부분이 성력이나 마법 등으로 투과하지 못하는 희귀한 암석으로 이루어져 있습니다. 고대에서 전해져 내려온 건물을 개조한 것이라, 유독 그렇다고도 하지요."

"그런 게 있어?"

"예, 힘의 투과와 흡수는 암석에 따라 차이가 납니다. 이전에 태양신의 신성이 깃든 그 다리는, 반대로 성력을 담기 좋은 성분으로 이루어져 있습니다."

"그럼, 우리한테 이곳이 위험한 건가?"

"비록 눈은 닫혀 있다 한들, 이 몸에 깃든 성력이 어디로 간 것은 아니니. 또한, 여기 성녀님이 계시지 않습니까."

이카루스가 은은한 미소를 띄워 올렸다.

그래, 나는 존재 자체만으로도, 대사제들에게 힘을 주는 성녀다. 성력 강화 버프라 이거지. 내 자랑이라고 하긴 그렇지만, 내가 있음으로써 전력이 강화되는 효과가 있다고.

그런데 여기까지 생각이 이르는 걸 보면, 이 흐름은 역시⋯⋯. 전투를 피할 순 없는 건가.

그것은 불길함으로 내게 흘러들었다. 넘실거리며 산등성이를 넘어 흘러오는 짙은 회색 안개 같은 그것에, 나는 일순 몸을 떨었다. 이것은 예지일까.

"성녀님?"

이카루스가 의아한 듯 나를 불렀다. 나는 애써 미소를 지어 보였다.

"아냐."

기분이 왠지 스산한데. 이게 아델이 나를 배신한단 징조는 아니겠지.

맹목적인 믿음이 위험하단 걸 알기에, 나는 헤어지기 전 아델의 표정과 태도를 그려보았다.

이 시점에서 내가 카마엘을 뿌리치고 그를 따라나서는 것이 과연 옳은 선택일까.

망설임이 스민다. 난 뭘 믿고 아델을 따라나서려고 한 거지?

하지만 믿음은, 만들거나 억지로 자아낸다고 생기는 것이 아니다. 그러니 내가 그를 믿는 건, 몹시 자연스러웠다.

시종 옷을 입고 날 찾아온 아델에겐, 특유의 자신감과 올곧을 정도의 당당함만이 배어 있었다.

아델에게 난 특별한 존재였다. 그것은 틀림없는 사실. 그렇기에 아델은 자신의 특별한 무언가를 부서뜨리려고 하지 않을 거다.

무엇보다 칼리스산 고양이 아넬은, 까칠하긴 해도 음모라는 단어와 퍽 어울리지 않는걸. 비록 칼리스인이지만, 그 새파란 고고함을 보라. 대놓고 검을 들이민다면 모를까, 계략을 꾸미는 쪽은 아니었다.

뭔가를 꾸민다면, 그것은 히스칼 쪽이 어울린다. 아넬은 아냐, 그래.

그건 아넬이라는 사람에 대한 믿음이 아닌, 파악이다. 기이할 만큼, 함정이 아닐 거란 확신이 들었다.

이때껏 잘 맞아 들어왔던 예지대로, 이번에도 내 감각을 믿어보겠어. 나는 성녀니까.

"사절들과 어느 정도 이야기를 나눈 바, 내일 회담에서 이야기할 내용을 정리하겠습니다."

이카루스의 말은 길게 이어졌고, 그 모든 내용을 귀담아들은 후에야 나는 잠자리로 향할 수 있었다.

*

"카마엘, 오늘은 내 방을 지킬 필요 없어. 이 방은 수상한 장치도 없다면서?"

어차피 구조상 여기도 카마엘의 방문 앞을 통과하지 못하면, 내 방에 이를 수 없게 되어 있다. 아넬의 말대로라면 다른 방법이 있는 것도 같지만 말이야.

"아니요, 방에서 이상한 점을 찾진 못했습니다만, 그래도 만약을 대비하는 게 좋겠습니다."

"하지만 카마엘도 피로를 아예 못 느끼는 건 아니잖아? 그 말대로, 만약을 대비해야지. 내일부터 본격적으로 회담이라고. 어떤 일이 있을지 모르는데 오늘이라도 잘 자 둬야 하지 않겠어?"

"저는 괜찮습니다."

"내가 안 괜찮아! 카마엘이 잠도 못 자고 내내 내 방을 지키고 서 있으면 내가 잠이 안 올 것 같아."

"없는 듯이 있겠습니다."

"그게 뭐야!"

지난한 설득이었다. 카마엘은 뭔가 수상함을 느꼈는진 모르겠지만, 좀체 내 방을 떠나려고 하지 않았다. 내가 야밤에 몰래 나가려고 한단 걸 눈치챈 걸지도 모르지.

그가 말을 안 듣는답시고 버럭 화를 내기라도 하면 더 수상해 보이겠지?

나는 그를 설득할 만한 그럴듯한 논리를 찾았다.

"실은, 대사제들에겐 말하지 않았지만, 왠지 불길한 예감이 든단 말이야. 카마엘이 최상의 상태를 보전해 줬으면 좋겠어."

"……알겠습니다."

휴, 겨우 설득해 냈다. 카마엘이 정말로 떠나가는지, 나는 귀를 기울여 그의 발소리에 집중했다. 그의 방문이 여닫히는 소리가 미약하게 들리는 걸 확인한 후에야, 나는 내 방 침대 위로 드러누웠다.

그래, 카마엘이 내 방을 지키고 있지 못하도록 하랬지? 힘겹지만 해냈다!

하지만 임무를 달성하고 나니 연회가 고단했던 탓인지 잠이 솔솔 왔다.

아델이 곧 찾아올 거란 걸 알면서도, 이부자리에 누우니 도저히 눈을 뜨고 있을 수 없었다.

에이, 좀 자도 괜찮겠지? 이렇게 있다가 내일 아무 일 없이 아침 햇살에 눈을 뜨는 결말을 맞이하진 않을 거라고. 아델이 깨우겠지? 그럴 거야.

나는 맘 편히 잠들었고, 내 예상은 아주 잘 적중했다.

"으앗!"

차가운 뭔가가 볼을 툭 건드리자, 난 퍼뜩 눈을 떴다. 쉿, 검은 장갑을 낀 손이 내 입을 틀어막는다. 우읍, 박쥐인 줄 알았다.

"목소리 죽여."

아델이구나. 아이참, 정말 달게 자고 있었는데. 한 차례 눈을 비빈 난 불만스레 그를 쳐다보았다.

어둑어둑한 방안에서 아델은 다소 위협적인 모습이었다. 그 사이 시종에서 암살자로 전직했는지 또다시 까만 복면에 옷차림까지 검은색 일색으로 둘둘 둘러 입었다.

하마터면 소리를 지를 뻔했다고! 정말 암살자였으면 위험했을지도 모르겠다. 난 세상모르고 자고 있었으니까.

아닌가? 내게 적대적인 이가 다가왔다면 성력이 위험에 반응하여 절로 잠에서 깨어났겠지. 아델이 복면을 내리며 비아냥거렸다.

"정말 속 편히도 자네. 설마 내가 오는 걸 잊어버린 건 아니겠지?"

아니거든! 잊지 않았거든! 하지만 경우가 더 나빴다. 아델이 오는 줄 알고도 퍼 잤으니.

그나저나 낮이고 밤이고 분간하지 않고 활동하는데, 아델은 그리 피로가 쌓인 얼굴이 아니었다. 눈도 충혈되지 않았는걸.

원래 체력이 좋아 쌩쌩한 걸까? 나도 튼튼한 편이지만, 이 아델은 튼튼한 정도가 아닌 듯하다.

"입어."

검은 망토가 내 몸 위로 던져졌다. 난 그걸 받아 들어 걸치며, 킁킁 냄새를 맡았다. 그리고 입술을 달싹였다. 네가 입던 거야?

"뭐라는 거야?"

네가 입던 거냐고. 아델이 인상을 쓴다. 성질도 급하지. 난 아델을 붙잡아 그의 귓가에 입술을 붙였다.

"네가 입던 거냐고."

이젠 들리겠지. 그러나 순간, 아델이 날 확 밀쳐 냈다. 철푸덕! 악, 왜 밀고 그래? 침대 위로 넘어진 난 잠시 어리둥절해하다가 아델을 노려보았다.

"남의 귀에 대고 뭐 하는 짓이야."

짜증스럽게 말한 아델이 떨쳐 내듯 귀를 쓱 문지른다. 내 숨결이 간지러웠나. 접촉을 싫어하는 건 알았지만, 귓속말했다고 사람을 떠밀다니. 폭력적이야.

난 비난하는 듯한 눈초리로 침대에 앉은 채 팔짱을 꼈다. 아델이 뒤늦게 답했다.

"내 옷 맞아. 그게 뭐."

"어쩐지 좀……."

난 부러 코를 막는 시늉을 해 보였다. 아델처럼 활동적인 사내아이라면 땀내가 날 법도 한데, 망토에선 무취에 가까운 푸릇한 냄새만 났다. 꼭 바람처럼.

"하."

아델이 코웃음 쳤다. 자신의 옷에서 냄새 따위가 날 리 없단 자신감이 느껴진다. 근데 그 자신감에 근거가 있어서, 부인할 수 없단 게 또 얄미웠다.

"웃기지도 않은 농담이야. 어서 가자. 지체할 시간이 없어."

아델이 내게로 손을 내밀었다. 난 까탈스러운 숙녀처럼 그 손바닥을 힐끔 보다가 얼른 손을 얹었다. 아델이 이대로 돌아서 나가면 아쉬운 건 나였기에.

아델이 쭉 끌어당기자 난 바닥에 바로 섰다. 그리고 슬리퍼보단 좀 실용성 있는, 단화 같은 실내화를 챙겨 신었다. 아무리 바빠도 신발도 신지 않고 갈 순 없잖아?

아델이 초조한 듯 손가락을 까딱였다. 난 서둘러 그에게 다가섰다.

어차피 난 이 몸뚱이만 있으면 족하다. 준비되었냐고 새삼 물을 건 없었다. 아델이 움직였다.

창문 쪽으로 갈 줄 알았는데 아델이 향한 방향은 정확히 그 반대였다.

침대에 다가선 그가 바닥까지 덮은 시트를 들춰냈다. 침대 밑이라고?

내게로 손짓한 아델이 날 먼저 아래로 밀어 넣었다. 무릎이 바닥에 닿고 기다시피 안으로 들어섰다.

어? 이건 또 뭐람. 내 방 침대는 웬만한 킹사이즈 침대보다 큰 편이다. 그 아래는 흡사 낮은 천장을 둔 작은 방 같았다.

난 조심스레 안을 둘러보았다. 침대 밑, 좌측으로 좀 치우친 자리에 진공감이 느껴졌다.

난 눈을 부릅떴다. 거기엔 사람 하나가 들어갈 만한 사각형의 입구가 있었다.

그리고 온통 껌껌한 그 아래로 흰빛이 도는 계단이 이어지고 있었다.

카마엘이 왜 이걸 눈치채지 못했을까? 이유는 어렵지 않게 추측할 수 있었다. 이카루스가 한 말에 따르면, 이 야파 왕궁은 많은 부분이 성력으로 투과할 수 없는 재질로 건설되었다지. 그 많은 부분 중 일부가 비밀통로였던 것이다.

왕의 침실도 아니고 사절 방에 비밀통로라니! 듣도 보도 못한 일이라고.

아델이 따라 침대 아래로 들어왔다. 그는 침대 시트를 끌어 내리곤 몸을 낮추어 다가왔다. 그리고 나를 슬슬 밀었다.

"어서 가."

달빛이 닿지 않는 컴컴한 통로라니. 꺼려지는 건 당연한 일이다. 하지만 두려움에 찬 열세 살 소녀의 섬세한 마음을 이해하기엔, 아뎰은 너무도 무정하고 무신경한 소년이었다.

"가라니까."

그는 기다리지 않고, 바로 날 떠밀다시피 구멍으로 집어넣었다. 발끝이 먼저 내려앉고, 엉덩이를 든 채 몇 걸음 내려서자 난 몸을 완전히 바로 펼 수 있었다.

뒤이어 바로 아뎰이 따라 들어왔다. 그는 손을 뻗어, 거의 소리 나지 않게 통로의 문을 닫았다. 완전한 암흑이 내려앉았다.

난 잔뜩 겁이 나, 아뎰의 옷자락을 움켜쥐었다. 아뎰이 어둠 속에서 부스럭거리며 움직였다. 곧 타닥 소리와 함께 작은 빛이 내부를 밝혔다. 등을 가져왔나 보다.

아뎰은 감흥 없는 얼굴로 속삭였다.

"상인들은 항상 뒷구멍을 좋아하지. 야파에선 이런 비밀통로가 이어진 방으로 국빈을 맞이하고 그들을 감시하며, 약점을 잡거나 정보를 얻고 거래에서 유리한 입지를 가져가곤 했어. 암살자를 보내 생명을 위협하는 건, 그들의 방식이 아니니 이런 게 알려질 일이 없었던 거야."

그건 놀라운 일이었다. 확실히 이 비밀통로는 뭔가 목적이 있어서 만들어졌을 테고, 그게 국빈들의 대피를 목적으로 하진 않았을 거다.

따로 안전에 신경 써주긴 할 테지만, 비밀통로까지 제공해 주는 건 과하다. 불리하게 작용할 수도 있고.

"그렇다면, 그 창문의 장치는 칼리스가 한 짓이 아닐 거란 이야기야?"

게라티 후작이 거짓말하는 것 같진 않았는데? 내가 고민하자 아델이 한심하다는 듯이 대꾸했다.

"생각해 봐. 그 창문의 장치가 뭔가를 엿듣기 위해 설치한 걸까?"

아참, 창문 밖에서 엿듣고 있을 순 없지. 빨리빨리 움직이지 않으면 지나가는 사람한테 들킬 테니까. 그건 침입을 위한 목적이 맞다.

그래, 틀림없이⋯⋯. 아델의 말은 칼리스가 한 짓이 맞다는 확증이었다. 기분이 더 꿀꿀해진다.

아델이 촛불을 쳐들자 앞길이 밝아졌다. 이곳저곳 먼지가 얼룩진 협소한 통로는, 생각보다 말끔한 편이었다.

즉, 사람의 발길이 닿지 않고 방치된 통로처럼 보이진 않았단 소리다. 그건 이 통로가 지속적으로 이용되었다는 걸 의미하기도 했다.

좀, 오싹한걸? 내 침대 아래에서 누군가 엿듣고 있었을지도 모른단 거잖아. 그게 어린 여자애를 노리는 변태라면 더 심각한 일이다.

"잡담은 그만. 가자."

아델이 낮은 목소리로 속삭이곤 앞장섰다. 약간 긴장감이 이는지, 숨소리가 규칙적으로 바뀌었다. 호흡조차도 조절하고 있는 것이다. 뭔가 프로페셔널하단 말이야?

프로페셔널하지 못한 난 앞을 잘 보려고 애쓰며 그의 옷자락을 붙잡고 조심스레 계단에 발을 내디뎠다.

통로는 비좁은 편이었다. 건장한 성인 남자라면 폐소공포증을 느꼈을 것이다.

계단 몇 개를 내려가자 경사가 완만해졌다. 두꺼운 저택 벽 안에 어찌어찌 좁은 통로를 설치해 두었는지 내부 구조는 그리 규칙적이지 않았다.

1층까지 내려왔다 싶더니, 앞이 벽으로 가로막혔다. 여기선 어떻게 할 거지? 고개를 갸웃거리는데, 아델이 벽면을 더듬어 열었다. 그 안으로 또 다른 통로가 시작되고 있었다.

아델은 말없이 발을 들였다. 내가 따라 들어서자 그가 문을 닫았다.

이제 본격적으로 다른 어딘가로 통하는 길에 진입한 모양이다. 난 침을 꿀꺽 삼켰다.

그때, 뭔가가 쏜살같이 내 발 옆을 스치고 지나갔다. 난 화들짝 놀라 그 자리에서 펄쩍 뛰었다.

"쥐야, 쥐!"

생명의 위협을 느낀 건 아니어서인지, 성력이 방출되진 않았다. 뻗어 나가지 못한 외침이 목 안에서 작게 굴렀다.

그러나 그조차도 크게 느껴지는 모양인지 아델이 뒤를 돌아보며 내 손을 사납게 쥐어 잡았다.

"조용히 하랬지."

실상 입 좀 닥치라고 말하는 듯한 눈빛에, 난 좀 사그라졌다.

하지만 쥐잖아! 등골을 타고 기어오르는 소름은 생리적인 것이다. 더군다나 앞쪽에서 찍찍거리는 소리가 들려왔다. 한 마리가 아닌가 보다. 여기 정말 지나야 해?

내가 울상을 짓자 아델이 한숨을 내쉬었다. 그리고 아주 내키지 않는 표정으로 돌아서서 몸을 굽혔다.

"업혀."

또 내가 소리를 낼까 봐 걱정이 된 듯했다. 난 사양하지 않고 냉큼 아델의 등에 올라타 목을 감싸 안았다.

다리를 올리자 그의 허리춤에 찬 벨트의 감촉이 느껴졌다. 다리를 올려 두기 딱 좋은 위치다.

업히는 데 있어서 난 매우 프로페셔널하다고. 카마엘한테 많이 업혀 봤거든!

아델이 나보다 좀 커서 그런지 자세가 꽤 안정적이었다. 열 살의 그였다면 날 업은 채로 앞으로 쓰러져 버렸을 것 같은데, 얘도 많이 크긴 컸구나. 난 새삼 신기한 기분을 느꼈다.

"힘들지 않겠어?"

예의상 이 정도는 물어봐 줘야지. 아델의 대답은 퉁명스러웠다.

"쇳덩이를 짊어진 것 같은데, 훈련한다 생각하지."

쇳덩이라니! 무례하잖아. 하지만 전날 초콜렛 쿠키를 한 바구니 먹어 치운 난 거기에 몹시 신경이 쓰였다.

배가 좀 나온 것 같기도 한데…… 그렇게 내가 무겁나? 아냐, 카마엘이면 날 번쩍번쩍 들었을 거라고!

하지만 열세 살의 아델을 카마엘과 같은 선상에서 생각한다는 건 좀 공정치 못한 일이었다.

"시끄럽게 떠들지 말고 조용히 해. 지금 놀러 나온 거 아니야."

아델은 한술 더 떠 내 입을 아예 막아 버렸다. 그렇게 소리를 내진 않았는데! 내 숨소리와 별로 다를 게 없는 크기였다고. 나쁜 녀석!

난 아델의 목을 쥔 손에 힘을 주었다. 아델은 성가신 듯이 내 손을 힘주어 떼어 내어 느슨하게 만들었다.

거기에서 마치 어른이 어린아이를 다루는 듯한 힘의 격차가 느껴졌기에 난 좀 놀랐다. 아델은 어떤 훈련을 받기에 이렇게 된 걸까.

하지만 아델이 말하지 말랬지. 난 속으로만 조잘거리며 그의 어깨에 턱을 대었다. 아주 깊숙이. 내 숨결이 느껴지도록.

"치워."

칼같이 타박이 날아오자 난 입을 삐죽거리며 턱을 들었다.

아델은 이제까지의 느린 속도를 벗어던지고 날듯이 빠르게 뛰기 시작했다. 내 속도에 맞추기 답답했나 보다.

생각해 보면 나쁜 녀석은 아니었다. 지금 어딘가를 가는 것도 나한테 뭘 보여 주려고 가는 건데 내가 자꾸 찡얼거리니 짜증이 날 법도 하다.

얘, 은근 내 어리광을 받아 주고 있단 말이야. 카마엘을 보고 배웠나?

하지만 버릇이 나빠지겠다고 걱정하기에, 아델은 근본적으로 별로 친절해질 가망성이 없는 성격이었다.

카마엘이야 나한테 어디까지 해 줄지 모르니까, 날 여왕님처럼 만들어 버릴까 봐 걱정이 드는 한편, 아델은 날 생각해 주더라도 표현이 별로 정답지 못하다.

이건 이를테면, 강아지와 고양이의 차이다. 고양이는 강아지만큼 말을 잘 듣게 될 수 없다고. 애초에 유전자에 순종이란 게 새겨져 있지 않단 말이야. 대신 도도함과 길들이는 재미가…….

"내려."

망상에 빠져 있는 사이 목소리가 들려왔다. 내가 바로 반응하지 못하자, 아델은 거침없이 내 다리를 떼어 내어 바닥에 내려놓았다. 마치 귀찮은 짐을 떨어내는 듯한 모양새다. 그러면서 중얼거리는 게,

"뭐가 이렇게 무거운 거야."

참 가차 없다. 난 뚱하니 입술을 내밀었다. 하지만 이제야말로 다 왔다. 정말로 침묵해야만 할 때.

우리는 또다시 문 앞에 서 있었다. 아델이 온통 문양이 장식된 문 이곳저곳을 누르자 장치가 되어 있는지 절로 스르륵 열렸다.

뻥 뚫린 통로를 보니 두려움이 밀려들었다. 그가 먼저 움직였다.

"어떤 일이 있어도, 소리 내지 마."

단단히 경고해두고선. 고개를 끄덕인 난 발소리를 죽이며 아

델의 뒤를 따랐다.

이전보다 더욱 좁아진 길이었다. 그나 나나 수시로 머리를 숙여야 했고, 폭도 좁아서 어른이면 정말 지나기 힘들 것 같다.

굽이굽이 통로를 오르자, 또다시 문이 나왔다. 그 문은 그냥 밀어내니 열렸다. 눈앞이 탁 트인 기분이었다. 좀 넓어진 다른 통로가 이어지고 있었다.

천장에 야광주를 박아 놓아, 빛없이 껌껌하기만 한 이전 통로들과는 달리 어스름하게 밝았다.

아델은 문 앞에 등을 놓아두고 움직였다. 한 오 분쯤 발소리를 죽이고 걸은 뒤 어느 한 지점에 멈춰 섰다.

"여기야."

여기라고? 난 벽을 굽어보았다. 내 눈높이까지, 통로 쪽으로 사각형의 형태로 좀 튀어나와 있었다. 그 외의 특이점은 찾아내기 어려웠다.

뭐가 있는데? 아델이 손을 벽면으로 가져갔다. 미세하게 벽의 작은 부분이 움직이며, 아주 약간 시야가 드러났다. 붉은 것이 어른거렸다.

난 그게 무엇인지 곧 눈치챘다. 벽난로에 불이 타닥타닥 타오르고 있었다.

불빛이 새어 들어와 통로 안쪽이 은은하게 밝아진다. 때문에, 나는 잠시 눈부셔 그 안쪽의 풍경을 제대로 살피지 못했다.

느릿하게 눈을 감았다가 떠 적응시키니, 비로소 불길 너머의 뭔가가 눈에 들어왔다.

휘장이 거두어진 고급스러운 침대였다. 기둥에 새겨진 조각이 화려하고 정교한, 아주 커다란 침대. 그 위에, 한 노인이 누워 있었다.

난 숨을 들이켰다. 단 한 번도 그를 본 적이 없음에도, 그게 누구인지 알 것 같았다.

야파 왕. 아직 노인이라고 하기엔, 정정한 그다. 중장년에 접어들었을 나이, 그러나 눈앞의 그는 초라하고 쇠약한 노인으로 보였다.

그리고 그 몸에 가득한, 사이한 기운. 그것이 생명을 좀 먹고, 육신을 속박하는 거대한 거미처럼 전신에 펼쳐져 있었다.

솜털이 쭈뼛 곤두섰다. 아델이 등 뒤에서 내 어깨를 붙잡아 바로 한다. 똑바로 바라보라는 듯이.

"저게 야파 왕이야."

귓가에 바짝 다가선 입술로부터 작은 음성이 흘러들었다. 차갑게 느껴질 만치 무덤덤한 말투.

나는 얼어붙은 채 불길 너머의 노인을 응시했다. 숨은 쉬고 있는지, 미약하게 몸이 들썩였다.

그러나 잠들어 있다기엔 지나치게 고요하여 숨만 붙은 채 가사 상태에 빠져든 것 같았다.

"잘 봐, 그의 상태를."

"……봤어."

왜 저렇게 되었느냐고, 물을 필요는 없었다. 나는 야파 왕의 몸을 지배하고 있는 것이 무엇인지 바로 알아차렸다. 그건 마법 저주였다.

생명력을 쇠하게 하고, 잠들어 마침내 영면에 이르게 만드는. 아주 강력하여, 야파로서는 풀어낼 도리가 없었을 저주.

아니, 애초에 야파엔 방법을 모색할 기회조차도 주어지지 않았으리라.

저주는 저 멀리서 아무에게나 걸 수 있는 것이 아니다. 강력한 저주일수록 거는 방법이 까다롭기 마련이었다. 하물며 수호석을 지니고 있을 야파 왕이 상대라면.

그렇단 건, 야파 왕이 허를 찔렸거나 칼리스가 잘 파고들었단 것. 어떻게? 야파 왕은 왕궁에 있었고, 칼리스에선 야파에 침입한 적이 없다. 대외적으론 그랬다.

난 그 답을 빠르게 찾아냈다. 여기, 이곳.

"칼리스는 이 비밀통로를 찾아냈어. 야파 왕국에서도 극소수만이 알고 있었던 이 비밀통로를. 그리고 그에게 저주를 걸었지."

과정이 뭉뚱그려진 귀결이다. 이치에는 맞는다. 그러나 나는 그가 말하지 않은, 에둘러 넘어간 진실이 뭔지 바로 알아차렸다.

이 비밀통로로 그렇거니와, 여기까지 진입하는 길은 상당히 비좁았다. 어린아이나 지나다닐 만치.

아델은 칼리스에서 중요한 위치를 차지하고 있는 인물이다. 열 살의 나이에 성국에 잠입하는 위험한 임무에도 투입되었을 만큼.

그리고 그는 비밀통로의 지리에 아주 익숙한 것 같았다.

"네가 그런 거야?"

아델은 답하지 않았다. 난 입술을 깨물었다. 그의 답을 알 것 같았다. 내가 모르길 바란 걸까. 마음이 순식간에 무거워진다.

그래, 아델은 칼리스인이었다. 비록 내겐 아델일 뿐일지라도.

"야파 왕에게 저주를 걸어, 그의 목숨을 인질로 삼아 야파로 하여금 회담을 주최하게 한 거구나."

그동안 있었던 일들이 뇌리를 스친다. 이것이 칼리스의 함정이란 건 더할 나위 없이 분명해졌다.

모두가 한데 모여 야파 왕을 만나게 될 내일 회담 자리에서, 일을 터트리리라.

아마 보이지 않게 병력을 잠입시켜 놨을 거다. 야파 왕국의 군사들도 동원될지도 모르지. 사절 중 누구도 왕도에 상주하고 있는 야파 왕국의 군사들을 경계하고 있진 않으니까.

협박당하는 처지이니 야파 쪽에서 칼리스의 병력도 몰래 숨겨 주었을 가능성이 높았다.

"이번 임무에 칼리스의 정예, 왕속 특무단 대다수가 파견되어 있어."

"그중 하나가 너고?"

이번에도 대답하지 않는다. 칼리스의 왕속 특무단, 얼핏 이야기는 들었다. 카마엘 휘하 성기사단에 준하는 집단. 강력한 마법검사들로 구성되어 오로지 칼리스 왕의 명을 받든다.

비밀리에 움직이는 데 능숙한 그들 중 대다수를 투입했단 건, 아주 끝장을 보겠단 거다. 서늘한 긴장감이 몸을 휩쌌다.

"칼리스가 원하는 건, 나와 사절들을 사로잡는 거니?"

다 죽여 버리려고 할 수도 있다. 칼리스는 정복욕을 감추지 않는 나라이고, 그들이 원하는 건 칼리스의 국경을 확장하는 거다.

죽이지 않고 사로잡는 것에 그친다 한들 대가를 요구할 것이다. 결코 순순히 돌려보내려고 하지 않으리라.

더더군다나 그게 칼리스의 왕실에 저주를 건 월신의 성녀인 나라면. 칼리스의 왕이 이를 득득 갈고 있을 테니 가장 선 순위의 표적이 될 테다.

아델이 힘을 주어 나를 돌려세웠다. 새파란 눈동자가 코앞에서 빛을 발한다.

"그렇게 되게 내버려 두진 않아."

확신이 실린, 딱 부러지는 음성. 그러나 안도할 순 없었다. 그게 네 맘대로 되니?

아델은 칼리스의 결정권자가 아니다. 그야 날 오늘 여기로 데려온 걸 보면, 방법이 있어서겠지만.

쾅! 그때 부서질 듯한 소음과 함께 문이 열렸다. 성큼성큼 안으로 걸어 들어온 남자가 침대 앞에 우뚝 섰다. 그 옆모습. 고통과 분노로 물든 얼굴.

표정을 일그러트린 채 서 있는 그는 야파의 삼 왕자, 아라곤이었다.

"아버님……."

이를 악다문 그는 침통한 눈으로 의식을 잃은 채 누워 있는 야파 왕을 바라보았다. 그리고 찰나의 망설임 끝에, 허리에서 검을 뽑아 들었다.

어어, 뭐 하는 거야?

"부디 용서하시길."

새하얀 검날이 허공에서 빛을 발한다. 나는 외마디 비명을 지를 뻔했다.

아델이 빠르게 날 감싸며 입을 틀어막았다. 그 순간―

"이 무슨 짓입니까."

챙강! 요란한 소리를 내며 내리쳐지는 검날의 행보를 다른 검이 가로막았다. 받아친 검의 움직임이 얼마나 빠른지 허공에서 난데없이 나타난 것처럼 보일 지경이었다.

나, 이 목소리 들은 적 있어. 깨닫기 무섭게 검의 주인이 몸을 움직여 내 시야에 모습을 드러냈다.

난 그 얼굴을 알고 있었다. 친숙하진 않지만, 어디서 한 번 본 적 있는…….

그래, 그는 삼 년 전 성국을 방문하여 나와 잠깐 대화를 나눈 적 있는, 그 남자였다.

칼리스의 사절. 부드럽고 지적인 인상의 미남이라, 칼리스인처럼 안 생겼다고 생각한 게 기억이 난다.

"섣불리 이런 행동을 하시면 곤란합니다. 이 왕자 전하와는 합의된 사항입니까?"

아라곤의 얼굴이 흥분으로 달아올랐다. 그가 힘주어 검을 밀어붙였다.

"우유부단한 레가스와는 달리 이 몸은, 더 이상 네놈들 요구에 응하지 않기로 했다. 아버님도 결코 일이 네놈들 뜻대로 되길 바라지 않으실 거다!"

콰가각, 가각. 소름 돋는 소음을 내며 두 개의 검이 허공에서 서로를 갉아먹는다. 어느 한쪽으로 밀리지 않고, 몹시도 팽팽하다.

그러나 아라곤이 온 힘을 쏟아붓고 있는 듯이 전신의 근육이 긴장된 데 반해, 남자의 표정은 여유로웠다.

"아파 왕답게, 칼리스에 이용당하지 않는 영광스러운 죽음을 맞이하도록 해 드리겠단 말씀이시군요. 물론, 그 심정 이해합니다. 목표하신 바가 부친 살해일지라도요."

빙긋 웃으며 말하는 게 비아냥인지 진심인지 헷갈릴 지경이었다. 그것이 아라곤의 분노를 돋운 듯싶었다.

"네놈 혼자 나를 막을 수 있을 것 같으냐!"

아라곤이 검을 거두었다 빠르게 다시 날렸다. 무게가 실린 육중한 검이 허공을 날아든다. 그의 목표는, 눈앞에 서 있는 남자를 베는 데 있지 않았다.

남자는 깔끔하게 달려드는 아라곤을 비껴냈다. 침대 쪽으로 짓쳐 드는 검은 목표한 바를 이룰 것처럼 보였다.

그러나 남자는, 검을 비껴냄과 동시에 미끄러지듯이 움직여 아라곤의 품으로 파고들었다. 퍽! 짧고 강한 펀치였다.

명치를 강타당한 아라곤의 손에서 힘이 빠졌다. 남자는 손쉽게 아라곤의 몸을 밀쳐 내어 뒤로 나동그라지도록 만들었다. 어린아이를 다루는 것처럼, 능숙한 몸짓.

한순간 드러난 남자의 무력은 내게 그가 어디에 소속된 자인지 똑똑히 일러 주었다. 칼리스 왕속 특무단.

뒤늦게 남자가 입을 열었다. 즐거운 듯한 목소리로.

"충분하고도 말고요. 전장에 나가본 적도 없는 상인 집안의 도련님 정도야, 가뿐하게 처리할 수 있지요."

몸을 바로 세운 그가 같잖단 듯이 아라곤을 내려다보았다. 친절해 보이는 얼굴에 눈빛만은 지극히 차갑다. 입꼬리가 들린 입매는 비웃음을 드러내고 있었다.

아라곤이 비척비척 자리에서 일어났다. 그 눈빛이 형형하다. 나는 눈앞에서 벌어지고 있는 일에 압도당했다.

"네놈을…… 살려 두지 않을 것이다!"

"그야 능력이 되신다면 말입니다."

일일이 맞받아치는 게, 꼭 쥐를 가지고 노는 고양이 같다. 제 눈앞 약자의 울분을 즐기고 있는 거다.

칼리스인이지만 좋은 인상이었는데! 다 가식이었나 봐! 속은 느낌에 난 좀 배신감에 잠겼다.

아라곤이 몸을 일으켜 달려들고, 남자가 가볍게 제압하고 다시 바닥에 나동그라지게 만드는 광경이 이어졌다. 그사이 일방적인 폭력도 계속되어 아라곤은 점점 만신창이가 되어 갔다.

난 점점 속이 울렁였다. 이건 영화가 아니라 실제였다. 그리고 피를 쏟아 내지 않을 뿐이지, 눈앞의 광경은 충분히 잔인했다.

나는 이걸 지켜만 볼 뿐, 나서서 막아설 수 없었다.

슬슬 놀이에 질렸는지 남자가 무표정한 얼굴로 팔짱을 꼈다.

"이젠 그만하시지요. 어리광을 받아 주기도 지치는군요."

"네놈, 네놈으으으을!"

남자가 다시 일어나려는 아라곤을 힘껏 걷어찼다. 퍽! 이번엔 사정 봐주지 않고 걷어찼는지, 아라곤의 몸이 날아가 거세게 어딘가에 부딪혔다.

"크윽!"

고통스러운 신음이 잇따랐다. 심장이 쿵쾅쿵쾅 뛰었다. 안절부절 몸을 들썩이는 날, 아델이 돌려세워 거세게 붙잡았다.

"가만히 있어."

경솔한 행동은 삼가란, 단호한 눈빛. 내가 나서선 안 된다는 건 안다. 아는데……. 마치 내가 당한 것처럼 분하고, 슬펐다. 눈물이 날 것 같았다.

분노가 어쩐지 나를 제지하고 선 아델에게 돌려질 것 같아, 나는 이를 악물었다.

그래, 아델은 칼리스인이지. 야파 왕에게 저주를 건 칼리스인, 비열하기 짝이 없는 저자와 한패.

그래도 아델은, 내게는 그렇지 않다. 지금 나를 감싸 안고 나를 걱정하고 나를 지켜 주려는 것도 아델인걸.

아라곤이 또다시, 몸을 일으킨 모양이었다. 보이지 않는 저편으로 부스럭거리는 소리가 들렸다.

불길 너머로 힘을 뺀 자세로 여유롭게 서 있던 남자의 얼굴이 변했다.

"이거, 이거 곤란하군요. 야파 왕자를 죽이는 건, 계획 밖의 일이거든요."

그러더니 슬며시 고개를 갸웃한다.

"그냥 죽일까."

칼날처럼 예리해진 남자의 얼굴에, 서서히 미소가 피어올랐다. 잔혹하고 살의에 찬.

그러나 남자가 움직이려는 찰나, 저편에서 달려오는 발소리가 들렸다. 이내 방에 들어선 그 누군가가 경악하며 외쳤다.

"이게 무슨 짓이냐!"

이 음성, 이 왕자 레가스였다. 다시 팔짱을 낀 남자가 태연자약하게 말한다.

"동생분 간수를 잘하셔야겠습니다. 삼 왕자께서 폐하를 살해하려고 시도하신 걸 제가 막아 냈답니다. 국왕 시해는 야파 왕국에서도 극형에 처해야 할 일일 텐데요? 막아선 제게 응당 감사해하셔야지요."

"아라곤 너, 이 무슨……."

차분한 인상으로 보였던 이 왕자 레가스의 음성이 비통하게 흔들렸다. 신음 섞인 아라곤의 음성이 흐릿하게 들려왔다.

"아버님이…… 아버님은 결코 용납……."

야파 왕이 바라는 일이 아닐 거란 그 말. 그래, 틀림없이 그러하리라. 나 역시도, 그랬을 테니까.

"내일 회담이 있는데, 어서 가서 치료를 받으시지요. 두 분이 다퉜다고 적당히 핑계를 대시면 될 겁니다. 부왕이 병환으로 쓰러진 사이, 왕위 계승권을 두고 경쟁하는 두 왕자가 주먹질 좀 벌였단 건 그리 특별할 사건이 아닐 테니까요. 두들겨 맞은 쪽이 삼 왕자 전하시란 건 좀 이상하게 여겨질 테지만요."

빠르게 쏟아 낸 남자가 제가 말하고도 재미있었는지 하하, 하고 웃었다. 와, 진짜 나쁜 놈 아냐? 두 왕자는 얼마나 분할까. 이어진 것은, 낮게 깔린 레가스의 목소리였다.

"……네놈, 내 이 일을 결코 잊지 않을 것이다."

"그러시지요."

남자가 가볍게 어깨를 으쓱해 보였다. 레가스는 그 이상 말을 남기지 않았다.

삼 왕자를 부축했는지 그의 발소리가 무거워졌다. 방을 떠나간 두 사람의 기척은 곧 멀어져갔다.

나는 불길을 바라보며 눈을 깜빡였다. 어찌할 수 없는 감정에 휩싸여서.

감정을 누르기 위해 나는 차분히 생각에 잠겼다. 서랍장에 넣듯이 하나하나 차곡차곡 정리했다.

두 왕자는, 생각이 다르다. 칼리스의 협박 앞에 레가스는 부왕을 살리는 쪽을 택했고, 아라곤은 차라리 부왕을 포기하는 것을 바랐다.

두 왕자가 왕을 매번 같이 접견한 건, 레가스가 아라곤의 독단적인 행동을 경계했기 때문일 테고. 아라곤은 레가스가 설득에 응하지 않자 홀로 일을 벌였겠지. 그렇다면—

거기서 조금 더 발전된 지점까지 생각이 나아갔다. 칼리스가 왕의 목숨을 볼모로, 자신들의 계획에 협조할 것을 요구했더라도 야파가 꼭 따를 거란 보장은 어디에 있지?

사절들을 살해하거나 인질로 붙잡아 주변국들을 붕괴시키면. 이 야파는 더 이상 뭘 해 볼 여지도 없이 원수의 손아귀에 떨어지게 된다.

당연한 물음이 이어진다. 왕을 잃는 게 칼리스에게 정복당하는 것보단 낫지 않은가?

야파 왕이 그간 아무리 굳건히 왕좌를 지켜왔더라도, 그에게 그의 빈자리를 대체할 후계자가 없는 건 아니다.

왕자들이 독하게 마음먹어 왕을 포기하고, 인접국과 연합하여 칼리스에 대한 칼날을 세우면 그뿐일 텐데. 레가스는 그렇게 하지 않는 듯하지만…….

그 이유가, 단지 칼리스가 두려워서일 것 같진 않았다. 아라곤이 두려워하지 않듯이. 아마 그에게 다른 생각이 있기 때문이리라.

칼리스에서 협조를 대가로 야파 왕국의 보전을 약속했더라도, 그 약속이 지켜지리란 보장은 또 없다.

아니면 내 예상과는 달리 순전히, 왕을 포기할 수 없어서 일수도 있지. 모르겠어. 또, 뭐가 있지?

아델이 보여 준 광경은 도리어 날 혼란으로 몰아넣었다. 나는 도대체, 어떻게 해야 하지?

문득 두 왕자가 떠난 문 쪽을 바라보던 남자의 시선이 움직였다. 자연스럽게 불길 너머 벽난로 쪽—아델과 내가 있는 곳으로 돌아든 그 눈. 그 눈빛이 날카로운 유리 날처럼 내 쪽을 파고들었다.

그의 입가에 미소가 비쳤다. 가슴이 섬뜩하다.

바로 나타난 걸 봐선 남자는 지근거리에서 줄곧 왕을 지키고 있었으리라.

저만한 강자가 아무리 벽난로 안이라고 해도, 벽돌이 움직인 사실을 전혀 몰랐을까? 조금이지만, 소리가 났는데.

이 비밀통로의 존재, 칼리스에서 오직 아델만 알 린 없잖아.

"거기 계신 거 압니다."

쿵. 심장이 발등으로 떨어지는 듯했다. 어떡하지, 어떡해.

난 겁에 질렸다. 남자가 아라곤 왕자를 어떤 식으로 가지고 놀았는지 눈앞에서 똑똑히 보았기에 더욱 겁이 났다.

들키면 아델은 어떻게 되는 거지? 그, 그래 아델이야 내가 성국으로 데려가 버리지 뭐. 근데 우리가 순순히 가도록 놔둘 리 없잖아. 싸워야 하나?

칼리스인을 상대로 겁을 먹는 건, 자존심 상하는 일이지만, 난 전투란 걸 경험해 본 적이 없단 말이야. 그것도 저런 피도 눈물도 없을 것 같은 싸이코패스를 상대로! 저자는 칼리스 왕속 특무대라고!

그, 그래도 내, 내가 저자보단 강하지 않을까? 가까이 오면 선

빵을 날려 버려?

바짝 얼어붙어 속으로 우왕좌왕하는데 아델이 입을 열었다. 싸늘한 목소리로.

"뭐 하는 짓이지? 아지스."

"뭐 하는 짓이냐니요."

"두 왕자를 쓸데없이 자극해서 좋을 게 뭐가 있지? 아직은 그들이 우리를 따르게 해야 할 텐데."

"어차피 이 왕자는 이 상황에서 뭘 어떻게 할 배짱이 없습니다. 계획을 깰 조짐을 보이면, 그걸 빌미로 전부 쓸어 버릴 수 있겠지요. 왕께선 그걸 바라실 겁니다. 어차피 바로 내일이 회담이지 않습니까."

"그 하루 동안 뭐가 비틀릴지 모르지. 고작 그 하루를 못 참아, 네 짧은 인내심을 드러내나?"

맞아, 아델 잘한다. 아델이 남한테 짧은 인내심 운운할 성질인가는 좀 의문이었지만 말이다. 나한테도 짜증을 팍팍 내면서.

물론 그렇다고 해서 아델이 폭력적인 건 또 아니지. 저 남자처럼 나를 막 때리진 않았거든!

근데 가만, 아델이 상급자란 말이야? 남자의 비아냥거리는 듯한 말투에 불손한 느낌은 여전했다.

하지만 두 왕자를 대하는 것에 비하자면 상당히 깍듯해졌다. 하긴 성국을 방문했던 그때에도 저 남잔 아델을 암시하며 공대했으니.

난 새삼 아델의 정체가 궁금해졌다. 하지만 의문을 이어 갈

틈도 없이, 남자가 웃는 얼굴로 찔러 들었다.

"그러는 아델 님이야말로 어째서 비밀통로를 들어가 계신 겁니까. 새삼스럽게, 왕의 침실에 잠입하던 그때라도 회상하신 겁니까? 확실히 훌륭하게 임무를 수행하셨었지요."

"이 안을 살피고 있었을 뿐이야. 이 통로, 확실히 흥미로운 구조라."

거기까지 말한 아델이 내 귓가에 입술을 붙였다.

"난 나가 봐야 할 것 같아. 내가 나가면 너도 바로 움직여서, 아까 그 문까지 가 있어. 곧 따라갈게."

기척을 죽이고, 조용히. 그 속삭임에 난 고개를 끄덕였다.

아델은 바로 벽돌을 움직여 시야를 차단했다. 그리고 저편으로 걸어가 벽면을 더듬었다. 다른 장치를 눌렀는지, 그쪽에 덜컥, 작은 문이 열렸다.

아델이 문밖으로 나서자, 아지스란 남자가 물었다.

"또 누가 있는 건 아닙니까?"

은근한 투였다. 나는 입을 틀어막았다. 숨을 죽이고 있었는데, 설마 들킨 걸까. 이런 개코같으니라고!

"누가 있단 거지?"

어처구니없단 반문. 너무도 태연하여 도리어 의심하는 그를 이상하게 여기는 듯한 투였다.

아델이 나간 문이 스르릉 닫혔다. 희미하게 대화가 오갔다. 하지만 그들의 대화에 귀를 기울일 틈이 없었다.

난 거의 숨도 내쉬지 않으며 살금살금 몸을 움직였다. 내가 아무리 아델을 졸졸 따라왔어도 왔던 길 정도는 기억하고 있었다.

다시 좁아지는 통로의 입구에 선 난 문을 열고 몸을 밀어 넣었다. 아까 거기라는 건, 여길 말하는 거겠지?

조금 더 가면 쥐들이 득실거리는 그 통론데 거길 지나려면 아델이 필요하다. 미안, 아델!

다행히 여기는 상당히 좁아서 어른인 그 남자가 구태여 몸을 비집고 들어올 것 같지 않았다.

난 문을 닫고 컴컴한 통로의 입구에 오도카니 앉아 아델을 기다렸다. 바깥쪽 넓은 통로에서 비쳐오는 야광주만이 내게 닿는 유일한 빛이었다.

영겁처럼 길게 느껴지는 시간이 흘렀다. 그리고,

덜컹. 문이 열리는 소리와 함께 난 퍼뜩 눈을 떴다. 어느새 사르르 감긴 눈꺼풀이 무거웠다. 깜빡 잠이 들었나 보다.

내 발 앞에 등이 놓였다. 그가 몸을 숙였다. 나는 왠지 모를 한기에 옅게 떨며 그를 올려다봤다.

등불의 빛을 받은 새파란 눈이 꼭 투명한 얼음 같다.

"넌 참 속도 편하지."

아델이 한심하단 듯이 중얼거린다. 새삼 내게 한심함을 느끼다니. 아직 멀었군!

"그자는 어떻게 했어?"

"그의 임무는 거길 지키는 것이니, 따라오진 않을 거야."

"……그래."

내 귀에도 시무룩하게 들리는 음성이었다. 기분이 스산하고 울적하다. 그건 아까 그 남자의 본색을 보아서가 아닐 터였다. 나는…….

"잡아."

아델이 손을 뻗었다. 나는 그의 손을 잡고 몸을 일으켰다. 아델은 내 손을 잡은 채 걸음을 옮기기 시작했다. 왔던 길을 돌아가는 것이다.

나는 잠자코 그의 뒤를 따랐다. 만 가지의 말을 입안에서 삼키면서.

뭐라고 말해야 할지 모르겠다. 이 복잡하고 울렁이는 마음을. 너도 그랬을까. 너는 속 편한 나보다도 먼저, 이런 갈등을 겪었을 테지. 나보다도 더 먼저 생각하고 선택해야만 했을 테다.

따져 묻고 싶은 말이 한가득이면서도 알고 싶지 않기도 했다.

그동안 얼마나 많은 임무를 수행했니? 얼마나 많은 사람을 해했어? 그런데 왜 내게는 그렇게 하지 않는 거야. 왜 내게 이런 걸 보여 줬지? 우리 사이엔 고작 삼 년 전의 짧은 추억뿐인데.

이미 답을 냈던 질문도 다시금 돌아와 내 안에서 울린다.

내가 목도한 광경이 잔인했을망정 세상에서 일어나는 수많은 일 중 가장 잔인한 축에 속하는 일은 아니리라. 고작 폭행에 불과한걸.

나라가 나라를 침략하고 인질을 잡고 사람을 죽이고. 그런 게 내 눈앞에서 벌어지지 않았을지라도 전생의 세계에서 일상이었으니까. 아니, 나는 살해당했잖아. 실제로.

하지만 나는 오래도록 평화 속에 있어서, 이 세계는 그렇지 않을 거라 은연중에 믿었나 보다.

그걸 실제로 눈으로 보게 되는 건 묘한 감각이었다. 어렴풋이 알고 저 멀리 있었던 세계가 현실 속으로 훅 다가오는 듯이.

빛 속에서 살던 나는 비로소 어둠을 보았다. 내가 이곳 세계에 태어난 지 십삼 년 만에. 무겁게 느껴지는 진실.

좁은 통로를 지나, 아델은 다시 나를 업었다. 내가 쥐를 무서워한단 걸 기억해 주는 게 퍽 다정하다. 그 다정함에 마음이 쓸쓸해진다.

아델은 제 가족도 가족이라고 취급하지 않는 성격이다. 내게 보이는 그의 다정함은 특별한 것, 어쩌면 유일한 걸 수도 있겠지.

아델은 칼리스인이면서도 주저 없이 나를 도왔지만, 내가 성국에서 함께 살자고 하면 과거에 그랬던 양 즉각 거절할 것이다. 그는 칼리스인이다.

그럴 거면, 차라리 헤어진 이후로 모르는 듯이 살 것이지. 그랬다면 나는 서서히 너를 잊었을 텐데. 왜 너는 다시 내 앞에 나타나, 나를 혼란스럽게 하는 걸까?

그를 만나서 좋고 반가웠지만, 어차피 척을 져야 하는 관계라면 처음부터 집단과 집단의 일부로, 서로의 존재를 인식하지 않는 게 좋았을 거라는 생각이 든다.

난 괜히 턱 끝으로 애꿎은 아델의 어깨를 쿡쿡 찔렀다. 아델이 날 떨어낼 듯이 몸을 뒤쳤다.

"그만해."

인상을 쓰는 게 느껴진다. 쳇, 다정하단 건 취소야! 그냥 기억력이 좋아서라고 하자.

쥐들이 우르르 몰려다니는 통로를 지나, 아델이 멈춰 섰다.

여긴 아마 내 숙소가 있는 그 아래 어딘가일 것이다. 대강 위치를 알 것 같다.

"뭐가 또 불만이야?"

내 가라앉은 기색을 눈치챘는지 아델이 물어온다. 목소리가 조금 높아진 걸 보니, 여기선 맘 편히 대화를 나눌 수 있나 보다.

"아까 내 질문, 답하지 않았잖아."

물론, 그 이유 때문은 아니지만, 내 말을 무시하기도 했었지. 아델이 기가 찬 듯 하, 소리를 냈다.

"그래, 내가 했어. 야파 왕에게 저주를 걸었어. 하지만 난 왕속 특무단의 일원은 아니야, 됐지?"

어, 기억력 좋은데? 다 대답하잖아. 냉담하게 쏘아붙이는 게, 비난처럼 받아들인 눈치다.

그래, 내게 비난할 의도가 없었다곤 말 못 하겠다. 다만……

"왕을 죽일 거야?"

"당장은 죽이지 않겠지. 야파를 이용하려면 그가 필요하니까."

"그를 낫게 할 방법은 있고?"

척 보기에도 강력한 저주로 보였다. 그리고 그런 유의 저주는, 풀 것을 염두에 두고 만들어지지 않는다. 칼리스에 내린 월신의 저주 역시 마찬가지다.

아델은 입을 닫았고, 나는 나직이 물었다.

"그건…… 약속과 다르잖아."

"아파와 한 어떤 약속도 지켜지리란 보장은 없어."

배덕을 입에 담으면서도 태연하다. 그 차가움도 아델의 일면이었다.

내가 그를 변화시켰다고 해도, 나를 향할 때만 양상을 달리할 뿐 그의 본질은 바뀌지 않았는지도 모르겠다.

하지만 아델은, 좀전의 그 남자와는 달랐다. 직감이며 확신이다. 그는 누군가를 괴롭혀 고통스러워하는 걸 즐기진 않는다.

도리어 필요에 의하여, 냉정하게 감수한다는 느낌에 가까웠다. 그러나 그조차도 내게 달갑지 않은 건 사실이다.

"너는 왜, 그런 짓을 하는 거니?"

조용한 물음. 이번엔 틀림없이 비난이었다. 나는 아델을 똑바로 쳐다봤다.

나는 네가 그런 짓을 하길 바라지 않았어. 그래서 널 놓아준 게 아니야. 비록 네게 무엇도 바라지 않는 듯이 말했지만, 기대를 품는 건 내 의지대로 되는 게 아니거든.

아델은 나를 실망시켰다. 그도 알기에, 답하지 않은 거다. 사실 그는 나를 무시해도 상관없었다. 하지만 아델에게 난 이미 무시할 수 없는 존재였다.

"난 그런 짓을 안 하면 안 되니까."

"너는 그러지 않을 수 있었어."

"내가 왜 그래야 해? 무엇 때문에. 너는 임무를 수행하지 않고도 내게 아무 일 없을 거라고 생각하나?"

피해를 감수하고 그에겐 중요치 않은 옳음을 지켜야 하냐는 듯이 아델은 내게 묻는다.

그래, 나는 성녀고 나의 선과 그의 선은 같지 않다. 또한 나역시 아델이 다치는 걸 바라는 건 아니다. 난 그에게 눈을 맞추고, 차분히 일렀다.

"내 말은, 넌 칼리스에 있지 않아도 된다는 소리야. 나는 이전에 말했듯이 네게, 성국에서의 자리를 마련해 줄 수 있어."

어째서, 고작 열세 살의 네가 이 전쟁 같은 상황 속에 던져져야만 하는지. 위험하고 남을 해쳐야 하는 명을 수행해야만 하는지 난 잘 모르겠어.

아델은 평화 속에서 자라났다면 그대로 반듯하게 자라났을 똑똑하고 재능 있는 아이였다. 그는 그대로, 제가 뿌리내린 토양에 적응한 것뿐이다.

그래서 안타깝고, 속상하다. 또 두려웠다. 내가 더 이상 아델을 용인할 수 없게 될까 봐. 거기까지 다다르게 될까 봐.

아델의 새파란 눈이 날 들여다본다. 그는 날카롭게, 샅샅이 내 말의 진의를 파헤치고 있었다.

그러나 내겐 다른 뜻이 없다. 다른 뜻으로 나를 가장해야 할 이유도 없었다. 진심으로 대했기에 아델도 나를 진심으로 대했고, 그도 그걸 안다.

이윽고 그의 음성이 떨어졌다.

"나는 칼리스에서 태어난 칼리스인이지. 네 말은, 내가 가진 모든 걸 내려놓고, 네게 오라는 소리야?"

"네가 가진 모든 게 뭔데. 칼리스에 너를 아끼고 사랑하는 사람이 있긴 하니?"

재물, 권력, 아마도 네 앞길에 약속되었을 그 무언가. 그걸 그의 뿌리라고 할 수 있겠지.

태어났을 때부터 그를 얽어맨 것이니 그게 없는 삶을 상상조차 해 본 적 없을지 모르겠다. 그래서, 내가 상상을 좀 하게 해 주려고.

"아델, 성국으로 온다면 넌 더 이상 그런 일을 할 필요가 없어. 나와 다녔을 때처럼 평화롭게 거리를 노다니며 음식을 먹고 놀이를 즐기고, 하고 싶은 공부도 하고 평범한 네 또래의 아이들처럼, 그렇게 살 수 있을 거야. 지금처럼 위험한 임무에 투입되지도 않고, 누구를 해칠 필요도 없이. 내가 그렇게 두지 않을 테니까."

아무렴 내가 성녀인데, 너 하나 책임 못 지겠니? 칼리스인이란 게 밝혀지면 좀 눈총을 살 수도 있지만, 그건 나중에 밝혀도 된다.

들킨다고 한들 성녀인 내가 쉴드를 친다면 월신을 따르는 성국 사람들이라고 해도 아델을 괄시하진 못할 거야.

아델은 반짝반짝한 소년이다. 틀림없이 다들 그에게 매료될 거라고 믿는다.

아델이 낮게 웃었다. 미묘하고, 아득하니 멀어 보이는 표정으로.

"……네 말대로 될 수도 있겠지. 만약 내가, 평범한 칼리스인이었다면."

평범한 칼리스인이었다면. 가슴에 서늘하게 박히는 말이었다. 아델은 평범한 소년이 아니다. 평범한 소년에게 칼리스가 이런 임무를 맡길 리 없으니까.

나는 양손으로 아델의 손을 붙잡았다. 단단히.

"내가 너를 지켜 줄게."

네가 맡은 중요한 임무는 이 하나가 아닐 거다. 그가 속속들이 알고 있을 칼리스의 비밀들. 그게 성국에 알려졌다고 생각하면 칼리스에선 필히 아델을 제거하려고 들겠지.

하지만 네 배신을 알고 칼리스가 네게 손을 뻗는다 해도, 나는 너를 지킬 수 있다. 나는 거기까지 감수해 낼 각오가 있다.

그것이 비록 성국에 전화戰火를 불러일으키는 일일지라도. 월신은 싸움이 두려워 굴복하라 말씀하시지 않으셨다.

성녀인 내 역할 중 하나는, 정의를 수호하는 것. 아델을 지키는 건, 전향하고도 안전할 수 있단 가시적인 증표가 된다. 침략과 전쟁을 원치 않는 다른 칼리스인에게 의미를 줄 수 있다.

물론, 그런 명분이 없더라도, 나는 아델을 지킬 생각이었다.

아델은 힘을 주어, 내 손을 떼어 냈다. 틈 없는 얼음 결정처럼 차갑고 단단한 눈빛이다.

"내가 칼리스에 있도록 놔둬. 그렇게 함으로써 넌 네 나라를 지킬 수 있을 테니까."

"아델."

"네 박애를 나한테까지 들먹일 필요는 없어. 난 네가 보살펴야 할 월신의 신도가 아니야."

"이건 박애의 일환이 아냐. 지나가는 다른 누군가와 넌 같지 않은걸."

난 빠르게 반박을 쏟아 냈다.

"내가 구하고 싶은 건 지금 바로 내 눈앞에 있는 너야."

아델이 코웃음 쳤다.

"구한다고? 웃기지 마. 너는 내가 누군지 몰라. 내 진짜 이름이 뭔지, 내가 어떤 생각으로 여기 서 있는지조차도."

"나를 위해서잖아."

"아니— 나를 위해서."

아델이 고개를 쳐들었다. 그건 내가 본 적 없는 눈빛이다. 냉혹하고, 사납고, 또한 집요하다. 활활 타오르는 듯하면서도 심해처럼 차갑고 아득하다.

생경한 느낌에 나는 저도 모르게 한 발짝 물러났다. 그가 품에서 뭔가를 꺼내서 내 손에 쥐여 주었다.

"뭐야, 이건?"

가죽으로 만들어진 어른 손바닥만 한 천, 그리고 거기에 그려진 건⋯⋯. 지도였다. 아주 정교하게 그려진, 작은 지도. 그리고 그 지도가 의미하는 바는.

"회담이 열리기 전엔 시간이 있어. 지금 돌아가 네 일행을 깨워. 이 비밀통로를 통해 도망쳐. 도주를 알아챘다고 하더라도 다른 사절들이 남아 있으니 섣불리 추적하진 않을 거야. 그건 계획을 망칠 수 있는 일이니."

아델이 나직이 설명을 이어갔다. 이미 확고해진 음성이다.

"이곳 비밀통로는 워낙 복잡하고 비좁아서, 왕속 특무대 중에선 지리를 아는 이가 거의 없어. 알아도 몇 개의 통로만을 알 뿐이지. 내가 발굴한 길이야. 야파 왕국을 빠져나가는 길 중에서 특히 이곳은, 오직 나만이 알지."

아델이 분명한 투로, 선언했다.

"혼자 갈 수 없다면, 네 일행과 함께 가라고."

"아델, 나는."

혼란에 잠겨 난 도리질 쳤다. 아델이 몰아붙이듯 내 어깨를 잡았다.

"널 억지로 끌고 갈 순 없어. 알았어? 이 이후는 네 선택이야."

"내가 도망치는 데 성공하면, 비밀통로를 이용했단 게 발각나잖아. 그러면 네가 위험하지 않겠어?"

비밀통로의 지리를 아는 건 너뿐이라며. 내 타당한 지적에 아델은 대수롭지 않단 듯 대꾸했다.

"그건 걱정할 필요 없어. 내가 알아서 할 테니까. 다른 사람 손에 그 지도, 넘기지나 말라고."

나는 그의 말이 끝나는 즉시, 지도를 꾹꾹 품속에 밀어 넣었다. 아델이 만족한 듯이 나를 바라본다. 내가 그의 말을 따르리라고 확신하는 듯이.

"지금 우리가 서 있는 이곳이 야파 왕국을 빠져나가는 길로 이어지는 통로야. 이제 가."

아델은 날 먼저 떠밀었다. 길을 익히게 하려는 것이다.

나는 기억을 더듬어, 왔던 길을 천천히 걸어 올라갔다. 아델이 등 뒤에 바짝 붙어서 따라왔다.

잠시 후, 나는 막다른 통로에 이르렀다. 아델이 손을 뻗어 문을 열었다. 나는 잠자코 그가 어떤 식으로 비밀통로의 입구를 여는지 지켜보았다.

"올라가."

내가 통로 밖으로 몸을 빼서, 침대 아래에 안착하자 아델이 손을 내밀었다.

잠깐 고민하던 난 순순히 망토를 벗어, 그의 손에 들려 주었다. 신발이 먼지투성이가 되긴 했지만 그의 망토 덕에 입은 옷은 멀쩡했다. 이대로 침대로 들어가면 내가 외출했단 건 아무도 모를 거다.

나는 몸을 기울여 통로 안쪽을 내려다보았다. 아델은 어둠에 휩싸인 채, 나를 바라보며 서 있었다.

아델은 말하려다가 잠시 망설이는 듯했다. 그의 말대로라면, 이젠 정말로 끝이었다. 다시금 이별.

찬찬히 짚어 보자면 이 왕도에서 실제로 일어나고 있는 일은, 어렴풋이 생각했던 바와 크게 다르지 않았다.

그가 직접 개입했단 게 의외였을 뿐. 아델은 모든 걸 내게 보여 줘서, 내가 행동할 만한 근거를 주었다. 그게 그의 방식대로 믿음을 주는 법.

"비밀통로의 끝은 왕도 밖으로 이어져 있어. 인근에서 말을 구하든 성력을 이용하든 무조건 성국의 국경 쪽으로 달려."

차분한 음성이었다. 거의 지시에 가까운 어조다. 난 눈을 깜빡였다. 그보단 이별의 멘트를 기다렸는데. 역시 실리적인 녀석이란 말이야. 난 생긋 웃었다.

"잘 가. 푹 쉬고. 오늘은 고마웠어."

이것이 정말 이별을 의미할진, 마지막일진 모르겠지만, 아직은 아닐 듯하다.

너는 분명 내 평생 잊히지 않는 존재가 되겠지만, 과거로 남기엔 일렀다.

난 마음이 약해질까 두려워 얼른 통로의 문을 닫았다. 내가 이렇게 순순하게 말한 적이 드문 것 같은데, 아델이 아니라 내가 까칠한 거 아닐까? 으응, 반성해야겠다.

아델은 내가 다짜고짜 통로를 닫아 버리자 잠시 그 자리에 머물러 있는 듯했다. 하지만 가만히 신경을 집중하니, 곧 움직이는 기척이 느껴졌다.

그는 망설이던 것과는 달리 주저 없이 그 자리를 떠나갔다. 난 한숨을 푹 내쉬었다.

어쨌든, 난 거짓말하지 않았다고. 그게 중요하다. 신경 써줘서 고맙지만, 그래도.

난 침대 밑을 기어 빠져나왔다. 모험을 마치고 나니 스르르 긴장이 풀리며 몸이 노곤해진다.

반면, 팽팽히 조여오는 뭔가가 있었다. 아직 아무것도 끝나지 않았으므로. 기실, 이제부터 시작이었다.

난 침대에 걸터앉아 모아쥔 주먹에 입술을 댔다. 내 의지가 더욱 단단해지도록. 그래서 앞으로 닥칠 사태 역시도 순탄하게 이겨내도록.

월신님, 오늘도 정의로운 도둑이 되도록……. 잠깐, 이건 아니잖아!

잠시 침범하는 전생의 기억을 도리질해서 뿌리쳐 낸 나는 눈을 감고 다시 손을 모았다. 부디, 제게 용기를.

심장이 두근두근하는데. 스릴을 즐긴다고 하기엔 현실적인 두려움이 밀려온다. 하지만 망설임이 일진 않는다.

그래, 나는 아델의 말대로 할 생각이 없었다. 그 때문에 대답하지 않았던 것이다.

아델이 잘못 알았다. 난 애초에 말 잘 듣는 아이가 아니다. 너도 네 제의를 거절해 놓고선 나더러 네 말을 들으란 거야? 뭐, 물론 그런 이유 때문만은 아니지만.

그때 문득, 노크 소리가 작게 울려 퍼졌다. 난 소스라치게 놀라 몸을 떨었다. 어, 어 누구야?

바로 문이 열렸다. 그리고 열린 문으로 누군가가 걸어 들어왔다. 내가 가장 바라지 않았던, 그 인물이.

"카, 카마엘?"

난 유령을 본 듯이 눈을 부릅떴다. 몰래 수업을 빼먹고 나왔다가 아리안느와 길거리에서 맞닥뜨린, 딱 그런 기분이다. 물론, 그런 끔찍한 경험이 있는 건 아니지만.

카마엘이 천천히 내 방으로 들어섰다. 허락을 구하지도 않고 막 들어오는 태세가 심상치 않았다.

설마, 화가 난 거야? 카마엘도 화를 낼 수 있다는 게 신기하게 느껴지는 반면 좀 두렵기도 했다.

화를 내는 내 요정기사님이라니! 태어나서 한 번도 겪어 본 적 없는 일인걸.

난 꼼지락거리면서 침대에서 일어섰다. 카마엘이 날 무엄하리만치 똑바로 쳐다보고 있었다. 으으, 무서워. 좀 전에 통로에 득실거리던 쥐보다 더 무서웠다.

"이상한 느낌이 들더군요."

그가 내게로 시선을 맞춘 채, 입을 열었다.

"부러 저를 뿌리치려 하신단 걸 느꼈습니다. 그래서 잠시 후 다시 방으로 와 보니—"

내 연기가 너무 서툴렀나?

"계시지 않더군요."

"으응, 그건……."

엄청나게 죄를 진 것 같은 기분이 든 것 같은데. 흡사 신성모독이라도 한 것처럼. 물론, 잘못은 했다. 그래, 잘못한 건 한 거지. 난 무어라 변명을 하면 좋을까 입술을 달싹였다.

"사정이 있었어."

가장 무난하고 좋은 답이다. 그래, 내가 설마 나쁜 의도가 있어서 그랬겠어? 다 나름대로 생각이 있으니까 그런 거지.

"압니다. 납치당하신 것 같지는 않기에 뜻하신 바와는 달리 소란이 일까 봐 기다렸습니다. 하지만,"

카마엘이 토를 단 건 처음이라 난 조마조마하게 그를 마주 봤다.

그가 단단히 날 혼찌검 낼지도 모른단 생각에 덜컥 겁을 먹었지만, 역시나 카마엘은 화를 내지 않았다.

그래, 화를 내지는 않았다. 화를 내는 것과는 또 다르게 위압감이 느껴졌다. 내 어깨를 붙잡아 내리누르며 제자리에 똑바로 세우는 듯한.

"성녀님께서는 월신의 혈육으로 이 지상에서 유일한 분이십니다. 부디, 경각심을 가지셨으면 합니다."

카마엘이 그 정도로 단호하게 말하는 건 처음 있는 일이라, 마음이 쪼그라들었다. 그만큼 심각한 사태로 받아들이고 있단 거겠지.

그래, 호위대상이 자길 따돌리고 몰래 밤마실을 나갔다 왔으니…… 게다가 어디로 간 건지 알 도리가 없으니, 아무리 무덤덤한 카마엘이라도 신경 쓰이지 않을 순 없었을 것이다.

난 고개를 얌전히 숙이며 말했다.

"미안해, 내가 생각이 짧았어."

아델 때문도 있지만, 미리 말했다면 순순히 보내 주지 않을 것 같아서 카마엘을 억지로 따돌렸다.

하지만 지금 와 생각해 보면, 내가 잘 설득하기만 했다면 카마엘이 못내 나를 보내 주었을 것 같다는 생각도 든다.

"어디를 다녀오신 겁니까."

카마엘의 눈길이 내 침대 밑을 향했다. 어떤 방법으로 이 방을 빠져나갔는지 대충 파악은 한 눈치였다.

"그와 함께 계셨던 겁니까."

누굴 말하는 건지, 정확히 지칭하지 않아도 카마엘이나 나나 알고 있었다. 난 조심스레 고개를 끄덕였다.

칼리스인과 한밤중에 몰래 만나는 건 분명히 의심받을 일이지만, 그게 내가 되면 또 그렇지 않다.

월신의 권능 그 자체인 성녀가 성국을 배신할 리 없잖아? 그런데 카마엘이 이어 꺼낸 질문은,

"……그를 사랑하십니까?"

날 얼어붙게 만들었다. 지금 뭐라고 한 거지? 사랑……이라고? 사랑이라니!

그 말을 제대로 인식한 즉시, 닭살이 오소소 기어올랐다. 세상에! 이 무슨 낯 뜨겁고 어색한 소리냔 말이야. 아델과 내가?

우리가 누군가의 눈에 사귀는 것처럼 보인다는 것도 온몸을 긁고 싶은 일이었지만 그보다 더 큰 문제가 있었다.

"저어, 카마엘 그건."

카마엘은 내가 몇 살이라고 생각하는 거지? 물론 겉보다 속이 좀 늙긴 했지만, 그걸 카마엘은 모르잖아?

하지만 카마엘에게 성녀는 이미 열세 살에 남녀상열지사를 알 만한 존재일지도. 좋아한다면 모를까, 사랑이라니. 으으 부끄러울 만치 거창하다고!

내가 그의 이름만 부르고 말을 못 잇고 있자 카마엘은 내가 바라지 않는 확신을 얻은 모양이었다. 정곡을 찔려서 말을 못 한다는.

"아무리 성녀님이라고 해도, 칼리스인과는…… 곤란합니다."

정말 곤란한 일인데 어떡하나 생각하는 눈치였다. 카마엘도 이번만큼은 정말로 심각하게 갈등하는 듯했다.

"아니야, 아니라고!"

난 당황을 뿌리치며 소리쳤다. 얼굴이 확 달아오른다.

아니고말고. 아델은 내 눈에 너무 어리게만 느껴진단 말이야. 아무리 그 애가 또래에 비해서 크고 성숙한 편이라고 해도, 열세 살 어린애를 상대로. 말도 안 되는 일이잖아?

카마엘이 미심쩍은 듯 물어왔다.

"아닙니까."

"그래, 절대 아니니까 그런 생각할 거 없어. 그냥 걔와 난 목적이 있어서 만난 거라고."

"그 목적이 무엇이기에, 저를 뿌리치셔야 했던 겁니까."

꼬치꼬치 캐묻는다. 물론, 어차피 카마엘에겐 말해야 했다. 더불어 다른 대사제들에게도. 이건 나 혼자 어떻게 할 수 있는 일도 아니었으니까.

하지만 내가 그걸 알아낸 과정은 다소 무모했고, 때문에 질타를 받을 만했다.

그래, 칼리스 왕속 특무단원에게 들킬 뻔했단 이야긴 안 해도 되겠지?

"……그게 있잖아."

난 카마엘에게 통로를 따라가서 보고 겪은 일에 대해서 털어놓았다. 최대한 내 위험을 부각하지 않는 방향으로.

"……그 아지스라는 특무단원이 삼 왕자를 막 두들겨 패는 거 있지? 정말 놀랐다고."

"좋지 않은 장면을 보셨군요."

내가 보기엔 폭력적인 광경이었을 거라 생각한 듯 진지한 반응이다. 그래, 놀라긴 했지. 근데 날 아주 어린애 취급하다가도 어느 땐 또 그렇지 않으니 헷갈린단 말이야?

카마엘의 기준도 참 종잡을 수 없다.

이어 난 카마엘의 날카로운 지적에,

"그런데 특무단원이라면 기척에 민감할 텐데 다행히 들키지 않으셨던 모양입니다."

……뜨끔해 버렸다. 난 배시시 웃었다.

"응, 비밀통로가 좀 잘 되어 있어서 말이야. 무사히 다녀올 수 있었어."

난 나 홀로 나선 것에 근거가 있다는 듯이 강조해서 말했다.

크게 의미는 없는 짓이었다. 분명한 건 앞으론 카마엘이 내게 찰떡같이 붙어서 좀처럼 떨어지려고 하지 않을 거란 거다. 내가 또 몰래 나돌아다닐 수 있으니 경계를 풀지 않겠지. 아이고야.

난 푹 한숨을 내쉬며 마저 이야기를 풀어놓곤, 결론을 말했다.

"아델이, 그 비밀통로를 따라서 우리 모두가 도망칠 수 있을 거래."

난 좀 궁금했다. 카마엘이 뭐라고 반응할지. 과연 카마엘은 아델의 말대로 하자고 할까.

다른 사절들을 놔두고 우리끼리만 도망치는 건 정의롭지 못하며, 하여 성국의 대의에도 맞지 않는다. 월신의 성도들은 성전 앞에서 죽음을 무릅쓰고 싸울망정 내빼지 않으니까.

카마엘 역시도 싸움에 임할 때 죽음을 두려워하지 않을 거다. 그것이 성기사니까.

하지만 여기엔 내가 있었다. 나는 그야말로 성국 그 자체. 잃는 것을 감수할 만한 존재가 아니었다. 때문에, 안전을 기하고 후일을 도모하자는 것도, 있을 법한 일이다.

"그럴 수도 있겠지요. 하지만 아닐 수도 있습니다."

그러나 카마엘에게서 들려온 것은, 내가 예상한 흰색, 검은색 답변과는 다른 회색의 답변이었다. 회의 섞인 의심.

"그의 말을 그대로 믿는 건 좋지 않은 생각입니다. 그는 비밀 통로에 대해서 잘 알 테니 우리를 한데 몰아넣고 손쉽게 제거할 셈인지도 모르지요."

간단히는, 통로를 무너뜨려 우리를 그대로 생매장시켜 버린다거나.

카마엘이 무얼 말하는지 바로 알아챈 나는 항의하고 싶어 입을 벌렸다. 하지만 도로 다물었다.

아델은 그런 의도가 아니라고, 말하고 싶었다. 하지만 타당한 지적이기도 했다.

그래, 내가 아델을 믿기에 나 자신이 위험을 감수하는 건 있을 수 있는 일이다. 하지만 카마엘이나 다른 성국인들에겐 아니었다. 어차피, 그렇게 할 생각도 없는걸.

난 고민 끝에 느릿하게 말을 꺼냈다.

"……아델은 나를 배신하지 않을 거라고 믿어. 하지만 그래, 그 비밀통로를 꼭 아델만 알고 있을 거란 보장이 없지."

우리가 그 비밀통로를 이용한다는 걸 알아챈 누군가가 통로를 무너뜨릴 가능성도 있다.

그리고 우리가 그 비밀통로를 통해 도망친다면……. 혐의는 당연히 아델에게로 돌아가게 된다.

물론, 아델이라면 생각 없이 내게 거길 알려 주지는 않았을 거다. 거기까지 계산에 넣었겠지. 혹은 뒤집어씌울 누군가가 있는지도 모르겠다. 그 앤 목적을 위해선 다른 이의 희생도 불사할 수 있으니.

그건 무겁게 느껴지는 진실. 또한 고개를 돌리거나 모른 척할 수 없는 진실이기도 했다.

"회담에 참석하는 게 좋겠어."

"이대로 회담에 참가하는 것은 확실히 위험해지는 길입니다."

"나는 도망칠 생각이 없어. 우리만 도망치면, 회담 장소에 모인 사람들은 어떻게 되겠어? 인질로 잡히거나 살해당할 거라고. 성국만 미리 알고 내뺐단 오명을 쓸 수는 없어. 그건 정의롭지도 않을뿐더러 미래를 봤을 때도, 대칼리스 연합전선을 위한 길이 아니야."

"동의합니다. 다만 한 가지, 이곳이 왕속 특무단원들에게 이미 포위당했다면 섣불리 사실을 알리는 건 전투를 앞당기게 되는 걸지도 모릅니다."

분명히 사실을 안다면 동요가 일 테고 누군가는 먼저 내빼려고 할 거다.

여기 있는 사절들은 하나같이 자국에서 영향력 있고 신분 높은 자들. 타국인들이 어떻게 되든 칼리스에 사로잡히는 일은 결단코 피하고 싶을 테니까.

"그래, 모두에게 알릴 수는 없지. 하지만 적어도, 알려야 할 필요가 있는 상대는 있어."

카마엘 역시도, 그게 누구인지 바로 알아챈 듯했다. 신성교국, 태양신의 권속들. 그들이야말로 우리와 같은 입지로 선 자들.

칼리스를 상대로 등을 보일 수 없는, 또한 칼리스를 상대로 할 때 가장 든든하고 믿을 수 있는 우군.

……하지만 히스칼은 내 목을 조르고 싶어 했잖아? 그들이 과연 우리에게 순순히 협조할까.

칼리스인인 아델이 나를 돕는데, 같은 편에 선 신성교국의 법황이 내게 적대적이란 건 아이러니한 일이다.

"대사제들을 깨워, 소집하겠습니다. 그리고 신성교국 측에는 ……."

"이카루스과 나, 그리고 카마엘. 셋이 은밀히 움직여야겠어.

함께 방법을 상의해 봐야지."

이카루스는 그쪽 대사제와 말이 좀 통하는 것 같았지? 감시 당하고 있을 테니 조심스레 움직여야 할 터였다.

비밀통로를 이용해 신성교국 숙소 쪽으로 이동하는 게 안전한 일이겠지만, 그쪽 지리는 모르니까. 또 가는 길이 협소하여 성인 남자인 카마엘과 이카루스는 지나지 못할지도 몰랐다.

그로부터 한 시간, 잠도 채 제대로 이루지 못한 우리 일행이 한데 모였다.

호위를 위해 성국에서부터 거느리고 온 병력도 있었지만, 그들까지 움직이는 건 눈에 띌 여지가 많다. 그래서 대사제들만을 불러 모았다.

이카루스는 내가 왜 그들을 이런 새벽에 불러냈는지, 곤혹스러워하면서도 뭔가를 예감하고 있는 표정이었다. 잠이 다 깨지 않은 아리안느가 하품을 하며 눈을 비볐다.

"무슨 일이신가요?"

내 이야기를 들으면 잠이 확 달아날걸?

"모두들, 고단할 텐데 잠을 깨우게 되어서 유감이야. 하지만 말해야 할 게 있어."

나는 그들에게 아주 중요한 이야기를 들려주었다.

카마엘에게 말했던 것처럼 야파 왕이 칼리스의 저주를 받아 인질로 잡혔다는 것. 그 때문에 내일 회담에서 칼리스 왕속 특무단의 포위 공격을 받게 될 거라는 이야기를.

그리고 나는 카마엘을 통하여 믿을 만한 비밀 정보원으로부터 이 정보들을 얻어들었다고 둘러댔다. 나보단 카마엘이 타국에 정보원을 두는 게 그럴듯해 보일 터였다.

약간 양심이 따끔거렸다. 아아, 성녀씩이나 되어서 이렇게 막 대사제들에게 거짓말을 하고 다니면 안 되는데!

하지만 어쩔 수 없는 거짓말이니 월신께선 분명히 용서해 주실 거라고 믿는다.

내가 칼리스의 주요 인물-그것도 야파 왕에게 저주를 건과 함께 그 모든 걸 직접 보고 들었다고 말할 순 없잖아? 반응이 상상도 되지 않아.

카마엘은 공범이다 보니 계속 공범으로 같이 가는 모양새였다.

반면 다른 대사제들은 처음부터 나와 아델의 관계에 대해서 전혀 알지 못하다 보니 계속 켜켜이 비밀만 쌓게 된다.

언젠가 진실을 밝힐 수 있는 날이 올지 안 올지 모르겠지만, 현재로선 도저히 말할 자신이 없다.

"미리 알았다고 해서 할 수 있는 건 많지 않은 것 같아."

그러나 마음의 준비, 그리고 약간의 계획을 세우는 정도는 할 수 있겠지. 경계심을 놓고 있을 때 느닷없이 사건이 터지는 것보다는 나을 테니까.

"위험할지도 몰라. 아니, 위험할 거야. 그래도 도망치는 것은 올바른 길이 아닐 거라고 생각해. 우리의 우방인 타국 사절단들이 공격당하도록 놔둘 수도 없고."

"옳으신 말씀이십니다."

반대할지도 모른다는 예상과는 다르게, 이카루스는 선뜻 고개를 끄덕였다.

성녀인 내 결정이고, 또 성국의 기치에 부합한다. 하여 따른다. 그런 느낌.

"응당, 그리해야지요."

내 말이 마음이 드는지 아리안느 역시도 미소 지으며 화답했다. 호전적인 미소다. 왠지 싸우게 되어서 신나 보이는데 내 오해겠지?

"힘을 합치면, 최소한의 희생으로 이 상황을 타파할 수 있을 거야. 아리안느가 몰래 도주로를 살펴 주겠어?"

그리고 나머지는, 신성교국의 숙소로 가서 협력을 구한다. 단결력 있게 의견이 한데 모였다.

잠시 후 우리는 행동에 나섰다. 카마엘이 나를 업은 채 앞장섰고, 별로 은밀하게 행동하는데 자질 없어 보이는 이카루스도 기민하게 뒤따랐다.

신성교국과 우리 성국의 숙소 사이엔 예의 그 숲 같은 정원이 있었다. 거기에 스며들기만 하면 그다음은 나아가기 순조로울 터.

카마엘의 움직임은 빨랐다. 이카루스 역시도 제법 잘 따라왔다. 우리는 십여 분 후, 목적한 곳에 어김없이 도달할 수 있었다.

신성교국에게 배정된 숙소엔 우리네와 마찬가지로 고작 몇 명의 경비병이 지키고 있었다.

물론, 그들도 야파 왕국 사람이다. 감시자라고 보는 게 맞으니, 그들이 보는 앞에서 이 새벽에 대놓고 방문할 수는 없는 거지. 어떻게 안으로 잠입할지 방법을 생각해야 했다.

정원 쪽에 몸을 감추어 어디 잠입할 구석이 없나 살피는 그때. 누군가가 바스락거리며 풀숲을 헤치고 나타났다.

"여기서 뭐 하는 거지?"

반짝반짝하는 금발. 자줏빛 눈동자가 달빛을 받아 기묘한 광채를 머금는다.

히스칼이었다.

난 화들짝 놀란 데 반해, 카마엘은 그의 기척을 이미 읽고 있었는지 전혀 동요하지 않았다.

어쩐지 대사제들을 따돌리고 몰래몰래 잘도 돌아다닌다더니, 기척을 숨기는 데 일가견이 있는 듯하다.

"그러는 너야말로 여긴 어쩐 일이야?"

"어쩐 일이긴."

히스칼이 모호한 미소를 베어 물었다.

"잠이 오지 않아서. 내일, 좀 중요한 회담이 열리잖아? 생각을 정리해야지."

난 눈살을 찌푸렸다. 그게 진실이 아닐 거라는 건 안다. 히스칼이나 나나 회담에서 그닥 하는 게 있을 것 같진 않으니.

히스칼처럼 의뭉스러운 인간상은 의미 없이 정원을 쏘다니는 짓을 하지 않을 터. 여하간 타이밍이 잘 맞아 떨어졌다.

히스칼이 어깨를 으쓱해 보였다.

"설마 이렇게 우르르 모여서 우리 쪽을 염탐하고 있는 건 아니겠지?"

"당연히 아니지. 마침 잘되었다. 신성교국 측과 비공식적으로 의논할 일이 있어."

"비공식적으로……?"

히스칼의 입꼬리가 미묘하게 들렸다.

"그건 마치, 저기 경비병들에게 들키지 않고 야파 왕국이 알지 못하게 우리 측과 대면하고 싶단 이야기로 들리네."

아주 정확한 지적이다. 역시 머리 하나는 잘 돌아간단 말이야.

"맞아."

"그렇다면 말해."

히스칼의 미소가 진해졌다. 나는 눈을 깜빡였다. 말하라고? 지금, 여기서? 이카루스가 끼어들었다.

"이곳은 말하기에 적절한 장소가 아닙니다. 또한 대사제들과도 의견을 교환해야만―"

"그건 성국의 방식이겠지. 하지만 신성교국에선 아니야."

히스칼이 단언했다.

"나는 신성교국의 법황이고, 내 뜻이 신성교국의 뜻이니. 내게 말하는 걸로 족해."

"그 점은 의심하지 않습니다만, 여럿이 머리를 맞대야 하는 일이라고 봅니다. 대사제들을 참여하게끔 하는 편이 더 바람직한 의견을 얻기 좋을 겁니다."

"글쎄, 우리 대사제들은 보수적이고 각자 고집이 강해서. 의견을 통합하는 데 도움 안 될 거야. 쓸데없이 말만 많아져서 시간을 잡아먹을 거라고. 보아하니 급한 용무 같은데?"

히스칼이 어깨를 으쓱해 보였다. 물러나지 않을 기세였다.

그가 허락하지 않는데 신성교국 측 숙소에 잠입하여 회의를 열 순 없다. 당연하다.

하지만 히스칼의 말엔 모순이 있었다. 신성교국에서 법황이 최고결정권자일 수 있다는 건 안다.

그치만 그는, 히스칼은 그렇지 않잖아? 괜히 내가 싫어서 심술부리는 건가? 지금은 그럴 때가 아닌데!

난 앞으로 나서서 히스칼의 팔을 붙잡았다.

"이건 중요한 일이야. 협조해 줘."

"나는 충분히 귀 기울일 용의가 있어. 진지하게 말하는 거라고. 내게 설득력 있게 말해 봐. 그걸 나는 그대로 전할 테고, 정당하다면 우리 쪽에서 협조할 수밖에 없겠지."

나는 입술을 내민 채 곰곰이 곱씹어 보았다. 그 또한 일리가 있었다.

다 같이 모인 자리에서 이견을 겪는 것보단 여기서 결정한 듯이 가져가서 못 박아 버리는 게 좋다고 히스칼이 판단한 걸 수 있겠지.

그 역시, 태양신의 권속이다. 그가 그의 자리에 대해서 어떤 불만이 있더라도 그건 변치 않을 일. 그 몸에 태양신의 신성력이 이토록이나 생생한데.

"그래, 그러면 이야기할게."

나는 자그마치 세 번째, 어느 정도 말해선 안 될 사실을 배제한 채 앞으로 벌어질 사건에 대해서 이야기했다.

흥미진진한 눈으로 내 말에 귀를 기울이던 히스칼은, 말이 끝나자 뭔가 생각에 잠겼다. 그에게선 여전히 여유가 느껴졌다. 쉽게 해법을 낼 수 있는 문제가 던져진 양.

이 이야길 듣고 우리 일행에겐 긴장감이 닥쳤는데 말이지. 도대체 속을 알 수가 없다.

그가 침묵을 길게 이어가자, 나는 이내 물었다.

"그래서, 네 생각은 어때?"

"내 생각? 내 생각이라……."

괜스레 시간 끄는 건 아니겠지? 난 도끼눈을 떴다. '어디 보자…….'라며 또 약 올리는 듯 시간을 잡아먹은 히스칼이 느릿하게 입을 열었다.

"요는, 야파 왕이겠네."

그래, 야파 왕이 문제지. 칼리스에서 그에게 저주를 걸었기에 이 사달이 난 거니까. 그걸 누가 몰라? 히스칼이 가늘어진 눈으로 단언했다.

"내일, 야파 왕은 회담 장소로 나올 거야."

"어떻게 장담해?"

칼리스의 저주는 신체를 지배하는 것. 쓰러진 야파 왕을 깨워 움직이거나 의자에 앉혀서 회담 자리까지 끌고 오는 건 가능하다. 하지만 어차피 습격할 거라면 야파 왕을 거기다가 데려다

놓을 필요가 꼭 있나.

도리어 수중에 넣은 야파 왕을 노출시키는 일을 피하려고 할 텐데.

"그야 생각해 봐. 칼리스의 왕속 특무단이 아무리 강력하다지만, 수많은 병력을 동반하는 것도 아니고 그들 전부가 온 것도 아닌데, 여기 이 성국 제일의 성기사, 그리고 여러 대사제들, 너와 내가 있는 사절단을 상대로 완벽한 승리를 장담할 수 있을까? 그렇진 않겠지."

그건 맞는 말이다. 칼리스에서는 시선을 피해 잠입시키려고 일부러 실력 있는 정예만을 보냈다. 그 말은 애초에 병력의 규모 자체가 크지 않단 소리다.

여기엔 칼리스 왕속 특무단 다수를 수월히 상대할 수 있는 카마엘이 있었다.

하지만 그들이 전부는 아니었다. 왕이 인질로 잡힌 야파 왕국의 병사들. 그들은 칼리스 편에 설 터.

히스칼이 설명을 보탰다.

"야파 왕국의 병사들이 거기에 순순히 협조할까? 그들 중엔 태양신과 월신의 신도도 있다고. 감히 신의 권속들에게 검을 들이대는 것을 불경이라 여길지도 모르지."

그제야, 그가 무슨 말을 하는지 알 것 같았다.

"필히 야파 왕이 등장해야겠구나. 야파 왕국의 모든 권력은 사실상 왕의 것이니까. 왕위를 계승한 게 아닌 한, 왕도의 병사들이 이 왕자의 명령에 따를 거라곤 확신할 수 없을 테지."

삼 왕자와 이 왕자가 갈등이 있단 건 이리저리 소문이 날 만도 하고. 명령권자가 두 명인데 따르고 싶지 않은 명령을 내리는 쪽을 순순히 따르리란 보장은 없다.

"삼 왕자를 확보한다면 좋겠지만, 난리를 쳤으니 그는 자연스레 칼리스의 감시하에 놓이겠지요."

"그래, 안된 일이지만, 그보다 더 중한 건 아파 왕이야. 삼 왕자는 그저……. 무사하길 바랄 수밖에."

나는 씁쓸하게 말했고, 그가 얻어맞는 걸 본 기억이 떠오르며 마음이 안 좋아졌다.

이 왕자가 나쁜 사람은 아니다. 대의보다 부친의 목숨을 중시하는 건 가치 판단의 문제. 하지만 그 부친이 원치 않을 일이었다.

그에 반해 삼 왕자에겐 대의가 있었다. 그것은 우리와 방향을 같이했다.

"자, 그러면 이렇게 하는 게 어때?"

히스칼이 한 차례 손뼉을 가볍게 부딪쳐 이목을 집중시켰다.

"아무래도 상대적으로 성국에 비해 우리 쪽 전력이 모자란 게 현실이지. 신성교국은 강력한 성기사단을 보유하고 있지만, 그 모두를 데리고 온 건 아니고 또 여기 있는 카마엘만큼 강한 성기사가 없는 것도 사실이니까. 우리 쪽 대사제들은 그렇게까지 전투에 능숙하지 않다고 미리 말해 두지. 그러니—"

히스칼이 눈을 빛냈다.

"우리가 주의를 끌면서, 사절들과 같이 행동하겠어. 그러면 성국 쪽에서 그 틈을 타, 야파 왕을 그들 손에서 탈취하는 게 어때."

놀랍도록 쑥쑥 해답을 이끌어 낸다. 게다가 적극적이다. 내가 보아 온 히스칼 답지 않아서, 좀 얼떨떨했다. 히스칼의 실체를 모르는 이카루스가 동조했다.

"일리 있는 말씀이군요. 그들로서도 그 상황에서 야파 왕을 함부로 어떻게 하진 못할 겁니다. 그랬다간 야파 왕국 병사들을 적으로 돌릴뿐더러, 그 시점에서 이 왕자 역시도 칼리스의 편이 아닐 테니까요."

뭔가 착착 되어 가고 있는 듯이 말이 잘 맞는다. 무늬만 법황은 아닌지 히스칼은 퍽 계획을 잘 구체화해나가고 있었다. 나랑 둘이 있을 때와는 분위기가 싹 달라졌다.

왠지 모르게 께름칙한 기분이 들지만, 내가 과민한 거겠지?

"야파 왕을 확보하여 저주를 풀 수 있다면, 더 좋겠군. 그가 정신을 차려서 병사들에게 명한다면 혼란도 멎게 될 거야. 칼리스의 왕속 특무단 전력 상당수를 손실시킬 좋은 기회다."

"내가 할 수 있다면, 너도 할 수 있지 않아?"

저주를 푼다고? 글쎄, 할 수 있단 보장도 없지만, 그런 걸 하는 쪽이 더 주목을 받게 된다.

우리 쪽 전력이 주도적으로 나서기에 더 적합하단 걸 알겠고, 그러는 데 동의도 한다.

단지 결정적으로 야파 왕의 저주를 푸는 것까지 내가 한다면 성국 쪽에서 일방적으로 스포트라이트를 받겠지.

신성교국 측에서도 라이벌 의식 같은 게 좀 있을 텐데 그걸 좋게 보아 넘길까 싶었다.

나는 솔직히, 일만 잘 해결된다면 그런 건 아무래도 상관없지만.

"글쎄, 나는 저주 같은 걸 풀어 본 적이 없어서. 그런 건 법황의 직무가 아닌데."

'나보다 나이가 많으면서 해 본 적 없단 말이야?' 싶지만서도 저주를 푸는 일이 법황 선까지 올라오지 않을 거라는 덴 고개가 끄덕여진다.

나도 경험이 없는 건 마찬가진데, 뭐. 대사제 선에서 해결 안 날 만한 저주 사례가 역사상 얼마나 되려나.

"알았어, 내가 해 볼게."

성력을 좀 소모하게 될진 모르겠지만, 저주를 풀지 못하면 야파 왕은 죽는다. 그리고 나나 히스칼이 아니면 저주를 풀 만한 이나 방법도 없을 것이다.

"그러면 정리된 건가. 내가 우리 신성교국의 대사제들을 움직이지."

히스칼이 특유의 유려하고 선량한 미소를 보였다. 그가 완벽하게 우리 편에 섰음을 의심치 못하게 하는, 그런 표정이었다.

그럼에도 불구하고 여전히 내겐 미심쩍은 감정이 남아 있었다. 이성적으로 보자면 히스칼은 나를 도와야 하는 게 맞다.

하지만 그가 이성적이라면 왜 원만한 관계를 유지하는 것이 좋을 나에게 적대감을 드러냈을까.

그 이유 모를 사감을 사감으로 치부할 만한 이성은 그에게 존재하는 것일까.

"히스칼, 너는……."

나는 이것이 공적인 일이고, 또 양국의 대의에 부합하는 일이며, 우리에겐 공통의 적이 있음을 주지시키려고 했다.

히스칼이 비틀린 마음으로 일을 망쳐 버려 그에게, 또한 우리에게 위험을 자초하지 않도록.

"맡겨 주기를."

그렇게 말하며 히스칼은 성호를 그었다. 그 성결한 손짓은 실로 신의 권속다웠다.

더 이상 히스칼에게 확신을 요구할 수 없었기에, 나는 그가 떠나도록 내버려 두었다.

그가 하얀 옷자락을 사륵거리며 자리를 벗어나 숙소로 들어설 때까지, 다만 지켜보았다.

이카루스가 내 태도에서 뭔가 이상함을 느낀 듯 미간을 모았다.

"무슨 일이 있으셨습니까."

"……아니야, 가자. 확인 차 내일, 이카루스가 신성교국 측 대사제에게 이 일을 슬쩍 당부해 두는 게 좋겠어."

"예."

회담장에 들어서자마자 바로 일이 터지는 건 아닐 테니, 이야기할 시간이 좀 있을 것이다. 내일은, 아무래도 카마엘의 짐이 무거울 듯하다. 하지만 그게 성국 제일의 성기사가 응당 짊어져야 할 짐이겠지.

"조금이라도 쉬어 둬."

숙소로 돌아와 말을 남긴 난 잠자리에 들었다. 밑엔 비밀통로가 뻥 뚫려 있고 날이 밝으면 분명 순탄하지 않을 사건들이 기다리고 있는 잠자리. 어쩌면 목숨이 위험할지도 모르지.

하지만 그게 지금 이 새벽에 일어날 일은 아니다. 내일은 내일의 태양이 뜨는 법이겠지. 일단 자고 일어나서 생각하자고.

나는 눈을 살포시 내리감았고, 곧 다디단 잠에 빠져들었다.

*

기나긴 수면은 허락되지 않았다. 위기가 목전까지 다다랐으니 나도 제법 긴장했나 보다.

햇볕이 선명하게 비춰 들 무렵, 아마 오전 열 시쯤 되었다 싶을 무렵에 눈이 번쩍 떠졌다.

내가 기척을 내자, 문밖에서 대기 중이었는지 아리안느가 얼른 들어와 시중을 들었다.

아무리 늦게 잠들었다지만, 평소 같았으면 늦게까지 퍼 잤다고 한마디쯤 핀잔줄 만한데. 상황이 상황이다 보니 그녀도 그럴 여유가 없는 듯하다.

……미안하게도 마음 편하게 잠든 건 나뿐인 모양이었다. 대사제들이나 카마엘이나 어젯밤 차림새 그대로, 조금도 쉬지 못한 눈치였다. 단장을 마치고 응접실로 나오니, 기다렸다는 듯이

날 맞는다.

쭉 둘러보니 이야기를 들었는지, 성기사들도 잔뜩 곤두선 기색이 역력했다. 긴장감이 흐른다.

"준비는 끝났어?"

"예."

"너무 얼굴 굳히며 티 내지 마. 우리는 일이 벌어지는 순간까지 아무것도 모르는 거여야 해."

내가 생긋거리며 말하자, 조금 분위기가 완화되었다. 곧 아리 안느가 어제 조사해 온 탈출 루트에 대해서 브리핑했다.

비밀통로는 그 많은 사람이 다 이용할 수도 없거니와 폭파당할 위험도 있는 곳. 최후의 최후까지 아껴 놓기로 했다.

이야기를 마무리 지을 무렵, 야파 왕국 시녀들이 식사가 준비되었다고 알렸다. 회담은 식사 후, 회담장에 한데 모여서 열릴 예정이었다.

커다란 홀에 원탁 형식으로 대표를 두고 둘러앉아 발언하는 식으로 이어갈 것이다. 예정대로 된다면 말이지만, 그럴 리는 없겠지.

음식에 독이 섞여 있을지 모르니, 대사제들이 성기사나 병사들이 먹을 것까지 일일이 검수했다. 시간 차로 작용하는 독의 가능성도 고려하여 꼼꼼히 주의를 기울여서.

그런 의미에서 우리 중 가장 안전할 건 카마엘이었다. 카마엘은 도통 뭘 먹지 않으니까.

그리고 모두가 음식을 섭취하여 기력을 채우고 무기를 점검하며 준비를 마칠 때쯤, 시종장이 당도했다.

"회담장으로 안내하겠습니다. 부디 따르시기를."

호위 병력은 동반할 수 없었다. 그것은 우리뿐만 아니라 다른 사절들도 마찬가지다. 만약 데려간다면 입구에서부터 무장해 제당할 것이고, 그러면 도움이 안 되는 건 매한가지다.

무기를 가진 채 이곳에서 간을 보다가 행동하게 하는 편이 낫겠지. 애초에 비무장 사절들을 회담장에 격리시켜 놓고 칠 예정일 테니까. 하지만 이건 또, 뭐랄까.

"단 한 명뿐인 성기사에게 무기를 내려놓으라니, 무슨 소립니까."

회담장 입구에 도착하자마자 시종장이 카마엘에게 조심스럽게 검을 두고 입장하라고 요구했다. 이카루스가 항의했다.

너무 **빡빡한걸**? 보통 최측근 호위에게는 검을 허락하는 게 통례라고. 어차피 우린 다 신성력을 사용할 수 있어서, 이런 말 하긴 그렇지만 움직이는 흉기란 말이야.

검이 없음으로 인해서 전력에 차이가 나는 건 오로지 카마엘뿐이다. 하지만 그 '오로지 카마엘'이 중요하긴 했다.

시종장이 곤란한 얼굴로 말했다.

"송구하오나 규정입니다. 다른 분들께도 마찬가지로 적용되는 사안이니 부디 협조해 주시기 바랍니다. 아니면 바로 바깥에서 대기하실 수 있는 장소를 마련해 놓았습니다."

성국 제일의 성기사라도 검이 없으면 어쩔 수 없다고 생각하는 건가.

하긴, 검 없인 아무리 대단한 카마엘이라도 싸우는 데 차질이 있겠지. 철저하게 준비하는걸? 완벽하게 승리를 거두겠단 칼리스의 의도가 느껴졌다.

난 힐끔 카마엘의 검을 내려다보았다. 성국 제일의 성기사가 가지고 있는 검이 특별하지 않을 리 없다.

카마엘의 검은, 겉으로 보기엔 검 손잡이에 푸른기 도는 월장석으로 치장되었을 뿐 특별한 점은 없어 보였다.

그러나 그것은 월신의 성검이었다. 내 존재와 마찬가지로 신성력을 증폭시키는 기능이 있는.

게다가 또 한 가지 부가기능이 있지. 거의 알려지지 않은, 나조차도 카마엘이 알려 줘서 안 기능이. 왜 그런 걸 알려 줬느냐면, 내가 성검에 관심을 보였으니까.

단언컨대 그 부가기능은 칼리스로서는 알 도리가 없다. 그래서 나는 말했다.

"어쩔 수 없지. 검은 여기다 두자."

백은빛이 도는 아름다운 검집이 탐욕을 부를 법하지만, 월신의 성검이다. 칼리스인으로선 꺼림칙해서 손대기 싫을 거라고.

카마엘은 검집을 풀어 시종장에게 내주었다. 그리고 우리는 더 이상 제재 없이 회담장 안으로 걸어 들어가게 되었다.

이제 본격적인 시작이다. 마음 단단히 먹어야지. 다만 나는, 회담장에 들어가기 전…… 불현듯 시선을 느꼈다. 별로 곱지 않은 눈빛일 것이 분명한.

나는 시선을 보내오는 이의 정체를 알았다. 아델, 너 여기 있니?

내가 생각한 만큼의 위험은 아닐지언정 아델은 목숨을 걸고 나를 도왔다. 목숨 건 성의를 뿌리치는 건 미안한 일이 아닐 수 없다.

아델이라면 눈을 부릅뜨고 노려보면서, 왜 내 말을 따르지 않았느냐고, 왜 도망치지 않았느냐고 성내고 싶겠지.

비록 그의 말을 따르겠단 거짓말을 하진 않았더라도, 가책이 느껴졌다. 그의 심정이 어렴풋이나마 짐작 가기에.

어쩌면, 저기서 적으로 만나게 될지도 모르지. 그래도, 돌이킬 수 없는 게 있었다. 선택할 수밖에 없는 선택이 있었다.

그것이 나와 칼리스인인 아델 사이의 간극이었다.

부디, 서로에게 검을 겨누는 일 만큼은 피할 수 있기를.

기원하며 나는 회담장 안으로 발을 들였다. 드디어 수개월 동안 준비되었던 음모가 코앞까지 다가와 있었다.

나는 그걸 정면으로 물리칠 셈이었다.

*

회담장엔 제법 편안한 분위기가 흐르고 있었다. 곧 야파 왕이 들리란 언질을 받았을 테니, 마음이 놓일 만도 하다.

하긴 칼리스는 기본적으로 정복을 추구하는 국가다. 속국이 되고 싶지 않다면야 그들에게 협력할 일 없지.

원래라면 이 회담을 통해, 대칼리스 연합이 공고해질 만했다.

모두가 경계하는 칼리스에 대항하여 함께 대책을 세운다는 것. 각국에서 주요한 사절들을 끌어모으기엔 좋은 미끼였다.

왕이 오진 않았더라도, 참석한 것은 정식 왕위 계승권자나 대신들이 대부분이다. 그들을 잃는다면 혼란이 클 터. 칼리스의 노림수는 현재까진 주효했다.

우리 일행은 느긋한 척 들어서서 배정된 자리에 앉았다. 내부 구조는 원탁에 가까운 형태. 테이블마다 구역이 나누어져 그 자리에 한 나라의 일행이 다 같이 앉는 것이다.

대표로 말하는 건 그중 가장 앞 좌석의 사람이었다. 탁자엔 종이며 필기도구가 준비되어 있었다.

난 주변을 돌아보았다. 신성교국의 사절들은 우리와 정확히 반대에 위치하고 있었다.

내가 이카루스에게 오늘 있을 일에 대해서 신성교국 측에 다시금 당부해 두라고 이야기해 두긴 했지만, 그럴 짬이 나지 않았다. 이렇게 위치가 떨어져 있어서야.

불안감도 잠시, 난 마음을 달랬다. 히스칼로선, 어젯밤 내빼려는 시도를 하지 않은 이상 선택의 여지가 별로 없다.

여기서 목숨이 위태로운 건 나만이 아니었다. 성국 못지않게 신성교국도 표적이 될 테니 법황인 그가 무사할 수 있는 가장 좋은 방법은 우리와 협력하는 것.

멍청한 편은 아니니, 감정에 휘둘리진 않겠지. 난 저 너머에서 성자 같은 미소를 머금고 앉아 있는, 히스칼을 힐끔 보았다.

여유가 흐르되 읽을 수 없는 표정. 난 그에게서 시선을 거두었다. 곧 회담이 시작될 터였다.

모두가 들어앉고 나서, 바로 시작될 줄 알았던 회담은 조금 지연되었다. 왕이 거동이 편치 않은 탓에, 오는 데 시간이 좀 걸린다고 했다.

우리 일행은 서로가 서로에게 눈을 맞추며 초조하게 손끝으로 테이블을 두드렸다.

아마 바깥에선, 포위망이 작동하기 시작했을 터였다. 아직 호위 병력을 건들진 않을 것이다. 칼리스로서도 병력을 나눌 여력은 많지 않을 테고, 바깥에서 벌인 소란이 우리에게 닿으면 안 되니까.

"야파 왕께서 드십니다."

곧 우렁찬 외침이 울려 퍼지고, 나는 손을 굳게 움켜쥐었다. 침대 누워 있었던 야파 왕의 모습이 눈에 선했다.

중년의 나이에 이미 노인이 되어 버린 듯 마르고 쇠약한 몸. 전신이 저주에 잠식당한 기괴한 모습.

성녀인 내게도 본연의 두려움이라는 것이 느껴졌다.

하지만 나는 더 이상 비좁은 통로 안에서, 들킬지 몰라 숨을 죽인 채 지켜보고만 있었던 잠입자가 아니었다.

여기엔 우리 성국의 사람들이 있었고, 그들 앞에서 나는 두려움 모르는 성녀여야 했다.

모두가 지켜보는 가운데 홀 중앙으로 걸어 나오는 이들이 있었다. 휠체어를 탄 왕을 위시하여, 이 왕자 레가스와 호위기사, 시종들.

왕의 바로 뒤에서 휠체어를 끄는 그 인물의 얼굴을, 나는 똑똑히 보았다.

─아지스.

칼리스 왕속 특무단원이자 삼 왕자 아라곤에게 무자비하게 폭력을 행사했던 그.

그가 근거리에서 왕을 지키고 서 있었다. 잔인함은 강함을 돋보여 준다. 내 곁에 있는 카마엘이 그와 비할 수 없이 강할 게 분명함에도 온몸의 신경이 곤두서는 듯했다.

아마 그만이 아닐 터였다. 주변에 선 이들의 눈빛이 예사롭지 않았다. 비수를 품고 있는 듯이, 어딘지 날 서 있는 인물들.

아주 예민한 자들이나 알 만할 터. 이미 모든 진실을 알고 있는 나로선 그들의 정체를 쉽사리 꿰뚫어 볼 수 있었다.

그리고 왕.

"이 야파 왕국을 방문해 주신 귀빈들께 무한한 감사를 보내오."

휘황한 옷을 걸친 그가 휠체어 위에서 꾸벅 고개를 숙인다. 초점 없는 눈빛. 어딘지 어색한 몸짓.

그러나 세세히 뜯어보지 않는다면, 이상은 없어 보였다. 중년의 나이에도 불구하고 노인처럼 늙고 쇠약해 보이는 것도 여전하다. 하지만 그 역시 병을 앓고 있다는 점을 감안하면 크게 이상하진 않다.

······조종당하고 있는 건가. 흐릿하게나마, 그의 몸을 휘어 감은 미미한 마력. 아마 히스칼이라면, 나와 같은 걸 보았을 거다.

힐끔 보니 히스칼은 여전히 미소를 머금은 채, 잠잠하게 왕을 주시하고 있었다. 고개를 든 왕이 인사말을 이어갔다.

"지금, 우리는 위기에 빠져 있습니다. 공공연히 정복욕을 밝히며, 전란을 불러일으키는 저 무도한 왕국 칼리스에 의해서!"

아지스란 남자의 입가에 웃음기가 스쳤다. 실로 한 편의 희극이었다. 사방에 칼리스의 군사들을 두고 서서, 칼리스에 조종당하며 하는 말이 칼리스에 대한 비방이라니.

"그리하여 여러분, 이 몸은 결심했습니다. 야파 왕국을 위해서, 꿋꿋이 중립을 지켜 왔던 이전까지의 기조를 완전히 바꾸기로 말입니다. 나아가 여러분 칼리스에 대항할 각국의 사절들을 초대하여 한 자리에 모아, 연합을 구성할 것을."

모두가 박수를 치려고 손을 모으던 그때, 야파 왕의 눈에 사이한 빛이 감돌았다. 그의 목에서, 기괴한 음성이 흘러나왔다.

"하여 이 신성한 연합을 칼리스에 제물로 바쳐, 본 왕국의 무사 안녕을 추구할 것을!"

일순 정적이 흘렀다. 그리고 파도치듯 술렁임이 일었다.

"그, 무슨 소리입니까?"

농담이라고 말하길 원하는 양 숨죽인 질문이 튀어나왔다. 그러나 기대대로 되진 않았다.

심상치 않은 분위기 속에서 야파 왕을 둘러싼 이들이 일제히 검을 뽑아 들었다. 마치 야파 왕의 지시에 따르듯이.

"저항하는 자는 죽이고, 그렇지 않은 자는 사로잡아라!"

그 쇠약한 몸에서 어찌 그럴 수 있을까 싶을 만치 쩌렁쩌렁한 명령이 터져 나왔다. 즉시 왕속 특무단이 검을 든 채 움직이기 시작했다.

회담장엔 순식간에 폭풍 같은 혼란이 밀어닥쳤다. 바깥의 문이 열리고, 병사들이 쏟아져 들어와 사절단을 포위한다. 중심과 바깥쪽 양측에서 둘러싸는 형국이었다.

우리 일행은 기민하게 몸을 일으켜 모여 섰다. 이대로 신성 교국측이 사절들을 이끌어 주의를 모으면, 우리는 바로 야파 왕을 탈환한다.

나는 우리를 둘러싼 병사들을 돌아보았다. 우리는 신성한 월신의 권속들. 칼리스가 아닌 다른 왕국의 사람들은 감히 신의 권속들에게 검을 들이대지 않는다.

그렇기에 그들의 낯엔 이래도 되나 싶은, 불안이 서려 있었다.

"왕이 칼리스의 마법에 조종당하고 있는 거요! 이럴 수는 없소!"

어떤 이가 목청을 높여 예리하게 외치자, 병사들의 얼굴에 머뭇거림이 비쳤다.

그러나 이 왕자가 주저 없이 손을 들었다.

"명을 시행하라!"

담담해 보이는 얼굴. 이 왕자 레가스는 오로지 야파 왕의 목숨만 건지면, 정말 그걸로 족하다고 보는 건가. 칼리스가 약속을 지킬 거라고 봐?

이해할 수 없는 일이었다. 하지만 그의 속내를 추측해 보려고 시도할 여유가 없었다.

신의 권속들인 우리보단 타국의 사절이 편한 상대임은 틀림 없으리라.

따라서 먼저 표적이 된 것도 그들 쪽이었다. 바깥에서 무기를 강탈당한 무방비의 사절들. 병사들이 창날을 겨누고 포위를 좁혀 오자 새하얗게 질렸다.

그러나 여기서 사로잡힐 순 없다고 생각하는 이들도 많았다. 살아남는다고 한들 포로의 신세다. 상대가 칼리스라면 그건 죽음의 유예에 불과할 가능성이 높았다.

저항해 보려고 병사를 쓰러뜨리고 검을 뽑아 든 이가 왕속 특무단의 검에 처참하게 몸이 꿰뚫렸다. 퍽! 피가 튄다.

처음으로 겪는 전쟁과도 같은 상황 속에서, 난 휙 주변을 돌아보았다.

뭐 하는 거야? 신성교국 측에선 뭐 하고 있지? 대사제들을 보내서 사절들을 지키고 주의를 끌란 말이야!

그러나 내가 신성교국 쪽으로 고개를 옮겨, 돌아봤을 때 그들은 혼란에 사로잡혀 있었다. 다른 사절들과 마찬가지로. 아무것도 몰랐던 것처럼.

그 와중에도 법황을 지켜야 한단 의식만은 남았는지, 히스칼 주변을 에워싼 채로.

그리고 그 가운데서, 히스칼은 옅은 미소를 머금은 채 가만히 서 있었다. 그의 자줏빛 눈동자가 묘한 빛을 머금고 반짝이며 혼란한 회담장을 돌아보고 있었다.

이 회담장에서 무슨 일이 일어나든 저완 상관없다는 듯이, 흡사 구경꾼처럼.

나는 진심으로 그가 미워졌다. 그가 나를 미워하는 덴, 어떤 이유가 있을지 모른다고 생각했다. 그것이 이해할 수 없는 이유라도, 상처란 건 원래 그런 법이다. 제 안에 뚜렷하게 각인되는, 비이성적이나 강력한 동기.

그래서 난 히스칼에게 꽤 담담할 수 있었던 것 같다. 비뚤어진 애들은, 원래 심술이 좀 과한 법이니까.

하지만 이런 상황에서 나를 속이고, 또 그의 권속들을 아무 언질도 없이 사지로 몰아넣는 행태에, 치가 떨린다. 어떻게 이걸 즐길 수 있지? 어떻게 이게 즐거울 수 있지?

속아서 분한 것보단, 그에 대한 일말의 믿음마저 배신당했단 것이 더 뼈 아프다.

같은 신의 권속이자, 제 신을 대리하는 자로서, 그것은 배신이었다. 그는 지금 은연중에 칼리스의 편에 선 것이다.

히스칼이 침묵하는 상황에서 신성교국에서 행동하길 바랄 수 없었다. 우리끼리 뭔가를 해내야 했다.

"카마엘, 나를 호위해. 우리, 야파 왕에게로 가자."

대사제들이 좀 위험해지긴 하겠지만, 카마엘이라면 능히 나를 그 앞에 데려다 놓을 수 있을 것이다. 그간 성력을 쓸 일도 영 없었지.

평생 아끼고 살다 죽으라고 가지고 태어난 힘도 아닌데, 이참에 양껏 사용해 볼 테다!

"예."

대답하는 동시에, 카마엘의 손이 허공을 향해 들렸다. 빈손이
었다. 그리고 칼리스에선 빈손의 그가, 아무리 성국 제일의 성
기사 카마엘이라고 해도, 위협이 될 리 없다고 생각했을 터였
다.

그러나 파동처럼 퍼져 나가는 성력. 카마엘 앞에서, 균열이
일었다. 허공에 길게 그어진 금이 열리고, 공간을 뛰어넘어, 그
의 성검이 부름에 응하여 나타났다.

카마엘에게 귀속된 월신의 성검. 그 숨겨진 능력이 바로 그것
이었다. 어디에 있건 간에 언제든지 주인의 부름에 응해, 그에
게로 헌신하는 것.

"가시지요."

카마엘이 나를 안아 들었다. 나는 그의 목에 팔을 두르며 꽉
안겼다.

한 손을 쓰지 못하니 불편할 순 있겠지만, 필요한 일이다. 이
곳이 비록 월신의 성지는 아닐지라도 내가 가진 고유의 권능은
여전하다. 성력을 증폭시키는 것.

그 때문에 같은 공간에 있는 대사제들은 물론, 이렇게 바짝
붙어 있는 카마엘의 능력은 비약적으로 강해진다.

태양신의 권속들과 거리를 둔 자리인 게 이렇게 된 이상 더
좋았다. 바깥의 병사들이 몰려들기 전, 최대한 빠르게 움직여야
겠다.

"이카루스, 아리안느. 다른 사람들을 부탁해!"

"맡겨 주세요!"

"부디, 무사하시길."

가호 속에서, 카마엘이 몸을 날렸다. 그의 검은 익히 들어온 바와 같이 무자비하다. 때문에 내가 보게 될 광경이 유쾌하지는 않으리란 각오는 했다.

야파 왕은 아직, 이 회담장 안에 있었다. 카마엘은 가벼운 몸놀림으로 몇 명의 왕속 특무단원들을 제쳤다. 아마 되도록, 내게 피를 보이지 않겠단 심산일 것이다.

카마엘이 지나간 허공에 뒤늦게 검이 흘러 닥쳐, 서로 맞부딪쳤다. 카강!

확실히 카마엘의 행동은 위협적일 만치 빨랐다. 퍼져 나가 사절들을 압박하던 특무단원들이 카마엘에게로 이목을 집중하는 게 느껴졌다.

다수가 포위를 형성하면, 카마엘도 더 이상 전투를 피할 수 없을 것이다.

활짝 열린 문으로 외부의 병력들이 밀려들고 있었다. 하나같이 중무장한 이들이다.

병사들, 그리고 대기 중이었던 왕속 특무단원들. 여기에 있는 이들이 왕속 특무단원 전부는 아닐 테지.

저 앞에, 왕이 보였다. 나는 성력을 끌어올렸다. 내가 그의 저주를 풀 수 있는진 알 수 없다. 풀지 못한다면 내 시도로 인해, 왕은 죽을 가능성이 높다.

그렇다고 하더라도, 시도를 하지 않을 수 없다. 어떤 위험한 수술이라도, 죽음 앞에선 감수해야 하는 것처럼.

저주에 지배당해 시체처럼 살다가 조금 늦추어진 죽음을 맞는 것보단 야파 왕에게도 이편이 낫겠지.

개똥밭에서 굴러도 저승보단 이승이 낫다지만, 모든 사람에게 그런 건 아니니.

나는 마음을 다졌다. 그토록 강력한 저주를 풀려면 굳건한 마음으로 흔들림 없이 성력을 사용해야만 할 테다.

내 의지가 단단하지 못하다면, 저주의 위세를 넘기 어려울 거고 그럼 저주를 풀 가능성은 더 낮아진다.

그때 다리를 고쳤던 것처럼, 나는 아마 자연스레 방법을 알 테지.

실패할 거란 예감이 들진 않았다. 내 무한한 긍정성 덕일지도 모르지만, 난 내 느낌을 믿어 보기로 했다.

캉! 눈앞에서 쇄도해오는 검을 카마엘이 막아 냈다. 중요한 인질이니 야파 왕을 지키는 자들은 여전히 남아 있었다.

잠깐 멈춰선 사이, 카마엘을 놓친 자들이 등 뒤에서 따라붙었다. 이대로는 포위당한다.

"카마엘."

나는 그의 이름을 불렀다. 그것은, 검을 휘둘러도 좋단 허락. 순백의 의상을 입었다고 해서, 피를 보지 않고 살겠다고 주장할 수는 없는 법이었다. 나는 감내할 자신이 있었다. 날 안아 든 카마엘의 손에 힘이 들어갔다. 그리고—

파삿. 일순 바람이 후려친 것 같았다. 지독하게 빠른 움직임이라, 대기의 압박감이 몸을 짓눌렀다. 그의 검이 뭔가에 걸리는 듯한 느낌이 들었다. 그러나 저항은 크지 않았다.

그래, 일개 인간의 피부가 아무리 단단하다고 한들 칼날을 막아내겠는가. 부드러운 두부를 가르는 듯한 아주 작은 저항감.

왕속 특무단원 두 명이 피를 쏟으며 바닥으로 쓰러졌다. 무시무시한 검이었다. 난 살짝 몸을 떨었다. 카마엘이 낯선 사람처럼 느껴졌다.

세상에, 우리 카마엘이 이런 요정이었어! 완전 세고, 완전 과감하고, 완전 무자비한!

호흡을 고르는지 그가 찰나처럼 정지했다. 그러나 단순히 엇박자 공격이었던 것 같다. 그의 검이 다시 움직이기 시작했다.

투콱, 서걱. 모골이 송연했다. 온갖 섬뜩한 소리와 함께 바닥이며 땅이, 피로 물들었다. 놀랍게도 내겐 피가 튀지 않았지만……

난 뭐 하고 있었느냐고? 카마엘에게 성력을 부여하고 있었지. 충전기처럼!

……라기보단, 사실 난 잔뜩 얼어붙은 채 카마엘에게 매달려 떨어지지 않으려고 안간힘을 쓰고 있었다.

아주 위험한 놀이기구에 벨트 하나만 매고 매달린 기분이다. 엄마야!

신성교국의 도움을 빌 필요가 없었다. 카마엘은 그야말로 일당백이었다. 그 기세가 대단하여 여기저기로 흩어져 있던 왕속 특무단원들이 일제히 이쪽으로 몰려들었다.

공기가 팽팽하게 조여든다. 그 하나의 움직임으로, 심지어 수세에 몰렸던 분위기가 반전된 것 같았다. 수세에 몰린 건 칼리스 쪽인 양.

그 무심한 얼굴로 적들을 참살하는 카마엘은 실로 은빛의 사신이었다.

"카마엘, 나를."

아무리 그라도 무한히 싸우는 건 불가하다. 왕속 특무단원들이 죄다 이쪽에 몰려서 여유가 좀 난다더라도. 병사들이 계속 밀려드는 이 상황에서, 저쪽 대사제들이 버티는 데도 한계가 있었다.

그러니, 길을 열어. 내가 야파 왕에게로 갈 수 있도록. 난 아기 코알라처럼 카마엘을 꼭 잡고 있던 손을 놓을 준비를 했다.

카마엘은 강하지만, 나 역시도 강하다. 그건 분명히 그의 강함과는 다른 것이지만, 나는 내 역할을 해야만 했다.

"카마엘."

내 속삭임에, 카마엘은 잠시 머뭇거렸다. 내가 뭘 말하는지는 알아챘을 터. 성기사인 그의 입장에서 수호대상인 나를 떼어 놓는다는 건, 실행하기 어려운 일이리라. 그러나 해야만 하는 상황이었다.

점차 화살이 쏟아지듯이, 카마엘을 향한 공격이 늘어갔다. 물론, 그건 나를 향한 공격이기도 했다.

내가 성력을 보태고 있다지만, 이렇게 계속 날 안고 싸우는 자체가 움직임이 제한되는 일.

이윽고 그가, 결단을 내렸다. 검을 쳐든 카마엘이 한순간에 성력을 끌어모았다. 그의 검에 하얀빛이 눈부시게 폭사 되었다. 흡사 깜깜한 밤에 내리는 만월의 빛처럼.

모든 삿된 것을 사르는 힘. 또한 시야를 제압하여, 길을 만들어 낸다.

왕으로 향하는 길을 가로막고 있던 왕속 특무단원들이 일순 눈멀고 마비되었다. 카마엘은 빠르게 그들을 돌파하며, 멈춰선 즉시 나를 놓아 힘껏 앞으로 밀었다.

"가십시오."

짤막한 한 마디를 뱉은 채, 그는 내 등 뒤를 지켰다. 다행히 나도 우당탕 쿵쾅하며 넘어지진 않았다. 내게도 순발력이 좀 있었나 보다.

난 벽찰 만큼 거세게 땅에 발을 디디며 반동을 받아 앞으로 뛰어나갔다. 그래, 나를 육상꿈나무라 생각하고, 눈앞에 있는 건 트랙이야. 활주로를 달리는 비행기처럼!

그러나 내 상상력이 그리 풍부하진 않았다. 정확히는, 꿈속에서 날 깨어나게 만드는 어떤 인물이 있었다. 누군가가 내 앞을 가로막았다.

난 충돌을 피하기 위해, 브레이크를 콱 밟은 차처럼 그 자리에 가까스로 멈춰 섰다.

"어디를 가십니까."

싱긋 웃는 얼굴로 날 막아서는 그, 아지스라고 했었지.

"나, 너를 본 적 있어."

물론 본 적이 있다. 비밀통로에서 숨죽인 채, 그가 삼 왕자를 고기 다지듯 두들겨 패는 걸 바라만 봤으니까. 폭력범! 그쯤 되면 살인미수라고 해도 족하다.

"저도 기억이 나는군요. 이보다 어리셨던 성녀님이."

"그래? 그럼 옛 기억을 반추하여 길을 비켜 주겠어?"

안 비키면 내가 때린다. 물론 맨손으로 때리면 내가 아플 테니까, 성력으로!

그러나 남자는 느긋하리만치 미소를 머금은 채로, 그 자리에 서서 검에 손을 올려놓았다.

"그건 제 기억에게 미안해야 할 일이군요."

어? 이 작은 소녀를 베려는 거야? 역시 악독한 놈이었어!

"저는 당신이 마음이 듭니다만, 아무래도 당신을 상대하는 게 제 일인 것 같군요."

건방지게 칼리스 놈이 이 성녀님을 품평하듯 마음에 든다 만 다 하는 거야? 자기가 뭔데 그래? 아차, 너무 권위적인 생각을 해 버렸네.

근데 내가…… 이길 수 있겠지? 난 조금 불안해진 채 눈앞의 왕속 특무단원을 쳐다보았다.

어차피 왕을 치료하려면, 정신을 집중할 수 있어야만 한다. 다른 왕속 특무단원들은 카마엘이 막아선다 쳐도 지금 앞에 있는 이자만은 내가 처리해야 했다.

신성력은 마법을 사르는 법이니. 눈앞에서 타죽지 않도록 조절할 수 있는진 모르겠지만, 적어도 제압할 순 있을 거다. 난 손을 쳐들었다.

그 순간이었다.

"이 아이, 죽어도 상관없는 목숨은 아닐 테지."

나직이 들려온 그 목소리에, 남자의 얼굴에 곤혹이 서렸다. 아지스란 자가 뒤로 고개를 돌렸다. 뭐야, 날 두고 방심하는 거야?

뒤통수를 확 때려 버릴까 싶었지만, 뭔가 싶어서 본 나도 그 광경에 정신을 빼앗겼다.

"이런……."

낭패 어린 음성이 아지스의 입에서 흘렀다. 침묵하고 왕의 곁을 지키고만 있던, 이 왕자 레가스가 움직인 것이다. 그는 복면을 쓴 한 소년을 손아귀에 넣고, 목에 칼을 겨누고 있었다.

목울대에 바짝 붙은 칼날이 날카로운 빛을 반사한다. 조금만 힘을 주면, 생명을 잘라낼 듯이.

그리고 그의 손아귀에 잡힌 그 소년은, 내가 익히 아는 이였다. 아델!

"아델 님."

아지스가 자그맣게 중얼거렸다. 난 내가 그의 이름을 불러 버린 줄 알고 입가를 감쌌다.

아니, 이거 뭐야. 아델이 왜 저기 잡혀 있는 거야? 아까 회담장에 들어올 때 그의 시선을 느끼긴 했지만, 정말 예상한 적 없는 상황이었다.

"부왕께 걸린 저주를 발동시킬 수 있는 건 저주를 건 자. 그리고 아이나 여자를 위해 만들어진 그 비좁은 비밀통로를 통과하여 저주를 걸 수 있었던 건, 이 아이뿐이었을 것이다. 아마 저주를 푸는 방법 따윈 없겠지."

똑똑하잖아? 난 눈을 휘둥그레 떴다. 그는 부왕을 위한다지만, 파멸로 향해 가는 길인 걸 알면서도 칼리스의 말에 순순히 따르고만 있었다. 그래서 바보가 아닌가 조금 무례한 생각을 해 버린 참이었다.

그런데, 레가스는 그 나름대로 꿍꿍이가 있었던 것 같다. 그저 부왕의 안전만을 생각하는 것처럼, 숨죽이고 있다가 움직일 기회를 보아서—

"성녀님께 길을 비켜라."

아지스가 신경질적으로 혀를 찼다.

"⋯⋯나 참, 생각해 보시지요. 성녀가 저주를 푼다면 그 시점부터 저주를 건 사람이 무슨 소용이 있을 것 같습니까. 어리석은 짓을!"

성녀님이라고 부르란 말이야! 확 정강이를 걷어차 보려던 난 자제키로 했다. 아직 대화가 이어지고 있었다.

"이 아이가 중요치 않다고 말하지 말라. 네게 선택권은 없다. 나는 그간 왕속 특무단원들이 이 아이를 어떤 식으로 대하는지 보아 왔다. 이 아이는—"

"아지스, 그녀를 보내."

이 왕자의 말을 자르고, 사로잡힌 소년에게서 명령이 떨어졌다. 앳되나 분명한 음성. 아델. 틀림없이 그였다! 아는 척할 수 없는 상황이라는 게 유감스럽지만 말이다.

아지스가 한숨을 푹 내쉬었다.

"거기서 그렇게 말씀을 하시면 어떡하냔 말입니까. 왜 왕자나부랭이에게 사로잡히셔선."

만담이라도 하듯 긴장감 없이 말한다. 난 그가 원래 그런 성격일 거란 데 확신을 얻었다. 아델이 고개를 들며 대꾸했다.

"어서."

감히, 내 말에 항명을 하느냐 투였다. 아지스란 남자는 아델의 목숨이 걸려 있든, 그렇지 않든 대단히 내키지 않는 듯이 굴었다.

"아아— 잘 되어 가고 있었는데 이런 변수가."

가벼워 보일 만치 과장되게 한탄해 보인 그는 양손을 들어 보이며 옆으로 물러섰다. 그리고 날 향해 친근하게 말했다.

"가시지요."

손바닥까지 펴서 안내하는 시늉을 하는 게, 진지함이라곤 한 스푼도 가지고 있지 못한 것 같다.

그를 힐끔 본 난 대꾸하지 않고 걸음을 옮겼다. 긴장한 채로 이 왕자의 앞으로 다가섰다.

가까워질수록, 자연스레 의식이 되었다. 복면 속에서도 뚜렷하게 드러나는 파란 눈. 밤바다처럼 깊고, 진귀한 보석 같은 깊은 두 눈이 나를 똑바로 바라보고 있었다.

나는 입술을 달싹였다. 말을 걸고 싶었다. 그가 사로잡힌 게, 결코 실수일 리 없단 걸 알기에. 그래, 아델은, 결코 방심하지 않는 소년이었으니까.

내가 행동하게 된 이유 중 한 자리를 강렬하게 차지하고 있는 건, 아주 사적인 동기였다.

나는 아델의 손에 피를 묻히기 싫었다. 그가 저주를 걸어 왕이 죽는다면, 그건 아델이 왕을 살해한 것과 다르지 않다.

분명히 아델은, 이미 손이 깨끗하진 않을 거다. 내가 보지 못한 곳에서, 어쩌면 내가 예상한 것보다 일찍 누군가를 해치는 일을 시작했을지도 모르지.

하지만 그래도, 나는 거기에 묻을 단 한 방울의 피라도 덜고 싶었다.

그게 아델의 임무를 망치는 일일지라도.

하지만 아델은 더했다. 어떤 위험을 감수하고서라도, 심지어 그게 스스로 사로잡혀 목숨을 위협당하는 일일지라도, 그는 그래야만 했던 것이다. 날 위해서.

그가 버리지 못하는 칼리스를 위해서가 아니라, 내가 무사하길 바라서. 그의 임무를 망치면서까지도.

그 마음에 가슴 한구석이 따뜻해진다. 미안하면서도 안타깝다. 나는 장난처럼 네게 손을 내밀었을 뿐인데, 네가 내게 새겨진 이상으로 너는 나를 깊숙이 새겨 넣었구나.

흡사 눈의 여왕 성에 초대받은 유일한 소년, 카이가 된 기분이다. 아니면 난 카이를 녹인 유일한 소녀, 겔다일까.

이 왕자 레가스 앞에 다다른 난, 작은 소리로 속삭였다.

"비록 칼리스인이지만 아이잖아. 해하지 않았으면 좋겠어."

나는 정말, 그가 아델의 목을 베기라도 할까 봐 무척 신경이 쓰였다. 엄청 불안하다고!

"성녀님께서, 부왕을 치료해 주시는 것만으로 제 원한은 잊힐 겁니다."

"……내가 꼭, 치료할 수 있을진 몰라."

할 수 있을 거라고 생각은 하는데, 나보다 몇 살 더 먹고 성력도 비슷한 히스칼도 자신 없어 하던걸. 물론 걔는 할 수 있어도 못한다고 말했을 상이지만. 새삼 떠올리니 속이 또 끓네!

어쨌든 히스칼은, 아델과 다른 의미로 내게 열을 보태는 소년이었다.

"압니다. 그렇게 된다면, 부디 부왕께 축복을. 영원한 안식을 주십시오."

스쳐 지나가려던 난 흠칫, 레가스를 똑바로 쳐다보았다. 무표정한 얼굴이었다. 언뜻 슬픔이 서린, 그러나 결연한.

"살릴 수 없을 가능성이 높다고 생각했습니다. 하지만 제가 칼리스의 의도에 따랐던 것은, 부왕을 살리기 위함이 아닙니다."

그렇다면, 그는 왜 이 자리까지 칼리스의 의도대로 움직였는가. 퍼뜩, 그 답을 알 것 같았다.

여기, 모두가 볼 수 있는 이 자리에서. 명명백백하게 야파 왕이 죽음을 맞이하게 한다. 그것이 그의 손이든, 다른 누군가의 손이든.

부왕의 죽음을 만천하에 알리고, 동시에 그것이 칼리스의 소행임을 밝힘으로써 병사들에 대한 통제권을 얻는다. 그리하여 야파 병사들로 하여금 칼리스의 왕속 특무단을 제거토록 한다.

"제가 위험해진다면, 제 다음엔 아라곤이 있습니다."

그래, 그 과정에서 이 왕자 레가스가 살해당한다면 다음 왕위 계승권자인 아라곤이 명령권을 갖는다. 두들겨 맞긴 했어도, 목숨은 보전한 터였다.

"당신."

난 놀란 눈으로 레가스를 응시했다. 그가 희미한 미소를 머금었다.

"중립은 일방의 압력에 굴복하는 나라가 표방할 수 있는 게 아닙니다."

국가의 존속을 위협하는 공적 칼리스를 상대로 했기에 오래된 중립의 기치를 버렸을 뿐. 야파는 그런 나라였다.

이 왕자의 계획이 이제야 손에 잡힐 듯이 읽혔다. 이 일을 통해 치솟은 위기감으로 대칼리스 연합을 공고히 한다. 그것이 왕을 잃은 야파의 복수인가.

"……힘내."

무거운 마음에 위로를 던진 난 빠르게 몸을 움직였다. 아델이 인질로 잡혔으므로 왕속 특무단원들 역시 아지스의 손짓에 따라 더 이상 함부로 움직이지 못하고 있었다.

카마엘도 그들과 경계하고 서기만 하면 되었으므로, 한결 편해졌고 이제 내 역할만이 남았다.

왕은 홀로 남아 있었다. 그러나 인질을 붙잡아 내려앉은 평화가 순탄히 지속될 리 없었기에 서둘러야 했다.

언뜻 보기에, 아까까지만 해도 고함을 지르던 왕은 휠체어 위에 잠들어 있는 것처럼 보였다. 내가 가까이 다가가자, 내 존재에 감응하듯 그가 돌연 눈을 떴다.

"성녀!"

쾌직! 난 정말, 소스라치게 놀랐다. 귀청 떨어질 듯한 소리와 함께 후려치듯 내 쪽으로 뻗은 손이, 신성 결계를 강타한다.

자연스레 뻗어 나온 성력이 날 보호하지 않았다면, 난 그 손에 얼굴을 잡아 뜯겼을 거다.

악마가 들린 것처럼 흉악하게 일그러진 얼굴. 연기가 날 듯한 이상한 색의 침이 뚝뚝 흘렀다.

나를 증오하고, 두려워하고 있었다. 내 존재를, 내 힘을. 누구도 그를 조종하고 있지 않음에도, 내 존재가 저주를 예민하게 일깨웠다.

짐승처럼 울부짖으며 왕이 내 결계를 쾅쾅 후려쳤다. 그 기세가 지독히도 사나워 대기가 떨렸다.

그 모습을 보면서 난 어땠느냐고? 당연히, 기가 질렸다. 근데 놀랍도록 두렵지 않았다. 최후의 발악에 불과할 뿐이다.

난 곧 사그라질 어둠을 바라보듯 그를 지그시 응시했다. 그리고 눈앞의 저주에 사로잡힌 노인을 향해 손을 뻗었다.

"크아아아악!"

비명과 함께 휠체어가 부서질 듯이 뒤로 젖혀졌다. 그러나 도망칠 순 없다. 내게서 뻗어 나온 월신의 성력이 그의 사지를 옥

죄었다. 얇게 깔린 내 성력이 그를 투명한 벽처럼 가두었다.

무수한 뱀이 천 아래서 꿈틀거리듯이 저주가 요동쳤다. 난 이맛살을 찌푸렸다. 외국에서 이렇게 강력한 힘을 쓰게 될진 몰랐는데.

"야파 왕, 당신도 살고 싶겠지."

영성을 띤 내 목소리가 노인에게로 흘러들었다. 선불 맞은 듯그가 몸을 파르르 떨었다.

초점이 흐려진다. 내부에서, 잠들어 있던 정신이 내 목소리를들었다.

"그렇다면 나를 도와."

그리고 그 즉시, 야파 왕은 육신을 수복하기 위해 전쟁을 시작했다.

나는 성력을 그에게 부어 넣으며 성가를 읊조렸다. 새가 재잘대는 듯이, 유리를 떨어 울리듯이, 내 귀에 그리 들렸다.

가느다랗고 앳된 목소리로 흘러나오는 그 음계 하나하나에,힘이 깃들어 있었다.

영혼과 공명하듯 파동이 일었다. 월신의 성력은 삿된 것을 불사르는 과격하고 열화와 같은 힘이 아니다. 도리어 부드럽고,은은하여 깊숙이 파고든다.

그리고 그것이 저주에 잠식된 몸에서 생명력을 일깨웠다.

나는 눈을 들었다. 저항을 멈춘 노인은 흐릿한 눈으로 멍하니날 응시하고 있었다. 그의 눈 속에서 나는, 은은한 빛에 휩싸여있었다. 내 눈에 맺힌 금빛이 이슬처럼 반짝였다.

시간을 역행하듯, 노화가 일어난 몸이 젊음을 되찾기 시작한다. 저주가 해소되며 저주에 걸리기 전으로, 육체가 회귀하는 것이다.

하아. 나는 숨을 깊게 내쉬며 곧 손을 거두어 냈다. 노인의 눈은 굳게 감겨 있었다. 발악했던 것이 언제냐는 듯이, 그에게선 고른 숨소리만이 들려왔다. 저주가 파훼 된 것이다.

어느덧 내 등은 땀으로 젖어 있었다. 성력을 얼마나 퍼부어야 할지 몰랐기에, 또 그리 세밀하게 조절하는 것은 아직 무리였기에 과하게 힘을 쓰게 된 것 같다.

손끝이 부르르 떨렸다. 확실히, 풀 방법을 찾지 못할 만한 강력한 저주였다. 엄밀히 말해 나는 저주를 푼 것이 아니다. 저주를 없앤 거지.

기력이 쇠했지만, 이젠 목숨에 지장은 없을 터. 나는 그를 두고 뒤를 돌아보았다. 왕에게 걸린 저주가 사라졌노라고 말하기 위해서. 그 순간, 내 눈앞에 보인 것은—

"큭!"

어떻게 했는지, 아델이 이 왕자의 품에서 빠져나오고 있었다. 이 왕자 레가스는 신음과 함께 한 손으로 다른 손을 움켜쥐었다. 이쪽으로 정신이 팔린 새 벗어난 건가? 날듯이 달려가는 아델의 뒷모습을 난 시선으로 쫓았다.

그래, 이제 도망가. 아델! 그가 무사하단 사실에 조금, 안도하는 마음이 찾아들려는 참이었다.

—콰직.

소름 끼치는 소리가 들렸다. 뭔가 날카로운 것이, 꿰뚫는 듯한. 난 흠칫 몸을 떨었다. 내가 잠시 시선을 뗀 사이, 누군가가 이 왕자를 공격한 것이다. 어느새 이 왕자에게 거리를 좁힌 아지스가.

그자가 냉혹한 눈으로 쓰러지는 육신을 내려다봤다. 뽑아 든 검이 온통 피로 젖어 있었다. 정확히, 등 뒤에서 심장을 꿰뚫었다. 이 왕자의 눈은 이미 초점을 잃었다. 바닥이 온통 피로 흥건했다.

섬뜩함이 일시에 나를 꿰뚫는다. 이 왕자, 레가스는 죽었다. 아지스가 이 왕자의 시신을 놓아둔 채로 깔끔하게 등을 돌렸다. 흡사 마땅한 징벌을 내린 듯한 태도였다.

……지금 내게 두 번째의 기적이 가능한가는 둘째 치고, 내게도 죽은 사람을 살리는 재주는 없다.

나는 왕에게서 떨어져 이 왕자에게 달려갈 수는 없단 걸 알아차렸다. 또 누군가가 기껏 살려 낸 왕을 해할지도 몰랐으므로. 난 서서 어깨를 감싸 안았다.

저 멀리, 아델이 나를 흘깃 돌아보았다. 찰나와 같이 시선이 마주쳤다고 생각했다. 그러나 그는 곧 등을 돌려 저편으로 사라져 갔다. 내게 화가 나 있을까.

그대로 나는 그 자리에서 눈을 감았다가, 떴다. 지쳐서 노곤노곤해진 몸에 한기와 열기가 빠르게 교차한다.

복잡하디 복잡한 감정이 색색의 실처럼 내 안에서 뒤엉켰다. 아델의 도주에 마냥 안도할 수 없어졌다는 건, 달갑지 않은 사실이었다.

나는 단순한 성녀님이고 싶었는데, 세상은 내가 원하는 대로 살게 해 주지 않는구나.

특무단원들이 물러가자, 카마엘이 내 앞으로 다가왔다. 험난한 전투를 치러낸 듯 상처는 없었지만, 그토록 흐트러진 모습의 그를 본 건 처음이었다. 머리카락도, 옷도 엉망이다.

카마엘은, 심지어 내가 태어나서 본 중 처음으로 지친 것처럼 보였다. 하긴 나 역시, 좀 지쳤다.

"무사하십니까."

"그래, 내가 저주를 풀었어."

칭찬을 바라고 한 말이 아니다. 하지만 카마엘은 기다렸다는 듯이 말했다.

"잘하셨습니다."

그 선선한 응답이, 어쩐지 마음을 위로해 주는 듯이 느껴졌다.

"왕은 아직 의식을 차리지 못했어. 회복할 시간이 더 필요할 거야. 왕속 특무단원들이 물러나는 듯하니, 이제 야파 병사들을 멈추게 해야 해."

카마엘의 시선이 야파 왕을 향했다. 그 눈빛이 꼭……. 야파 왕의 목에 칼을 들이대고 병사들을 겁박하는 게 좋겠다고 판단한 것 같았다.

하긴, 그게 가장 효율적이긴 하지. 이 왕자 레가스가 살아 있었다면 바로 이 사태를 중단시켰을 텐데.

"전투를 중단하라!"

절묘하게 우렁찬 외침이 저편에서 터져 나왔다. 회담장 문을 박차고, 들어온 한 인물이 보였다.

그새 치료를 받았는지, 삼 왕자 아라곤이 제법 멀쩡한 모습으로 병사들을 이끌고 회담장 안으로 들어오고 있었다.

칼리스의 감시를 받고 있었을 그가 여기 나타난 건, 이 왕자 레가스의 안배인가. 마음이 씁쓸하다. 정작 그는, 죽었는걸.

"당장 멈추라 하지 않았나!"

저항하고 있는 사절 한 명을 우르르 포박하던 병사들을, 삼 왕자가 분노를 발하며 저지했다.

"왕의 명입니다!"

"왕께선 칼리스의 저주에 조종당하고 계시다!"

술렁임이 일었다. 아주 적극적이지 않으면서도 수적 우세를 내세워 사절들을 몰아세웠던 병사들의 행동이 바로 정지했다.

당연한 일이다. 사람이면, 자신들의 왕이 법황과 성녀가 포함된 사절단들을 공격하라고 시킨 것에 의문을 품지 않을 리 없다. 야파 왕은, 이제껏 그런 식의 적대적인 행각을 그 어떤 나라를 상대로도 벌여 본 적이 없으니까.

"저주는 풀렸고, 야파 왕은 여기에 계시다."

카마엘이 나직이 말했다. 그의 음성이, 힘을 싣고 울려 퍼진다. 은은한 빛을 품은 검이 하늘을 향해 치들렸다.

칠흑 같은 밤, 창공의 달로부터 인도의 빛이 내리듯 성스러운 모습이었다. 성검을 들고 선, 그는 신의 기사.

모두의 시선이 카마엘을 바라본다. 그리고 이어 나와, 내 곁에 있는 왕에게 이른다. 병사들이 서서히 병장기를 내렸다. 급박하게 돌아가던 상황이 느슨해진 실처럼 풀어진다.

나는 그들 틈 사이에서 내 일행들을 찾아보았다. 칼리스의 정예를 상대하는 거라 걱정을 좀 했는데. 카마엘이 충분히 시선을 끌어준 덕에, 다행히 모두 멀쩡한 것 같았다.

야파의 삼 왕자 아라곤이, 이리로 다가오다 쓰러진 제 형을 발견하곤 비통하게 외쳤다.

"레가스!"

"칼리스의 왕속 특무단이 이 왕자를 살해했소."

카마엘은 담담하게 사실을 고했다. 믿기지 않은 듯이 레가스의 몸을 받쳐 들던 아라곤이 땅을 내려쳤다.

쾅, 쾅. 주먹이 깨질 듯이 내려친다. 으아아— 짐승 같은 괴성이 잇따랐다. 우애가 두터운 형제였나.

옅은 죄책감이 피어오른다. 내가 조금만 더, 긴장을 놓지 않고 있었더라면 그를 구할 수 있었을까?

"칼리스!"

피를 토하는 듯한 음성이었다. 철천지원수를 향한다 해도, 부족함 없이 절절한.

"왕께서는 무사하시오."

몸을 일으켜 다가오는 아라곤의 눈동자가 붉었다. 잔뜩 충혈되어, 분노가 넘실거린다. 그러나 그는 침착한 음성으로 말했다.

"……고맙소."

"우선 이곳을 정리하는 편이 좋겠소."

그러면 당장에라도 칼리스의 뒤를 쫓고 싶겠지만, 그보다 이곳 상황을 수습하는 게 급선무였다. 많은 사람이 다치고 죽었다. 사방엔 온통 피비린내며 철 내음이 진동했다.

내가 담대해진 건지 원래 그랬던 건지 여기 서 있는 것이 못 견딜 만큼 끔찍하게 느껴지진 않았다. 하지만 좀 피곤한걸.

그러나 삼 왕자가 부왕의 신변을 확보하고, 막 병사들에게 명을 내리려던 순간이었다.

콰광! 유성이 떨어져 외벽을 강타한 듯 건물이 흔들렸다. 전달된 충격에 골이 다 흔들린다. 진도 10의 지진이라도 발생한 양 바닥이 쩌적 갈라졌다. 난 몸을 가누기 어려워 비틀거렸다.

카마엘이 빠르게 다가와 날 붙잡았다. 이건 뭐지? 저주의 여파 덕에, 은은한 마력의 자취가 남아 있었던 천장이며 바닥에서, 온통 불길한 기운이 피어올랐다. 마법인가.

그리고 그 마법이 뜻하는 바는―

"붕괴한다!"

누가 그리 외쳤고, 입구에 가까이 위치한 이들이 먼저 달렸다. 그러나 소름 끼치는 소리를 내며, 입구 쪽 천장이 무너져 내렸다. 콰직. 순식간에 육신이 뭉개지고 몇 명의 목숨이 달아났다.

한순간에 붕괴시키는 것이 아니라 점차 건물을 흔들어 무너뜨리는, 과히 마력이 들지 않으나 정교한 마법이다. 이런 게 설치되었는지, 눈치 못 챘을 법도 하다.

"카마엘, 나를 지켜 줘."

두 번째 기적이 필요한 시점이었다. 내 몸의 안전은 카마엘에게 맡기기로 한 난 손을 쳐들었다. 이 거대한 건물이 무너져 내리는 압력은 상상을 초월하는 힘이다. 하지만 그 이상의 상상을 초월하는 힘이 내겐 내재되어 있었다.

내 어린 몸이 이 두 번째를 얼마나 버텨 낼 수 있을진 모르겠지만, 할 일은 해야지. 할 수 있다고 믿는다면 할 수 있다! 나는 무한긍정의 마음가짐을 되뇌며 성력을 끌어올렸다. 그리고 건물 전체로 퍼뜨려 칼리스의 마법을 흩어 내기 시작했다.

이 마법만 어떻게 한다면, 회담장의 완전한 붕괴는 막을 수 있을 거다.

전신에서 흘러나오는 성력으로, 눈앞이 환했다. 아마 나는 빛의 근원처럼 온통 반짝반짝 빛나고 있을 거다.

이왕 이렇게 된 거 천사처럼 보이면 좋을 텐데. 머리와 심장이 타버릴 것처럼 온몸에 열이 올랐다.

아까 전 말라 버렸던 우물에서, 수원을 파고들어 억지로 물을 끌어내는 것이다. 당연히, 힘들다. 힘들어! 말 걸지 마!

정신을 집중하던 내 시야에, 문득 하얀 형체가 눈에 들어왔다. 본능적으로, 나를 도울 만한 능력을 가진 이를 찾았던 걸까. 히스칼이었다.

순결한 눈밭처럼 새하얀 옷을 입고, 여전히 여유로운 얼굴로 관조하듯 서 있는 그.

……도움을 바라면, 내가 최선을 다할 수 없다. 게다가 저건 히스칼이었다. 에스텔, 이 바보야! 쟤한테 뭘 바라는 거야?

이 일이 끝나면, 그 펜던트도, 그가 다 알면서도 돕지 않은 거도 카피토라는 대사제에게 다 일러 버리겠다고 다짐하며 난 히스칼을 무시한 채 눈을 내리감았다.

나쁜 자식, 길 가다가 벼락이나 맞아라!

대사제들도 한껏 성력을 끌어올려 내게 힘을 보태고 있는지, 사방에서 밀려드는 성력이 느껴졌다. 그러던 어느 순간, 몸이 으스러질 듯이 아파 왔다. 뼈가 갈리는 듯이. 난 일순 집중력을 잃었고, 파훼하고 있던 칼리스의 마법이 그 반향으로 내게 몰려드는 것을 느꼈다.

엄마, 이제 이다음은 피를 토하며 나뒹구는 거야? 난 눈을 질끈 감았다. 그런데,

"어, 어라?"

난 서서히 눈을 들었다. 내게 해일처럼 닥치던 마력이 말끔히, 가로막혀 부서지고 있었다. 그리고 내 앞엔 어느덧, 그가 서 있었다.

"히스칼."

난 정말로 놀랐다. 그래서 눈을 휘둥그레 뜬 채 그를 올려다보았다. 무표정한 얼굴로, 전신 가득히 흡사 태양이 된 것처럼 온통 휘황한 금빛을 두르고 선 히스칼을.

확실히 세월은 허투루 먹은 게 아닌지, 나보다 더 능숙하다. 그의 힘이 칼리스의 마법을 흩어 내며 이곳 회담장을 지탱하고

있었다. 둥글게 퍼져 나가는 성력의 파동이, 엉망진창이 된 대기를 안정시키며 그 모든 영향을 가라앉힌다.

이렇게나 강하면서, 정말 마지막의 마지막이 되어서야 나서는구나! 내가 쓰러져 버리면 어찌 될지 모르니, 그의 안전이 걱정되었던 걸까? 공을 가로채려고? 도와줘서 고맙긴커녕 의심이 마구마구 피어오른다. 나는 순수하게 도움을 받아들이는 사람이었는데! 네가 나를 의심병에 걸리게 했어!

……어쨌든 힘들 때 도와준 건 도와준 거니까. 마지못해 도와줘서 고맙다고 말하려던 난, 그가 가식적으로 싱긋 웃으며 꺼낸 말에,

"태양신의 성력과 월신의 성력이 상충하기에, 뒤늦게 나설 수밖에 없었던 점 양해해 주기를."

'무슨 소리야!'라고 외칠 뻔했다. '역시 그랬구나!' 모두가 감탄한 듯이 고개를 끄덕거린다. 그러긴 뭘 그래, 저거 거짓말이라고! 오로지 삼 왕자 아라곤만 미심쩍은 얼굴로 동조하지 않는 게 위로가 되었다.

와, 진짜. 난 힘이 빠져 바닥에 주저앉을 뻔했다. 카마엘이 재빨리 나를 지탱해서 세워 줬다. 땀이 주룩주룩 흘렀다. 빛을 두르고 멀쩡하게 서 있는 히스칼과 내 모습은 퍽 대비가 될 것이다. 내가 정말 98퍼센트 정도는 용 썼는데, 2퍼센트 힘쓰고 저렇게 경탄의 눈길을 받고 있다니.

그래, 예상한 상황 아니었어? 하지만 아직 나도 완전히 성녀가 되진 못했나 보다. 히스칼이 아주 얄미웠다. 아주 아주. 날

도와준 건 정말 미세하게 느껴질 만큼.

후우, 나는 숨을 골랐다. 인정받고픈 욕심을 버려야 하느니라. 성녀답게. 아무도 알아주지 않아도 상관 없……진 않지만. 어쨌든, 이제 된 거지?

"성녀님."

지친 기색이 역력한 채, 이카루스가 내게로 다가왔다.

나는 몸을 일으켜 세웠다. 약한 모습을 보일 순 없지. 그리고 난 원래 튼튼하니까, 가끔가다가 이 정도 무리를 한 건 대수롭지 않다고.

"모두 무사해?"

"예, 다행히. 성녀님과 카마엘 님이 힘써 주신 덕분에, 전체적으로 그리 피해가 크지 않은 것 같습니다."

병사들도 그리 적극적으로 싸우지 않았고, 특무단원들은 카마엘에게 집중했다. 다행한 일이었다.

가만히 손을 쥐었다 펴니 텅 비어 버린 듯했던 몸에 성력이 돌아오는 게 느껴졌다. 서서히 스며들듯이.

난 카마엘에게 말했다.

"카마엘도 힘들 테지만, 주변을 좀 살펴 주겠어? 혹시 파편에 깔린 사람이 있을지도 모르니까."

"예, 알겠습니다."

그나마 우리 일행 중에서는 카마엘이 가장 쌩쌩한 축이었다. 역시 내 요정기사님이란. 평소에 운동을 열심히 하면 이런 데서 덕을 보는 거야!

나는 운동진리주의설을 속으로 되뇌었다. 그가 등을 돌리고 떠나가자, 나는 이카루스에게도 야파 왕의 상태를 살피라 말했다. 의술에 조예가 없는 나보단 그가 낫겠지.

"부상자들을 치료하도록 해."

그리고 잠시 내 곁이 비어 버린 사이, 지시를 내린 히스칼이 내게로 다가왔다.

나만이 볼 수 있을 만큼 바짝 거리를 좁혀 서자마자, 얼굴에 웃음기가 싹 걷힌다. 가면을 바꿔 낀 것처럼.

뭐야? 왜 그런 표정이야? 자길 보면 정색해야 할 건 나인데. 난 입술을 내밀었다.

"너는 정말, 대단해."

칭찬인가? 그런데 칭찬이라기엔 싸늘한 기색이다. 난 그게 비아냥이라고 결론 내렸다. 그리고 내 결론은 어김없이 들어맞았다. 히스칼이 눈살을 찌푸렸으므로.

그의 자줏빛 눈동자가 날 경멸하듯 내려다보았다. 차가운 음성이 고막을 파고들었다.

"불쾌해. 이보다 불쾌해 본 적이 없을 만큼."

······그래, 경멸하듯이. 가슴이 서늘해진다. 나는 그에게, 그런 눈빛을 받아야 할 이유가 없었다. 내가 뭘 잘못했다고!

"왜 나를."

그토록 싫어하니? 기분 나쁘기도, 화가 나기도 하지만 무척 서러웠다. 히스칼은 이젠 표정 관리도 어려운 것 같았다. 저런 표정이라니.

"네가 성녀인가? 너는 정말로, 성녀인가?"

히스칼이 읊조렸다. 내게만 들릴 만큼 작은 목소리였다. 난 눈에 힘을 주고 그를 노려봤다. 내게 히스칼에 대한 호감이 터럭만큼이나마 있고 없고를 떠나서, 나는 그를 동지나 동류 비슷한 것으로 생각했다. 나는 월신의 성녀이고 그는 태양신의 법황이니까. 이 세상에서 유일하게 나와 비슷한 존재. 그 모든 게 무참히 배신당한 기분이 결코 좋을 리 없다.

히스칼이 차분히 말을 이어갔다.

"처음부터 네 말을 들어줄 생각 따위 없었어. 네가 여기 사람들을 구하겠다고 아등바등 힘을 쏟아 내다가, 죽어 버렸으면 좋겠다고 생각했는데."

와, 막 본심이 나온다. 그래, 그래, 맘껏 해 봐. 나도 진짜 이 시간부로 1그램만큼도 미련을 남기지 않을 테니까.

"그게 참, 즐거울 것 같았는데 말이지. 시간이 지날수록, 아닌 것 같았어. 내가 원하는 게. 게다가 네가 날 봤잖아. 그리고 무엇도 기대하지 않는 듯이 네가 내게서 시선을 거두었을 때ㅡ"

히스칼의 눈동자에 기이한 빛이 스쳤다.

"이상하게도 난 그걸, 도저히 견딜 수가 없었어."

무슨 소리 하는 거야. 얘? 나는 귀를 기울였다. 그리고 그가 한 말들을 곰곰이 곱씹었다. 히스칼이 내게 속삭였다.

"축하해."

그리고 빙그레 웃었다.

"네가 나를, 움직였어."

나는 멍하니 그를 올려다보며 눈을 깜빡였다. 그러니까, 지금 애 말은.

"그건 내가 좋아졌다는 소리니?"

복잡다단하게 말을 하긴 했지만, 나 때문에 움직였으면 내가 좋은 게 아닌가. 이 마성의 매력이란. 마음이 우쭐우쭐하려고 한다.

"아니."

단칼에 자르니, 활짝 웃으려던 얼굴이 엉거주춤 펴진다. 뭐야, 그럼 무슨 소릴 한 건데. 왜 움직였다는 건데? 너무 과정을 건너뛰고 결론을 냈나.

"나는 여전히 네가 싫어. 그런데, 나는 너처럼 단순하지 않거든."

복잡하게 살면 머리가 빠지기 마련이다. 히스칼은 다행히도 좋은 유전인자의 영향을 받았는지 머리칼이 풍성해 보였다. 하지만 나는 얘가 환갑이 되기 전에 대머리가 될 거라는 데 돈을 걸겠어!

"그러니, 다음부터 내 도움 같은 건 꿈도 꾸지 않는 게 좋을 거야."

차가운 투로 내쏘는 히스칼은, 정말 배배 꼬이고 비틀린 소년이었다. 그래도 구제 불능인 줄 알았는데, 한 줄기 희망이라도 엿본 기분이 든다.

대충 정리하자면 나를 도와주긴 했는데, 자기도 왜 그랬는지 모르겠고 그런 자신이 마음에 안 든다 이거지? 난 방긋 웃었다.

"괜찮아. 부담스럽게 생각하지 마. 처음이 어렵지, 두 번째부터는 쉬운 법이거든."

넌 이미 시작된 거야. 돌이킬 수 없어! 히스칼의 입매가 일그러졌다. 꼭 저주를 들은 듯한 눈빛이었다.

난 의기양양하게 그를 마주 봤다. 또 목 조르진 않겠지? 나는 힘을 다 썼고, 히스칼은 멀쩡하다시피 한 데다가 그를 막아설 수 있을 카마엘은 저어—쪽에 가 있었다. 하지만 불안감은 들지 않았다. 이 녀석, 다른 사람의 시선에는 좀 신경 쓰거든. 그리고 히스칼은 예상한 대로 그린 듯한 미소를 되돌렸다.

"나는 이만."

그리고 반듯하게 돌아선다. 어어? 자기 할 말만 하고 내빼네.

그 펜던트는 뭔지, 너네도 위험한 상황이었는데 어떻게 가만히 있을 수 있었던 건지. 궁금한 게 참 많은데, 히스칼은 기회를 주지 않았다. 그를 붙잡으려고 들었던 손을 못내 내렸다. 그래도 일이 순탄하게 해결되어서 다행이었다. 성국으로 돌아갈 때까진, 끝이 아니었지만.

이젠 완전히, 지쳐 버렸다.